EL TESORO DE LA SIERRA MADRE

COLECCION IDEAS, LETRAS Y VIDA

B. TRAVEN

EL TESORO DE LA SIERRA MADRE

SEGUNDA EDICION

COMPAÑIA GENERAL DE EDICIONES, S.A. - MEXICO

Esta edición es propiedad de la
COMPAÑÍA GENERAL DE EDICIONES, S. A.

Traducción del inglés por
ESPERANZA LÓPEZ MATEOS

Reservados los derechos de reproducción.
Copyright by
Esperanza López Mateos y Josef Wieder.

Primera edición: septiembre 1950
Segunda edición: noviembre 1955

IMPRESO EN MEXICO
PRINTED IN MEXICO

I

El banco en el que Dobbs se hallaba sentado no era muy cómodo. Tenía rota una de las tablitas y la otra inclinada; así, pues, resultaba una especie de castigo sentarse en él. Pero si merecía el castigo o se le infligía injustamente, como la mayoría de ellos, era cosa que le preocupaba muy poco. Tal vez se habría percatado de su incomodidad si alguien se la hubiera hecho notar, pero nadie se ocupaba de ello.

Dobbs tenía la mente embargada por otros pensamientos para poner reparos a su asiento. Buscaba una solución al viejo problema que hace a las gentes olvidarse de todo. Trataba de dar una respuesta a esta pregunta: ¿Cómo podré conseguir dinero inmediatamente?

Cuando se tiene algún dinero es fácil multiplicarlo invirtiéndolo en algún negocio prometedor, pero sin un centavo resulta difícil hacer algo.

Dobbs nada tenía. De hecho poseía menos que nada, pues hasta sus ropas eran malas y estaban incompletas. Las buenas ropas pueden considerarse algunas veces como un modesto fondo para iniciar alguna empresa.

Cualquiera deseoso de trabajar, con un serio propósito de hacerlo, sin duda alguna puede encontrar trabajo. Sólo que no hay que solicitarlo de quienes tal

cosa aseguran, porque ellos nunca tienen ninguno que
ofrecer ni conocen a nadie que sepa de una vacante.
Justamente esa es la razón por la cual dan tan generosos y fraternales consejos, con lo que también ponen de
manifiesto su desconocimiento del mundo.

Dobbs hubiera acarreado montones de piedras pe-
sadas en una carretilla durante diez horas diarias si alguien le hubiera ofrecido el trabajo, pero, en caso de
que la vacante existiera, él habría sido el último elegido, porque se daba preferencia a los nativos sobre los
extranjeros.

Echó una mirada al bolero para enterarse de cómo
iba su negocio. Aquél poseía una plataforma con un
asiento; el sitio parecía cómodo, pero ningún cliente se
acercaba. También la competencia era dura en esa in-
dustria. Una docena de muchachos, carentes de sitio
propio, corrían de un lado a otro de la plaza en busca
de clientes. En cuanto encontraban a alguien que no
llevaba los zapatos lustrados, lo perseguían con sin igual
insistencia hasta que lo obligaban a dejárselos lustrar
nuevamente. A menudo eran dos los solicitantes, y
cuando conseguían al cliente, se dividían el trabajo y la
paga. Esos muchachitos portaban un cajón y un banco
pequeñísimo en el que se sentaban a trabajar. Semejante
equipo —calculaba Dobbs— debe costar tres pesos; así,
pues, comparados con él, aquellos chicos eran capita-
listas con cierta cantidad de dinero invertida. Pero al
verlos cómo perseguían a los clientes comprendía que
la vida no les era muy fácil.

Aun cuando Dobbs hubiera podido adquirir el equipo
no le habría sido dado trabajar entre los nativos. Ningún
blanco había intentado jamás recorrer las plazas gritando: "¿Una boleada, señor?" Habría preferido morir. Un
blanco podía sentarse en el banco de una plaza vistiendo
harapos, medio muerto de hambre; podía humillarse an-

te otro blanco; hasta podía robar y cometer otros crímenes; por ello los otros blancos no le habrían aborrecido y seguirían considerándolo uno de ellos. Pero si hubiera recorrido las calles lustrando zapatos o hubiera mendigado de los nativos algo más que agua, o se hubiera dedicado a vender limonadas tirando de un carrito de mano, se habría hundido más que cualquier nativo y bien hubiera podido morir de hambre, porque después de ello ningún blanco le proporcionaría trabajo y los nativos lo considerarían como el peor de sus competidores, serían capaces de destruir su carro, de derramar sus limonadas y en el primer caso, como acertara a conseguir algún cliente a quien lustrar los zapatos, habría sido víctima de las peores bromas de palabra y de obra, que harían que el cliente huyera antes de que el trabajo estuviera terminado.

Un hombre vestido de blanco inmaculado se aproximó al puesto del bolero y se sentó en la silla. El limpiabotas empezó su trabajo.

Dobbs se levantó del banco, caminó lentamente hacia donde se hallaba el hombre vestido de blanco y le dijo algunas palabras al oído. Él metió un mano en el bolsillo, sacó un peso y se lo dió.

Dobbs quedó admirado y no daba crédito a sus ojos. Regresó al banco. En realidad nada esperaba; cuando mucho creyó conseguir diez centavos. Acarició el peso dentro de su bolsa. ¿Qué haría con aquel tesoro? ¿Cenaría y comería o cenaría dos veces? Tal vez sería mejor comprar diez cajetillas de cigarros "Artistas" o tomar cinco tazas de café con pan francés.

Después de profundas reflexiones dejó el banco y caminó algunas calles hasta el Hotel Oso Negro.

En su país el Hotel Oso Negro no habría sido considerado como tal, y aun aquí en la República, en donde los buenos hoteles son raros, éste no podía calificarse entre los aceptables, pues era una especie de mesón.

El auge estaba en su mayor esplendor y por ello los buenos hoteles eran caros. Y como el apogeo había llegado rápidamente, sin dar tiempo a la construcción de buenos hoteles, había muy pocos y los propietarios de éstos pedían de diez a quince dólares por un cuartito que por mobiliario tenía sólo un catre, una silla y una mesita. Lo más que el huésped podía esperar era que el catre estuviera bien cubierto con un mosquitero y que día y noche hubiera agua fría en las duchas.

En el piso bajo del Hotel Oso Negro había una tienda atendida por un árabe, en la que se vendían zapatos, botas, camisas, jabón, perfumes, ropa interior para damas y toda clase de instrumentos musicales. A la derecha había otra tienda que vendía sillas para escritorio, libros sobre localización y perforación de pozos petroleros, raquetas de tenis, relojes, periódicos y revistas americanas, refacciones para automóviles y linternas. El propietario de este establecimiento era un mexicano que hablaba regularmente el inglés, hecho que anunciaba con grandes letras en los escaparates.

Entre ambas tiendas se hallaba un corredor que conducía al patio del hotel. El corredor quedaba separado de la calle por un pesado zaguán que permanecía abierto día y noche.

En el segundo piso había cuatro piezas con vista a la calle y cuatro con vista al patio. Difícilmente podría pintarse la pobreza de las habitaciones que se ofrecen en esa clase de hoteles y por las que, sin embargo, no se pagaban menos de doce dólares diarios, por supuesto sin incluir el baño. En el hotel había sólo dos duchas de agua fría; la caliente no se conocía allí. Las duchas servían a todos los huéspedes del hotel y muy a menudo el agua se acababa porque el depósito contenía una cantidad muy limitada, que la mayoría de las veces se obtenía comprándola a los aguadores, los que la conducían sobre el lomo de un burro en latas que habían sido de petróleo.

De los cuartos del hotel, sólo dos exteriores y dos interiores eran alquilados; los restantes los ocupaban el propietario y su familia. El dueño, un español, raras veces se dejaba ver, pues había encargado todos los asuntos del negocio a sus empleados.

El verdadero negocio del hotel no consistía en el alquiler de los cuartos, que permanecían vacíos semanas enteras porque el precio pedido por ellos, a pesar de la abundancia de dinero proporcionada por el auge, era considerado como un robo, y porque los huéspedes no soportaban más de dos horas las chinches que infestaban las camas, y tenían que salir huyendo en busca de otro sitio en el que pasar la noche. El propietario no hacía rebaja alguna a los precios, y sólo ocasionalmente mandaba quitar las chinches de las camas, en las que, después de esas ocasionales limpiezas, quedaban de cada cien chinches, noventa, las cuales continuaban su vida placentera.

Las ganancias se obtenían con el alquiler del patio. Allí los clientes no se preocupaban ni por las chinches ni por el mobiliario y lo único que les importaba era el precio por el alquiler de un catre.

Todo el patio estaba rodeado de barracas construídas con trozos de madera corriente, podrida y rajada a causa de estar a la intemperie. Los techos estaban cubiertos en parte por lámina acanalada y en parte por cartón, a través del cual pasaba el agua en tiempo de lluvias. La mayoría de las puertas colgaban de una sola bisagra y ninguna de ellas podía cerrarse bien, razón por la cual la vida privada en aquellas barracas era imposible. Sobre cada una de las puertas se hallaba un número pintado en negro, a fin de que pudieran ser identificadas las barracas.

En el interior de ellas, los catres se hallaban colocados más juntos unos de otros que lo que pueden estar en el hospital de un campamento en tiempos de guerra, ¡malditos sean! Cada catre tenía una etiqueta con un número y estaba equipado con dos sábanas, que se aseguraba estaban limpias y en buen estado, y con un sarape delgado, en el que más eran los agujeros que las partes buenas, y como era de color oscuro, resultaba difícil precisar si alguna vez habían sido lavados desde que salieron de la fábrica. Completaba el equipo una almohadita dura como una piedra.

Por los agujeros de las barracas penetraban el aire y la luz y, no obstante, la atmósfera era pesada y mal oliente.

El patio estaba enteramente limitado por edificios, por lo que la ventilación era imposible y el paso de los rayos solares, aun cuando caían perpendicularmente, se veía obstruído.

Las condiciones de higiene eran sólo ligeramente mejores que las de las trincheras, ¡malditas sean!

A aquella atmósfera desagradable había que agregar el humo producido por el fuego que ardía noche y día en el patio, y al cual eran arrojadas, a manera de combustible, todas las cosas habidas y por haber: zapatos viejos, basura y hasta excrementos secos. Sobre el fuego, un chino hervía ropa en viejas latas de gasolina. En el rincón más apartado del patio, tenía alquilada una pequeña barraca, en la cual, junto con cuatro compatriotas más, atendía su lavandería. Ese negocio, debido al auge, producía muy buenas ganancias, de las cuales una parte pasaba a manos del dueño del hotel.

En el cubo del zaguán, al lado izquierdo, tenía su oficina el gerente. Éste atendía su negocio a través de

una ventanilla que daba al corredor. Por otra que daba
al patio podía enterarse de cuanto ocurría en él y evitar
que alguno de los huéspedes tomara un catre mejor que
el que había pagado.

La mayor parte de la oficina estaba ocupada por
recios anaqueles, cubiertos con alambrado de galline-
ro, en los que se amontonaban baúles, cajas, sacos, maletas, paquetes y bultos hasta tocar el techo. En una
piececita adicional al despacho había más anaqueles, repletos de objetos pertenecientes a los huéspedes que no
se arriesgaban a dejarlos en las barracas. Guardados
en los anaqueles, quedaban al cuidado del empleado
no sólo los efectos de los huéspedes, sino los de los
clientes que no podían pagar más de una noche de
hospedaje y tenían que ir después a dormir en algún
rincón de los muelles o bajo un árbol en las riberas del
río, lugares en los que nadie les exigía pago de alojamiento, pero en los que a menudo eran asesinados con
el objeto de despojarlos de los treinta centavos que
poseían.

Pagando una noche de alojamiento, el huésped se
sentía con derecho a dejar su equipaje al cuidado de
los hoteleros. En caso de necesitar una camisa, unos
calzones o cualquier otra prenda, pedía su petaca, sacaba lo que le era necesario y la devolvía. El gerente
nunca podía saber si el individuo aquel era aún huésped o no, y era demasiado atento o indiferente para
ocuparse en averiguarlo.

El hombre podía haber marchado a Brasil, a Ar-
gentina, a Honduras, a Hong-Kong; sus huesos podían
estar blanqueándose al sol en cualquier sitio de Venezuela o de Ecuador. ¿Quién se preocupaba por ello?
Quizá estuviera en la cárcel, muerto de sed, devorado
por algún tigre o sufriendo por la mordedura de una
serpiente. Su petaca, a pesar de lo que a él pudie-

ra haberle ocurrido, permanecía bien guardada en el
hotel.

Llegó un día en que los anaqueles eran insuficien-
tes para contener los equipajes de antiguos huéspedes
y dar cabida a los de nuevo ingreso, y entonces el gerente mandó hacer una limpia general. Nunca se daban
recibos por los equipajes, este lujo era imposible de
esperar tratándose de ese hotel. Algunas petacas tenían
pegado un marbete con el nombre de su propietario,
otras ostentaban las señas del express, de alguna compañía naviera o de algún hotel español, marroquí o
peruano, por las que su dueño podía reconocerlas. Algunas otras llevaban escrito con lápiz el nombre del
propietario y a veces ocurría que éste no podía reclamar su petaca, la que reconocía por la apariencia, debido a que había olvidado el nombre dado al gerente
al hacer su depósito, por haberlo cambiado en repetidas ocasiones después de esa. De muchos de los equipajes, los marbetes solían desprenderse o eran devorados por las ratas, y los nombres escritos con gis o lápiz
desaparecían. Algunas veces ocurría que el empleado
se olvidaba de preguntar su nombre al huésped o que
éste llegaba tan borracho que no lo recordaba. Entonces
aquél se concretaba a marcar la petaca con el número
del catre que el hombre ocupaba, quien lo olvidaba en
seguida, si es que llegaba a enterarse de él.

Era difícil precisar cuánto tiempo hacía que algunos de los equipajes se hallaban almacenados. El gerente o el dueño del hotel estimaban el número de meses transcurridos, guiándose por el espesor de la capa
de polvo que los cubría, y raramente se equivocaban.

El gerente, en presencia del propietario, abría las
petacas y baúles en busca de valores que retener como
pago por el almacenamiento. En la mayoría de ellos
encontraban solamente harapos, porque nadie que po-

seyera algún objeto de valor hubiera llegado al Oso Negro, y, de haberlo hecho, no habría permanecido allí más de una noche.

Los harapos eran regalados a quienes los mendigaban. En este mundo no hay pantalón, camisa o par de zapatos lo bastante viejos para que no exista algún ser humano que al verlos exclame: "Démelos; mire usted cómo ando. ¡Muchas gracias, señor!" La existencia de un hombre pobre va acompañada siempre de la de uno más pobre aún.

Dobbs no poseía equipaje, ni una caja de cartón, ni siquiera una bolsa de papel, pues nada habría tenido que guardar en ella. Todo cuanto poseía en el mundo lo llevaba en el bolsillo del pantalón. Hacía muchos meses que no tenía chaleco ni saco: aquellos objetos habían desaparecido mucho tiempo atrás. Pero no los necesitaba. Nadie llevaba saco a excepción de los turistas y los hombres que deseaban causar una buena impresión. Quienes lo usaban en aquel sitio eran mirados como los neoyorkinos que usan sombrero de copa sin poseer automóvil.

Dobbs se detuvo ante la ventanilla del empleado, en la cual y sobre una tabla se hallaba un botellón de barro, del que hacían uso todos los huéspedes, porque ni en los cuartos ni en las barracas había agua. Los experimentados, especialmente aquellos que frecuentemente sentían sed durante la noche, llevaban consigo una botella de tequila llena de agua.

El gerente, que durante el día hacía de empleado, era sumamente joven, apenas tenía veinticinco años. Era pequeño, muy delgado, y tenía la nariz larga y afilada. Su nariz indicaba que había nacido para empleado de hotel. Tenía las mejillas enjutas, los ojos hundidos y rodeados de sombras negras. Sufría de paludismo, y el

mal le había puesto la piel amarilla con sombras grises. Parecía próximo a morir en cualquier instante, pero no había tal, pues era capaz de sujetar a cualquier
marinero, por fuerte que fuera, cuando se ponía a jurar más allá de los límites de la decencia. Trabajaba
de las cinco de la mañana a la seis de la tarde, hora
a la que era relevado por el empleado que velaba. Entonces se dirigía a la plaza y daba cincuenta vueltas, a
manera de ejercicio.

Las puertas del hotel jamás se cerraban, y los empleados tenían mucho que hacer. No pasaba media hora durante el día o la noche sin que hubiera necesidad
de despertar a algún cliente para que acudiera a su
trabajo.

Pocos turistas llegaban al hotel y cuando lo hacían
sólo era debido a una equivocación y para salir de allí
hablando a todo el mundo acerca de la suciedad que
reinaba en la República.

Los huéspedes eran, en su mayoría, trabajadores con
empleo o sin él, marinos a quienes sus buques habían
dejado, o de los cuales habían saltado a tierra. Ocasionalmente llegaban uno o dos petroleros millonarios sólo
unas semanas antes, quienes habían quebrado porque sus
pozos se habían secado o porque nada habían obtenido
de sus perforaciones. Pero casi todos los huéspedes eran
panaderos, picapedreros, vigilantes, cocineros, voceado-
res o meseros de café; otros tenían profesiones y trabajos
de los que no es posible dar idea en unas cuantas palabras. Muchos de ellos podían haber alquilado un cuarto
en la casa de alguna familia, en el que hubieran dormido
mejor, sin tener necesidad de permanecer en compañía
de toda clase de ladrones, chapuceros, vagos, aventureros y malvivientes, quienes, mientras podían pagar,
gozaban de aquel alojamiento. La única diferencia de
clases que allí existía se determinaba por la respuesta

dada a esta interrogación: "¿Puede usted pagar por su catre, o no?", hecha para asegurarse oportunamente de la solvencia de los clientes y dar preferencia a las veintenas de trabajadores que gustaban de vivir allí, entre la escoria de cinco continentes, sin arriesgarse a perder el empleo por llegar tarde al trabajo, porque únicamente allí tenían la seguridad de ser despertados a la hora exacta, indicada con anticipación.

Ambos empleados eran eficientes. Todos los días algún antiguo huésped dejaba el hotel y otros llegaban a reemplazarlo. A todas horas del día y de la noche se veían caras nuevas. Todas las razas estaban allí representadas: blancos, negros, morenos, amarillos, rojos; viejos y jóvenes. Pero ninguno de los gerentes se equivocaba nunca. Cuando alguien pasaba frente a la ventanilla, los empleados sabían perfectamente si había pagado o no. Si el hombre estaba en deuda, consultaban el registro para saber qué cuarto ocupaba. Como ninguna de las barracas tenía cerradura, no era necesaria llave alguna y cualquier vivo podía meterse a ellas y descansar en uno de los catres. Pero los empleados eran tan listos que reconocían en el acto la cara del huésped y recordaban el nombre que había dado, el número de su catre, lo que había pagado por él y si aquellos detalles coincidían o no entre sí.

Algunos cuartos dotados de viejas camas se hallaban separados de los otros por canceles de madera vieja. Eran tan pequeños que, aparte del sitio que la cama ocupaba, sólo quedaba un corredorcito para que el huésped pudiera desvestirse. Solían ser alquilados por aquellos que llevaban a su mujer consigo y a quienes se cobraba un peso por persona.

Dos de las barracas estaban destinadas únicamente a mujeres. Las puertas de aquéllas tampoco podían cerrarse convenientemente. La mayoría de las mujeres que las habitaban eran meseras, cocineras y galopinas de restaurante. No obstante que el hotel estaba lleno de hombres y que cualquiera podría haberse metido en los cuartos de las muchachas, éstas se hallaban más seguras allí que en algunos otros hoteles clasificados como decentes a pesar de que en ellos se hacía caso omiso de la moral.

Nunca eran molestadas ni por los borrachos, pues, de acuerdo con las leyes no escritas que regían el hotel, cualquiera que dañara a alguna sería muerto al amanecer. Los hombres ni siquiera se aproximaban a los cuartos de ellas para espiar a través de las rendijas que quedaban entre los tablones. El sexo femenino era el único que gozaba de mosquiteros en sus catres; los hombres tenían que arreglárselas sin ellos.

Muchos de los huéspedes lo habían sido por dos, tres y hasta cinco años. Estos residentes, usualmente ocupaban las esquinas de las barracas, gozando así del privilegio de cierto aislamiento que no les era dispensado a los otros. Allí se sentían con mayor libertad que en su propia casa, pues podían salir y entrar cuando les placiera, sin que ama alguna les hiciera preguntas molestas acerca de la moral y de las sanciones aplicables a quienes se apartan de ésta.

En las barracas no había alacenas ni guardarropas de ninguna especie. Los huéspedes que ocupaban los catres que se hallaban en medio de la estancia, colocaban sus cosas sobre una silla vieja o las ataban con cordeles a uno de los lados del catre. Los que ocupaban las esquinas o tenían sus catres colocados contra la pared las colgaban de clavos. Otros las guardaban en cajas de madera, bajo sus catres. Otros acostumbraban suspender sus ropas de clavos, envolviéndolas en pedazos de tela y amarrándolas con cordones que sujetaban contra la pared, dificultando así las maniobras de algún ladrón que tratara de llevarse un pantalón o enagua de aquella masa de ropas.

Raramente se registraban robos. Cualquier persona que saliera con un paquete tenía que soportar la mirada escrutadora del empleado, y si la procedencia del bulto no era legal, se veía precisado a tirarlo y a echar a correr. Y no era porque temiera a la policía y a las cárceles, sino a la paliza que recibiría. El empleado sólo tenía que dar un grito para que acudieran en su ayuda algunos de los hombres que siempre, día y noche, andaban rondando por el patio, los cuales cogerían al ladrón, lo meterían a una de las barracas y le espetarían un sermón que haría tal efecto en su alma y en su cuerpo, que durante una semana no podría mover un solo dedo, ni un párpado, sin lamentarse. Aquellos sermones daban tan buen resultado que los propietarios del hotel bien podían garantizar que en los dos meses siguientes a uno de ellos no ocurriría un solo robo dentro del establecimiento.

Unicamente viejos residentes dejaban parte de sus propiedades en las barracas cuando se hallaban ausentes. Sus pantalones, sacos y camisas eran tan bien conocidos por el empleado, que resultaba prácticamente imposible que alguien abandonara el hotel vestido con ropas ajenas sin ser sorprendido.

En el despacho del empleado había una caja fuerte en la que se guardaban valores de los huéspedes, tales como dinero en efectivo, documentos, relojes, anillos e instrumentos, así como revólveres, rifles, escopetas y equipos de pesca, bien en calidad de depósito o tomados como pago por algún concepto.

En las esquinas de la pieza y en pequeñas repisas, había docenas de paquetitos, revistas y libros, que se dejaban para que fueran guardados "solamente por un momentito, señor", de los cuales muchos jamás eran

reclamados, pues sus dueños sin duda se dirigían al otro
extremo del mundo, ya que un hombre sin trabajo en
los muelles, cuando halla una plaza en algún barquito
listo a levar anclas, se embarca sin importarle lo que
abandona, pues no es posible comerse un teodolito ni
resulta fácil venderlo siquiera en veinte pesos cuando
todos los compradores de objetos de segunda mano y todos los empeñeros tienen sus casas atestadas de ellos.
En cambio, un empleo significa comida, y nadie sería
tan tonto como para no dejar instrumentos, implemen-
tos de pesca o escopetas a cambio de la oportunidad de
comer tres veces diarias.

Una de las repisas, dividida en pequeños casilleros,
estaba llena de cartas para los clientes. Montones de
ellas, muchas de las cuales salieran de manos de la madre, la esposa o la novia, se apilaban cubiertas de polvo.
Tal vez muchos de los hombres a quienes iban dirigidas
se hallaban muertos para entonces o trabajando en alguna selva en busca de petróleo. Quizá vagaban por los
mares de China o ayudaban a los bolcheviques a construir el imperio de los trabajadores, sin tiempo para
pensar en que la autora de la carta debía derramar lágrimas por la oveja extraviada.

Aquello, a lo que el gerente y el empleado llamaban
su escritorio, era una mesita muy estropeada. Sobre
ella estaba el libro de registro, algunas cartas y periódicos, una botella de tinta y una pluma. Todos los
huéspedes tenían que registrarse para que recordaran
que se hallaban en un país civilizado. Solamente el ape-
llido era anotado junto al número de la barraca, del
catre y de la cantidad de dinero pagada. Cualquier otro
dato respecto a los huéspedes, como su nacionalidad,
profesión y lugar de origen no tenía importancia ni para
el empleado ni para la policía, que nunca se ocupaba
en inspeccionar los registros, a excepción de cuando an-

daba en busca de algún criminal. Los recaudadores de impuestos solían consultarlos para cerciorarse de que los propietarios del hotel no habían hecho una declaración falsa. La ciudad no contaba con demasiados empleados públicos, y sólo en donde hay más de los realmente necesarios se presiona a las gentes para que digan a la policía todos los detalles de su vida privada.

Dobbs se aproximó a la ventanilla, hizo sonar su peso sobre la mesa y dijo:

—Dobbs, dos noches.

El empleado anotó en el registro "Jobbs", porque no había entendido el nombre y era lo bastante educado para preguntarlo nuevamente. Luego dijo:

—Cuarto siete, cama dos —cuarto significaba "barraca", y cama, "catre".

Dobbs masculló algo que pudo haber sido "Bien, hermano", o tal vez: "Bésame por allí, pelmazo".

Sentía hambre y tenía que salir de caza o de pesca... Pero el pez no mordería. Siguió a un hombre vestido de blanco, le susurró algunas palabras al oído, y aquél, sin mirarlo siquiera, sacó del bolsillo un tostón y se lo entregó.

Con aquellos cincuenta centavos, Dobbs corrió a un café de chinos. Los cafés de esta clase son los más baratos y no siempre los más sucios de la República. Hacía mucho que la hora del almuerzo había pasado, pero en un café de chinos puede conseguirse una comida corrida a cualquier hora. Si el tiempo oportuno ha pasado para llamar a aquello comida, entonces se le llama cena, sin importar las horas que marque el reloj de la catedral.

Dobbs, con la seguridad de poder pagar por su comida, hizo correr al chino de un lado para otro, pues a cada platillo que le llevaba le encontraba defectos y hacía que se lo cambiaran por otro; así se deleitaba una vez más espoleando sin compasión al prójimo.

Salió nuevamente a la plaza, escarbándose los dientes, y se sentó en un banco hasta que volvió a sentir deseos de beber café. Largo rato recorrió las calles sin éxito, hasta que un hombre vestido de blanco le dió otra moneda de cincuenta centavos.

—¡Caracoles! —se dijo—, los hombres vestidos de blanco me traen buena suerte. —Después se dirigió al extremo más cercano al muelle en el que atracaban los cruceros y barcos de carga. Allí se hallaba establecido un café sin puertas, paredes ni ventanas, cosa que en realidad no necesitaba, pues permanecía abierto veinticuatro horas diarias. Dobbs pidió una taza grande de café con un cuarto de libra de azúcar. Cuando el mozo colocó el vaso de agua helada frente a Dobbs, éste elevó la vista hacia la lista de precios y gritó:

—¡Bandidos, ya le subieron cinco centavos al precio de su apestoso café!

—No más no se enoje —dijo el propietario mascando un palillo de dientes—, con los gastos que tenemos no podíamos seguir dándolo a quince fierros.

En realidad, Dobbs no ponía objeciones al precio; lo único que deseaba era quejarse como suelen hacerlo los clientes que pueden pagar.

—¡Vete al diablo! Yo nunca compro billetes de lotería —gritó a la cara de un muchachito que hacía cinco minutos lo molestaba con su insistencia, metiéndole los billetes por los ojos.

El vendedorcito, descalzo, vistiendo una camisa rasgada y unos pantalones viejos de algodón, pareció no dar importancia a aquello; estaba acostumbrado a que le gritaran de ese modo.

—Es la del estado de Michoacán, señor —dijo—; sesenta mil pesos al premio mayor.

—Lárgate, bandido, ya te dije que no lo quiero —gritó Dobbs al tiempo que remojaba su pan en el café.

—El entero vale diez pesos, señor, y seguro que usted le pegará.

—Hijo de. . . Yo no tengo diez pesos.

—Muy bien, señor; entonces ¿por qué no compra usted un cuarto? Sólo vale dos cincuenta.

Dobbs bebió el café a grandes sorbos, quemándose la boca, y esto acabó de ponerlo de mal humor.

—¡Ya te dije que te fueras al diablo, y si no te largas y me dejas en paz, te echaré encima este vaso de agua!

El chico no se movió. Era un buen vendedor y conocía a sus clientes. Cualquiera que se sentara al mostrador de un café español a aquellas horas de la tarde, para beber una buena taza de café con leche y comer dos piezas de pan con mantequilla, sin duda tenía dinero, y los que tienen dinero siempre desean tener más; así, pues, aquel hombre era el cliente apropiado para comprar un billete de lotería.

—Siquiera un décimo, señor; ese sólo le costará un peso.

Dobbs tomó el vaso con agua y lo echó a la cara del chico, diciendo:

—Te lo advertí, sinvergüenza. ¿No te dije que esto haría si me seguías molestando?

El chico rió y sacudió el agua de su pelo y de sus pantalones. La lotería, de veinte mil personas, hace rica a una, y el muchachito sabía por experiencia que era más fácil vivir vendiendo billetes de lotería que comprándolos; así, pues, consideró aquel baño como el punto de partida para iniciar el negocio con Dobbs.

Dobbs pagó el café y le dieron veinte centavos vueltos; tan pronto como el chico vió la moneda, se apresuró a decir:

—Por lo menos debería usted comprar un vigésimo de la de Monterrey, que sólo cuesta veinte centavos. El premio mayor es de cinco mil pesos. Tómelo es un número muy bonito. Súmelo y verá como le da trece, el más ganador de todos.

Dobbs dió vuelta en la mano cerrada a su moneda de veinte centavos. ¿Qué haría con ella? ¿Tomaría más café? No deseaba más. ¿Compraría cigarros? No deseaba fumar; prefería guardarse el gusto del café, y el humo suele matar el gusto más fino. Comprar un billete de lotería sería tanto como tirar el dinero. Sin embargo, sería divertido esperar en la suerte. La esperanza es siempre buena para el alma. Habría que esperar tres días.

—Está bien, diablo prieto —dijo—, dame ese vigésimo para que no vea más tu puerca cara.

El pequeño comerciante cortó el vigésimo y lo entregó a Dobbs.

—Es un número excelente, señor.

—Si es tan bueno como dices ¿por qué no lo juegas tú? —preguntó Dobbs bromeando maliciosamente.

—¿Yo? No, señor; yo no tengo dinero para jugar a la lotería.

Tomó la moneda de plata, la mordió para ver si era buena y dijo:

—¡Muchas gracias! Búsqueme la próxima vez, yo siempre traigo los ganadores. ¡Buena suerte!

Y corrió como una liebre tras otro cliente, en el que ya había puesto los ojos.

Sin mirar el número, Dobbs guardó el billete en la bolsa del reloj y decidió ir a nadar un rato.

Había que recorrer una larga distancia para llegar al río abierto. Parecía que aquel sitio era el punto de reunión de todos los holgazanes del puerto. Cuando Dobbs llegó, aquello estaba lleno de mestizos, indios y blancos de la misma condición social de Dobbs. Ninguno vestía traje de baño. Más allá, río arriba, las muchachas se bañaban, también desprovistas de ropa y en unión de algunos jóvenes para darle mayor animación al acto.

En las altas colinas que formaban los bancos del río, hacia el este, se hallaba la sección residencial del puerto. Allí vivían con sus familias, en hermosos *bungalows*, norteamericanos, ingleses, suecos y holandeses, empleados de las compañías petroleras. La ciudad era muy baja, estaba solamente a algunos pies sobre el nivel del mar; hacía un calor sofocante y raramente llegaba hasta ella la brisa del mar. Las colonias de los extranjeros acomodados, situadas en las colinas, recibían la fresca brisa del mar toda la tarde y durante la noche. Los *bungalows* en que a la hora del té y del *bridge* se disfrutaba mejor eran aquellos situados al borde de las colinas, desde donde era posible mirar el río. Las damas que allí se reunían a la hora del té, quienes no podían mezclarse a los nadadores aun cuando bien lo deseaban, iban provistas de sus anteojos de campo para poder atisbar a los bañistas desnudos. El espectáculo era tan interesante que ni por un momento pensaban en el *bridge*. Tal vez a ello se debía que la colonia se llamara "Buena Vista".

El baño es algo muy grato en el trópico. Además, Dobbs se ahorraba así los veinticinco centavos que cobraban en el Oso Negro tan sólo por hacer uso de la minúscula ducha y por treinta segundos, porque utilizándola treinta más, ya había necesidad de pagar otros veinticinco centavos, en vista de que el agua era cara.

No todo era placer en el río, pues el lecho era pantanoso y estaba plagado de jaibas enormes que solían acosar los pies de quienes se posaban en su morada, y más de un bañista temía salir de allí con un dedo menos.

En aquel sitio el río se abría formando un delta, y era allí donde los pescadores de jaibas se apostaban. Sólo los indios y los mestizos más pobres se dedicaban a la pesca de jaibas, para la cual era menester una paciencia inagotable. Se usaba para cebo, carne; mientras más apestosa, mejor. El cebo se sujetaba al extremo de un cordel largo amarrado a una caña que se arrojaba al agua. El pescador dejaba que se hundiera en el lodo y descansaba algunos minutos. Entonces empezaba a tirar de la caña con una lentitud de la que sólo un indio es capaz. En esa operación empleaba muchos minutos. La jaiba se prendía al cebo con las tenazas de sus patas, ansiosa de no perder aquel buen bocado, y se cogía con tal fuerza que cuando la caña se levantaba, el animal salía prendido del cordel. No hay manera de saber cuando una jaiba pica el cebo, y frecuentemente se saca la caña hasta veinte veces inútilmente. Algunas ocasiones también la jaiba engaña al pescador y se queda hábilmente con el cebo, sin prenderse al cordel. Los pacientes pescadores que trabajan de sol a sol logran una vida apenas regular, aunque los restaurantes pagan buenos precios por la carne de esos animales, que es considerada como bocado selecto.

Dobbs, que andaba en busca de algún medio para conseguir dinero, observó a los pescadores y llegó a la conclusión de que aquel no era trabajo para él. Habiendo crecido en la actividad de una ciudad industrial norteamericana, carecía en absoluto de la paciencia necesaria a los pescadores de jaibas y estaba seguro de no pescar ni una en tres semanas.

Casi tres millas tenía que caminar Dobbs para regresar al puerto. La natación y la caminata habían despertado su hambre; así, pues, volvió a emprender la caza. Durante mucho tiempo ninguna ocasión se presentó a sus ojos y tuvo que tragarse muchos discursos y buenos consejos sobre los sin trabajo, muchas frases molestas sobre los extranjeros holgazanes que se dedican a importunar a los ciudadanos honestos. Pero cuando se tiene hambre no se pone atención a tales sermones y el sentimiento de que la mendicidad no se hizo para un norteamericano se olvida cuando hay necesidad de comer.

Por fin descubrió a un hombre vestido de blanco inmaculado que cruzaba la plaza en dirección del cine Alcázar y pensó: "Hasta ahora he tenido suerte con quienes visten de blanco; probemos con este tipo."

Nuevamente obtuvo cincuenta centavos.

Cenó y después de descansar un buen rato en uno de los bancos del jardín, pensó en que no sería malo que su situación económica cambiara rápidamente, ya que nadie sabe nunca lo que puede ocurrir. La excelente idea le acometió justamente cuando un hombre vestido de blanco caminaba perezosamente por el extremo de la calle.

Sin vacilar, se aproximó al hombre y le espetó su ruego. La víctima hurgó sus bolsillos, sacó un tostón y se lo tendió. Dobbs ya se apresuraba a tomarlo, pero el hombre retuvo la moneda entre los dedos y dijo secamente:

—Oígame, nunca había sido víctima de insolencia igual; nadie sobre la tierra me podría hacer creer semejante historia.

Dobbs se quedó perplejo. Jamás lo habían apostrofado en aquella forma. Generalmente obtenía como respuesta algunas palabras enojosas. No había qué hacer.

¿Esperaría o echaría a correr? Miraba el tostón y pensaba que tarde o temprano caería sobre su mano y decidió conceder al hombre el placer de sermonearle a manera de pequeña recompensa por su donativo. "Bueno, será duro tener que escuchar el sermón, pero ello me producirá dinero", pensó, y resolvió esperar.

—Esta tarde —dijo el hombre— me contó usted que no había cenado aún y le di un peso; cuando volví a encontrarlo dijo que no tenía sitio en que pasar la noche y le di un tostón; ahora permítame usted que le pregunte con toda cortesía: ¿para qué quiere el dinero?

Sin detenerse a pensar, Dobbs repuso:

—Para el desayuno de mañana, señor.

El hombre rió, le entregó los cincuenta centavos y dijo:

—Esto será lo último que le dé; en lo sucesivo diríjase a otro, pues si he de hablarle con franqueza, empieza a molestarme.

—Dispénseme, señor —contestó Dobbs—; no reparé en que era usted la misma persona en todas las ocasiones, pues nunca le vi la cara, sólo miraba sus manos y las monedas que me daba. Ahora, por primera vez, me fijo en su cara, pero le prometo no volver a molestarlo; perdóneme.

—Está bien pero no llore ni olvide su promesa. Tenga otro tostón para la comida de mañana y recuerde que de ahora en adelante usted se las arregla solo.

Después de decir eso, el caballero siguió su camino.

—Parece —dijo Dobbs cuando se quedó solo— que este pozo se secó definitivamente y que la suerte con las gentes vestidas de blanco se terminó. Pongamos los ojos en otra cosa.

Después llegó a la conclusión de que debería dejar el puerto e internarse en el país para enterarse de como andaban por allí las cosas.

Aquella noche encontró en el hotel a otro norteamericano que deseaba dirigirse á Tuxpan, pero que no encontraba quien lo acompañara.

Al escuchar el nombre de Tuxpan, la palabra mágica, Dobbs se alegró ante la idea de visitar en compañía de Moulton los campos petroleros, en donde sin duda habría algo que hacer.

No es fácil ir a Tuxpan sin dinero. La mitad del camino se hace por carretera, por la que raramente puede hallarse algún carro; la otra mitad la constituye un gran lago que es menester surcar en barquitas y lanchas de gasolina, en las que se ha desechado la costumbre de aceptar "moscas" y en las que necesariamente hay que pagar pasaje.

Claro que es posible rodear la laguna, pero no existe carretera alguna y la caminata duraría dos semanas; en cambio esto ofrece la ventaja de poder visitar un gran número de campos petroleros, y fué esa la razón por la que los dos hombres eligieron aquel medio.

Primero había necesidad de cruzar el río. El pasaje de bote costaba veinticinco centavos y prefirieron ahorrar el dinero para darle mejor uso; por lo tanto, esperaron el lanchón de la Huasteca que transportaba el pasaje de una a otra orilla del río gratuitamente. El lanchón nunca salía antes de que se juntara bastante pasaje para justificar el viaje. Aquel servicio se destinaba exclusivamente a los trabajadores de las compañías y a sus familiares.

Dobbs y Moulton salieron por la mañana temprano, después de tomar una taza de café acompañada de pan. Cuando se encontraron a bordo preguntaron al lanchero a qué hora saldría el bote, a lo que el hombre contestó que tal vez no estaría listo sino hasta las once. Así, pues, tenían que esperar.

Esa parte del río se veía muy animada. Los dueños de algunas docenas de botes de motor y de lanchas esperaban clientes que desearan cruzar la corriente. Los petroleros pudientes y otros hombres de negocios que podían pagar bien tomaban asiento en los botes más rápidos. Los trabajadores y comerciantes modestos necesitaban esperar hasta que en las lanchas en que cobraban cuotas reducidas se reuniera pasaje suficiente para que el viaje resultara costeable.

En el embarcadero parecía celebrarse una feria, porque las gentes, obligadas a esperar, compraban fruta, cigarros, pan, refrescos, tacos, café, artículos de ferretería y objetos de piel y de petate.

Las lanchas de gasolina y las de remos estaban en movimiento día y noche. De un lado del río se hallaban las manos; del otro, el cerebro. Del lado en que Dobbs y su compañero esperaban, se encontraban los bancos, las oficinas de las compañías petroleras, las tiendas ricas, las casas de juego, los sitios de recreo, los cabarets. En el otro lado estaban los que trabajaban duramente. Aquí, el petróleo carecía prácticamente de valor. El que se le daba en el mercado era fijado allá, al otro lado del río, en donde se hallaban los bancos y los cerebros. El petróleo, al igual que el oro, carece de valor en su estado natural y sólo llega a adquirirlo a través de diversas manipulaciones y cuando se le transporta a los sitios en que es requerido.

A través del río se transportaban muchos millones de dólares, no en oro, ni en cheques, sino simplemente en las hojas de una libreta de notas. Una parcela que ahora cuesta doscientos dólares, valdrá mañana cincuenta mil. Y de este cambio en el valor es responsable un geólogo que asegura que de la parcela pueden sacarse doce buenos borbotones, y puede ocurrir que una semana más tarde sea rematada por quinientos dólares y que su propietario no cuente ni con cincuenta centavos para pagar una modesta comida, debido a que seis geólogos han puesto de por medio su reputación asegurando que la parcela es tan seca como el marco de un cuadro viejo, lo que no obsta para que dos meses más tarde resulte difícil obtener la misma por veinticinco mil dólares.

Al mediodía llegaron Dobbs y Moulton a la ribera opuesta, la cual se hallaba llena de barcos tanques que partían de allí a todos los puertos del mundo. A lo largo de la margen del río se encontraban alineados veintenas de tanques de petróleo, pertenecientes a diferentes compañías petroleras.

La feria que se realizaba en la orilla era mucho más animada que la que tenía lugar en el lado opuesto, y más variada, porque los pequeños comerciantes que traficaban allí no sólo embaucaban a los nativos sino también a los oficiales y marinos recién llegados.

No sólo se vendían pericos y monos, sino también pieles de tigre y de león, cachorros de esos animales, culebras de todos tamaños, lagartos pequeños, iguanas. Los marinos podrían llevar a casa los cachorros y contar a su muchacha lo mucho que habían tenido que luchar con la leona o la tigresa para quitarle los pequeños y poder llevárselos de regalo.

El aire parecía morder los pulmones, porque estaba cargado de gases tóxicos que escapaban de las refinerías. Aquella atmósfera irritante que hacía la respiración tan pesada y desagradable y que oprimía la garganta constantemente, era una señal de que la gente hacía dinero, mucho dinero. Por el trabajo no calificado se pagaban hasta quince pesos diarios, y se veía a mexicanos y americanos gastar por igual dos mil pesos en una noche sin detenerse a pensar a manos de quién

iban a parar. Sin duda aquello duraría cien años; entonces ¿por qué preocuparse? Hay que gastar mientras
esto nos produzca placer y el dinero nos llegue fácilmente.

Lejos, río abajo, se encontraban las cantinas, los
cabaretuchos y una larga fila de barracas, en las que
las muchachas, vistosamente vestidas y exageradamen-
te pintadas, esperaban a sus amigos marineros, tripu-
lantes y oficiales. En dondequiera que se fijara la mirada reinaban el amor y las canciones en medio de
un océano de licor. Mamá no siempre puede acompañar
a bebé marino para velar por él, en todos sus viajes, y
es conveniente que algunos de ellos los haga solo.

Al mirar tanto marino alegre por allí, disfrutando
de la vida porque sus barcos ostentaban la bandera
roja, señal de que cargaban petróleo, Moulton tuvo una
idea y dijo:

—Es mediodía en este hemisferio; trepemos a ese
barco en el que ya debe dejarse oler el almuerzo; tal
vez logremos atrapar algo.

Dos hombres sin camisa y sin cachucha se hallaban
parados frente a un vendedor de fruta, tratando de hacerle comprender que querían plátanos y preguntando
cuánto costaban.

Moulton se dirigió a ellos sin vacilar y les dijo:

—¿Qué húbole, cuates? ¿De qué agujero salen?

—Norman Bridge —fué la respuesta—. ¿Qué hay
con ello?

—Nada, ¿pero que tal si nos disparan dos comidas? Tenemos que caminar mucho y la cosa es del
diablo con este calor del trópico. Así, pues, lo que deben hacer es darnos dos raciones para adulto bien des-
arrollado, porque si no ¡voto a Judas!, cuando regrese
al terruño diré a sus abuelas cómo han dejado morir de
hambre en suelo extraño a estas dos palomas.

—Ya, ya, gorrión, no hables tanto, que tu charla me aburre. ¡Ea! vengan a que les llenemos la barriga hasta que revienten. Apenas puede creerse que alguien tenga ganas de tragar un solo bocado con este calor endemoniado. Caray ¡qué ganas dan de volver a Los Angeles!

Cuando dejaron el barco no pudieron caminar muy lejos y se tendieron bajo un árbol.

—¡Por Cristo! A esto le llamo yo una comida corrida —dijo Dobbs—. No caminaría una milla ni por un colmillo de elefante; no podré moverme por lo menos en dos horas. Descansemos un rato.

—Magnífico, nene —contestó Moulton.

Roncaron estentóreamente, tanto que la gente que pasaba, no pudiendo verlos porque el follaje del árbol los cubría, creía que se trataba de algún león que había comido más de la cuenta y dormía la siesta.

Moulton fué el primero en despertar y, zarandeando a Dobbs, le gritó:

—¡Levántate! ¿Es que no vamos a Tuxpan? Démonos prisa antes de que la noche caiga.

Gruñendo y lamentándose acerca de las tristezas de la vida, se pusieron en camino.

Fueron río arriba por la margen derecha. Todo el camino, aquel feo camino, se hallaba cubierto de petróleo crudo, que parecía filtrarse por las grietas y hoyos de la tierra. Había charcos y hasta lagunas de petróleo que se formaban debido a los agujeros de los tubos y al escurrimiento de los tanques sobrecargados que se hallaban en línea en las colinas a lo largo de la ribera. Arroyos de petróleo corrían como agua dentro del río. Nadie parecía preocuparse por la pérdida de esos miles y miles de barriles de petróleo que empapaban el suelo y ennegrecían el río. Tan rica en petróleo era aquella parte del mundo que los gerentes y directores de las compañías no parecían preocuparse cuando un pozo productor de veinte mil barriles diarios se incendiaba y se consumía hasta su última gota.

¿Quién había de preocuparse por trescientos o cuatrocientos mil barriles de petróleo desperdiciados cada semana debido a las tuberías averiadas, a los tanques rebosantes por descuido, o al olvido de avisar al bombero que dejara de trabajar mientras se reemplazaban tramos de tubería? Mientras más petróleo se pierda, mayor será el precio que alcance. ¡Tres hurras, pues, por los tubos rotos, por los bomberos borrachos y por los tanques desatendidos!

Hasta el cielo parecía cubierto de petróleo. El brillante sol tropical se veía oscurecido por espesas nubes negras, nubes venenosas que envolvían el paisaje en una niebla que mordía los pulmones.

Después de caminar una milla, el paisaje tomaba un aspecto más agradable. Teniendo como fondo la pendiente de las altas riberas del río, se veían los *bungalows* habitados por los ingenieros y empleados de las compañías petroleras y sus familias. Éstos habían tratado de dar a sus habitaciones un aspecto semejante al de sus casas en Texas, pero todos sus esfuerzos habían sido vanos. La proximidad del petróleo no permitía que las gentes vivieran a su gusto. El resultado era el mismo que obtiene una negra cuando a fuerza de pintura y polvos trata de parecerse a una dama francesa.

Pronto llegaron los dos hombres a Villa Cuauhtémoc. Este pueblecito, situado a la margen de una laguna y comunicado con el río y el puerto por medio de un canal pintoresco en el que tiene lugar el animado tránsito de botes y lanchas, es en realidad el viejo pueblo indígena de la región.

Los españoles, una vez que lo hubieron conquistado, lo abandonaron, prefiriendo edificar su pueblo al otro lado del río por considerarlo más conveniente para el embarque. Así, el nuevo pueblo y el puerto fueron creciendo en importancia, dejando al viejo tan atrás que los habitantes del puerto se olvidaron totalmente de su existencia, y cuando oían hablar de él lo suponían situado en las profundidades de la selva y habitado por indios primitivos.

Al llegar a los últimos jacales, en el lado opuesto de la laguna, Dobbs y Moulton vieron a un indio sentado en cuclillas al lado del camino. El indio vestía calzón de manta y camisa azul; se tocaba con un sombrero de charro y calzaba huaraches. Junto a él tenía un tompiate que contenía algunos objetos, tal vez todo cuanto poseía en el mundo.

Los dos hombres pasaron con demasiada prisa cerca del indio, aparentando no darse cuenta de su presencia.

Después de un rato, Dobbs volvió la cabeza y dijo:

—¿Qué querrá de nosotros ese maldito indio? Hace media hora que nos viene siguiendo.

—Ahora se detiene —dijo Moulton—. Parece que busca algo entre la maleza, ¿qué será?

Continuaron su camino y, al volver la cara, se percataron de que el indio les iba pisando los talones.

—¿Trae escopeta? —preguntó Moulton.

—No, que yo vea; no creo que sea un bandido; me parece un hombre honesto —dijo Dobbs—. De cualquier modo no podemos estar seguros de ello.

—Me parece un poco chiflado.

Siguieron caminando, y cada vez que volvían la cara veían al indio detrás de ellos a una distancia aproximada de cien pies.

Siempre que se detenían a tomar aliento, el indio se detenía también.

Empezaron a ponerse nerviosos.

Parecía no haber razón para temer a un pobre campesino indio, pero comenzaron a creer que aquél era
espía de una horda de bandidos ansiosos de despojar
al par de extranjeros de lo poco que poseían.

—Si yo tuviera una escopeta —dijo Dobbs—, lo
mataría. Estoy a punto de reventar; no soporto que ese
diablo negro nos venga pisando los talones en espera
de una oportunidad. ¿Qué tal si lo cogiéramos y lo dejáramos amarrado contra un árbol?

—No estoy de acuerdo —repuso Moulton y volvió
a mirar al hombre, tratando de adivinar sus intenciones—. Posiblemente no sea de peligro, después de todo.
Pero, por si acaso, sería bueno escapar de él y ponernos
a salvo.

—Detengámonos —sugirió Dobbs—; dejemos que
se aproxime; entonces nos le encararemos y le pregun-
taremos qué quiere.

Se pararon bajo un árbol y miraron hacia arriba,
aparentando estar muy interesados en algo que se hallaba en sus ramas, tal vez un fruto extraño o algún pájaro raro.

Pero el indio, en el momento en que vió detenerse
a los dos norteamericanos, se detuvo también, atisbándo-
los desde una distancia respetable.

Dobbs puso en juego una triquiñuela para hacer
que el indio se aproximara. Fingió una excitación creciente a la vista de lo que pretendía mirar en el árbol.
Él y Moulton, gesticulando como locos, señalaban en
dirección del tupido follaje. Como esperaban, el indio
cayó en la trampa. Su curiosidad innata venció en él
y, paso a paso, se fué acercando con los ojos fijos en
las ramas altas; cuando al fin se detuvo al lado de ambos, Dobbs hizo un ademán exagerado y, señalando la
maleza, dijo:

—Allí, por allí va corriendo ahora.

Y tomando a Moulton del brazo, lo hizo volver hacia la dirección por la que pretendía que escapaba algún animal extraño. Luego, repentinamente, se volvió y sujetó al indio tan fuertemente por el brazo que lo privó de todo movimiento.

—¡Oiga! —le dijo—. ¿Por qué nos sigue? ¿Qué quiere de nosotros?

—Quiero ir allá —dijo, apuntando en dirección del lugar al que Moulton y Dobbs se encaminaban.

—¿Adónde? —preguntó Moulton.

—Al mismo sitio al que ustedes se dirigen, señores.

—¿Cómo sabe adónde vamos?

—Sé adónde van —dijo el nativo con sencillez—. Van a los campos petroleros en busca de trabajo, y es allí adonde yo me dirijo. Ya he trabajado en ellos.

Dobbs y Moulton sonrieron y se miraron en silencio, acusándose mutuamente por su cobardía.

No se podía dudar de lo que el nativo decía. Tenía la apariencia de un jornalero honesto en busca de trabajo como ellos. Nada había en él que le diera la apariencia de un bandido.

Para estar más seguro, Dobbs preguntó:

—¿Por qué no camina solo? ¿Por qué nos ha venido siguiendo?

—A decir verdad, caballeros —explicó el indio— he pasado tres días sentado en la colina esperando de sol a sol que pasara algún gringo con quien acompañarme en el camino.

—¿Es que no lo conoce? —preguntó Moulton.

—Sí, tal vez; lo malo es que soy muy miedoso y temo atravesar solo la selva, porque hay tigres enormes y serpientes mayores aún.

—Nosotros no le tememos a nada en el mundo —afirmó Dobbs con íntima convicción.

—Ya lo sé, y precisamente por eso los esperaba.

—Pero es que los tigres también devoran a los norteamericanos —dijo Moulton.

—No, señor; está usted en un error; los tigres y los leones de nuestro país no atacan a los americanos; sólo nos atacan a nosotros que somos sus compatriotas, y es por esta razón por la que nos prefieren y no molestan a los americanos. Pero hay más: por estos caminos aparecen a menudo bandidos, en espera de alguna víctima; las márgenes de la laguna de Tamiahua están plagadas de asesinos.

—La cosa parece muy halagadora —dijo Moulton.

—¿Y ahora en qué piensas? —preguntó Dobbs.

—Sólo en el temor que nos infundió este pobre hombre, quien a su vez nos temía.

—Bueno, ya basta; olvidémoslo —dijo Dobbs.

—Además, continuó Moulton, a veces resulta bien no llevar pistola al cinto, pues de haber tenido una, este pobre diablo ya no viviría y nos habríamos metido en un enredo atroz, ya que nadie creería que habíamos actuado en defensa propia.

A partir de aquel momento, el indio siguió el viaje con ellos; a duras penas pronunciaba algunas palabras, mientras marchaba al lado o detrás de ellos, según lo permitía el camino.

Un poco antes de la puesta del sol llegaron a un pueblecito indígena consistente en unos cuantos jacales. Sus habitantes, hospitalarios por naturaleza, temían a los forasteros a causa de las muchas historias que sobre bandidos corrían en el vecindario.

Así, pues, con palabras amables y con excusas, trataron de persuadir a los viajeros de que llegaran hasta el siguiente pueblo y allí pernoctaran, porque era más grande y podrían disfrutar de mayores comodidades, pues había hasta una fonda, y porque ya que el sol no se había ocultado completamente, podrían llegar al pueblo todavía con luz.

No quedaba más recurso que marchar. Caminaron una milla sin hallar trazas del pueblo. Caminaron otra más también inútilmente.

Para entonces ya era noche cerrada y les era imposible distinguir el camino, y de proseguir correrían el peligro de extraviarse en la selva.

—Las gentes de los jacales deben de habernos mentido acerca del gran pueblo que suponíamos encontrar pronto —dijo Moulton enojado—. No debiéramos haber dejado el pueblo; debimos permanecer allí, con el consentimiento de sus habitantes o sin él, aun cuando nos viéramos obligados a dormir a campo raso, pero cuando menos cerca de los jacales.

Dobbs, con tan mal humor como su compañero, dijo:

—Generalmente los indios no obran así. Suelen brindar albergue a los viajeros y hasta comparten con éstos su modesto alimento. Me parece que tuvieron temor de nosotros. Somos tres y sin duda pensaron que podríamos atacarlos fácilmente si nos brindaban hospitalidad.

—Deben de haber tenido amargas experiencias, pues en verdad hay más de un vago nativo o extranjero de los que pululan en el puerto que no se tentaría el corazón para robar y aun para matar a un par de pueblerinos con tal de obtener lo que deseara. Pero, ¿para qué alegar?, aquí estamos a campo raso, rodeados por la selva; así, pues, tenemos que encontrar la mejor solución.

—Me parece —dijo Dobbs—, que ni siquiera podremos regresar al pueblecito.

—Claro —repuso Dobbs—, nos perderíamos; yo no distingo ni las piedras del camino. Lo único que podemos hacer es quedarnos en donde estamos.

—Tal vez el poblado grande no esté lejos. —A Moulton no le seducía la idea de pasar la noche en la selva—. Pude percatarme de que había huellas de vacas y de caballos en el camino; debemos estar cerca. Tal vez sería bueno que intentáramos llegar.

—No estoy de acuerdo —dijo Dobbs—. El pueblo puede estar cerca, o tal vez a tres millas de distancia. Yo no me arriesgaría a que nos extraviáramos en la selva. Aquí por lo menos estamos en el camino y más seguros que en medio de ella.

Encendieron cerillos y miraron en rededor, a fin de saber cuál era el mejor sitio para pasar la noche. Aquello tenía mal aspecto, la vereda no se hallaba muy limpia, era poco usada y se encontraba llena de cactos y de plantitas espinosas. Ejércitos enormes de hormigas rojas corrían de un lado para otro y un sinfín de insectos más se arrastraban en todas direcciones, no dejando libre ni una pulgada cuadrada del suelo, en su busca afanosa de alimento y albergue o persiguiendo los placeres del amor.

—¿No dijo este indio algo acerca de los tigres, leones y serpientes que suelen hallarse a lo largo del camino? —preguntó Moulton con voz desesperada al mirar el terreno poco acogedor.

—Dijo algo de eso —recordó Dobbs, y se volvió al nativo que, al parecer sin interesarle en nada lo que sus compañeros hacían y decían, esperaba tranquilamente que los norteamericanos decidieran dónde y cómo pasar la noche, ya que cualquier cosa que hubieran decidido él la habría aceptado, tratando sólo de sentirse lo más próximo posible a ellos, pues si en algún sitio podía dormir a salvo un norteamericano, sin duda un indio podría encontrarse mejor.

Dobbs preguntó al indio:

—¿Estás seguro de que por aquí hay tigres?

—Absolutamente, señor; hay muchos, muchísimos tigres aquí. Hay tantos en esta selva, que siempre que un americano sale de caza regresa por lo menos con cuatro bien grandes. Los he visto, señor; de otro modo no los mencionaría.

—Gracias por la información —dijo Dobbs—. Bueno, amigo, no me sorprendería que me encontraras entre las garras de un tigre, medio devorado por él.

—No bromees con eso —aconsejó Moulton—. No tenemos ni una lamparita para ahuyentarlos. Bueno, creo que lo único que podemos hacer es orar al Señor, rey de los hombres y de las bestias.

No podían permanecer en pie toda la noche; así, pues, se tumbaron en el suelo, olvidándose de las hormigas, escarabajos y reptiles.

Apenas se habían acomodado cuando el indio se escurrió entre ambos como un perro. Hizo aquello lentamente, tratando de molestarlos lo menos posible, pero con firme determinación. Los americanos podrían empujarlo, pero no bien se hubieran aquietado volverían a sentirlo entre ellos otra vez. Sólo así se sentía seguro. Al fin tuvieron que dejarle hacer, pues él prefería sus patadas y sus golpes a las garras de un tigre.

Moulton fué despertado por un pequeño reptil que se arrastraba por su cara. Se lo sacudió y se sentó. Se oía el eterno cantar de la selva del trópico, de pronto sufrió un estremecimiento, cesó de respirar y escuchó claramente los pasos de algo que se acercaba con lentitud. Eran pasos muy suaves, pero pesados, sin duda de algún animal grande. Sólo un animal bien grande podría caminar con aquel paso pesado, y seguramente se trataba de un felino a juzgar por la suavidad con que se deslizaba.

Debía ser un gran tigre, un tigre real de los más grandes que habitan la selva.

Moulton no quería asustarse, no quería despertar a los otros hasta estar seguro. Así, pues, puso atención. Los pasos habían cesado. La gran bestia debía medir el camino y buscar la mejor postura para lanzarse sobre sus víctimas. Después de medio minuto, Moulton volvió a escuchar los pasos, más lentos y cautelosos que antes, y más cercanos cada vez. Le parecía que eran más pesados y que tocaban con firmeza el piso suave. Luego escuchó un gruñido sofocado y despertó a Dobbs bruscamente.

—¿Qué pasa? —preguntó aquél con voz somnolienta.

—Detrás de nosotros hay un tigre.

—¿Un qué?

—Un tigre, detrás de nosotros hay un tigre.

Dobbs puso atención y después de escuchar unos segundos, dijo:

—Tienes razón, sin duda es una bestia pesada, debe ser un tigre. Un ser humano no se deslizaría de esa manera entre la maleza, sólo un tigre o un león pueden hacerlo.

No era posible determinar si el indio había despertado hacía rato o si su sueño había sido turbado por la excitada conversación de los otros dos.

En cuanto los dos compañeros se pusieron en pie, él los imitó, colocándose tan cerca de ellos como le fué posible.

Temblando de miedo exclamó:

—¡Por la Madre Santísima, es un tigre, en verdad que es un tigre! Saltará sobre nosotros en cualquier instante. Está cuando más a veinte pasos de distancia. Puedo ver la fosforescencia de sus ojos.

Miró hacia la espesa maleza y se abrazó estrechamente al cuerpo de Dobbs. Dobbs lo rechazó. Entonces fué a ocultarse tras de Moulton.

El terror del indio, que sabía cómo suelen acometer los tigres, privó a Dobbs y a Moulton de la partícula de valor que aun les restaba.

—Tenemos que hacer algo —dijo Dobbs—, no podemos permanecer así toda la noche.

Moulton aconsejó:

—Movámonos lo menos posible; en alguna parte he leído que esos animales saltan sobre su presa sólo cuando la ven moverse.

Escucharon nuevamente con atención para descubrir si el animal se hallaba aún cerca o había desaparecido. Durante muchos minutos sólo escucharon el incesante cantar de los insectos en la selva. Luego volvieron a oír claramente los pasos, el animal parecía estar a la misma distancia que antes.

El indio susurró:

—Lo mejor que podemos hacer es trepar a un árbol.

—Los tigres se suben a los árboles con la misma facilidad con la que caminan por el suelo —dijo Moulton.

Dobbs era de diferente opinión.

—El muchacho tiene razón; creo que es lo mejor que podemos hacer, porque aunque el animal trate de trepar al árbol, estando nosotros más arriba, podremos cuando menos defendernos con un palo.

Caminando a tientas con sumo cuidado, lograron encontrar un árbol de ébano. Dobbs fué el primero en trepar. Tan pronto como el indio se dió cuenta de lo que Dobbs hacía, lo siguió tratando de ir lo más junto posible a él, y empujando a Moulton que trataba de seguirle. Estaba ansioso por no ser el último, por no quedar próximo al suelo, pues consideraba que el mejor lugar para él era entre los dos norteamericanos. Estaba decidido a sacrificar a cualquiera de los dos mientras pudiera escapar de las garras del tigre. Pero, no obstante su ansiedad por trepar al árbol, no había olvidado subir consigo su tompiate; ni siquiera eso deseaba dejar a merced de la bestia de la selva.

Moulton no tuvo más alternativa que trepar tras del indio, quedando tan próximo al suelo que la bestia le podía alcanzar fácilmente las piernas dando un salto. Trató de consolarse gritando a Dobbs:

—Este maldito indio me ha quitado todas las oportunidades; pero, no obstante, estoy algo más seguro aquí que a campo raso; allá el felino me arrastraría para donde quisiera; en cambio, aquí puedo agarrarme y perderé sólo una pierna. Escúchame Dobbs ¿no puedes trepar unos cuantos pies, para que yo quede más seguro?

—Imposible —contestó aquél—, estoy sentado en la punta del árbol.

Después de permanecer allí un cuarto de hora, empezaron a sentirse mejor. Respiraron con mayor facilidad y se sintieron más seguros. Pero aun quedaban muchas horas de la noche, porque serían escasamente las diez. Temieron que, colgados como changos de las ramas del árbol, les acometiera el sueño; entonces caerían quizá en la boca abierta del tigre, que sin duda estaría esperando el feliz acontecimiento. Para evitarlo se sujetaron fuertemente al tronco del árbol con sus cinturones, después de lo cual se creyeron seguros y trataron de dormir en aquella postura.

Fué una noche larguísima; les pareció interminable. Los momentos en que les era posible dormir, se veían atormentados por sueños horribles y por toda clase de alucinaciones, que los torturaban. Se creían perseguidos por manadas de tigres y por ejércitos de indios salvajes.

Por fin llegó la mañana con sus mejillas sonrosadas. A la clara luz del día, todo cuanto les rodeaba les pareció natural y no muy diferente, así creían, de un huerto abandonado en Alabama. Hasta el suelo que se extendía a sus pies tenía una apariencia menos horrible que la noche anterior, cuando era iluminado sólo por la vacilante lucecita de los cerillos.

Escasamente a cincuenta pies se extendía una verde pradera, que podía verse a través de las ramas del árbol. Todas las imágenes y visiones que habían creído ver durante la noche les parecían ridículas a la luz del día.

Los tres se sentaron y empezaron a fumar. El indio abrió su tompiate y sacó media docena de tortillas duras, que compartió fraternalmente con los norteamericanos.

Comían las tortillas, que, debido a su estado, no tenían muy buen gusto, y se detuvieron de pronto, reteniendo el aliento; irguieron el cuerpo y escucharon. Claramente, sin lugar a duda, escucharon los pasos y el gruñido reprimido que habían oído durante la noche. Aquellos ruidos peculiares e inconfundibles se habían adentrado tan firmemente en su memoria, que nunca podrían olvidarlos. Habrían reconocido su sonido dondequiera y a cualquier hora. Eran, sin duda alguna, los mismos pasos y ruidos que habían escuchado durante la noche. Era raro que un tigre saliera de su madriguera a plena luz del día para atacar a los hombres.

Al escuchar nuevamente aquellos ruidos, todos saltaron y atisbaron entre los árboles en dirección al lugar de donde provenían y que era el mismo de donde les habían llegado por la noche.

Su mirada cayó sobre la verde pradera. Allí estaba el gran tigre real; caminaba perezosamente y comía yerba dejando escapar una especie de gruñido con el que parecía expresar un gran contento. El tigre era en realidad poco peligroso, pues tenía orejas, cola y patas de burro y se hallaba atado a un árbol con un lazo largo.

Pertenecía sin duda a algún campesino del poblado, que debía estar próximo. Y si en aquel sitio podía un burro pasar la noche y sobrevivir, era indudable que no había ningún tigre cerca; de otro modo los campesinos no habrían dejado allí a sus animales.

Dobbs y Moulton se miraron entre sí y como Moulton empezara a abrir la boca para soltar una carcajada, Dobbs lo interpeló rudamente diciéndole:

—Óyeme, si no quieres que te dé una bofetada deja de reír. Es más, si alguna vez se te ocurre conversar acerca de lo ocurrido convirtiéndonos en el hazmerreír del puerto, te mataré a sangre fría y les echaré a los puercos tu bagazo.

—Está bien, cuate —dijo Moulton—; si lo tomas así, guardaré silencio; pero en verdad a mí me parece lo más gracioso del mundo. —Y por las muecas que hacía, era fácil comprender el gran esfuerzo a que se veía obligado para no estallar en una carcajada.

Dobbs lo miró y le dijo:

—Ya estás advertido, nada de bromas, porque hasta la más leve sonrisa te costaría un aplastón de nariz.

En aquel momento el indio consideró oportuno hablar, no aceptaba la derrota y dijo:

—Por la Santísima Virgen y todos los santos del cielo, señores; éste no es el tigre, pero anoche andaba en torno nuestro un tigre real y muy grande, de los mayores que habitan la selva.

—¡Cierra la boca! —interrumpió Dobbs.

—Ustedes, caballeros, pueden pensar lo que gusten, pero yo conozco mi tierra, el país donde he nacido, y sé muy bien distinguir a un tigre. Los huelo y además vi cómo sus ojos verdes, fosforescentes, nos miraban; aquellos no eran los ojos de un burro. —El indio demostraba ser más listo que los americanos, pues sabía bien cómo salvar una situación penosa.

El pueblo del que les habían hablado los indios la noche anterior, se hallaba a lo sumo a diez minutos de allí.

Cuando llegaron a él, Dobbs preguntó:

—¿No les dije anoche que los indios no mentían?

—Pero dijeron que estaba apenas a una hora de camino.

—Bueno, eso es lo único que ocurre con estas gentes, que no tienen noción ni del tiempo ni de la distancia. Suelen decir que tal parte está a una hora de camino, pero no especifican si haciendo el recorrido a la velocidad a la que suelen correr los tarahumaras, caminando, arrastrándose o cabalgando en un buen caballo. Eso es lo que hay que calcular cuando un campesino indígena indica la distancia que nos separa de algún sitio. No puedes culpar a aquellos indios; ellos nos dijeron la verdad a su manera.

Los tres hallaron buena acogida en el pueblo, desayunaron tacos de frijoles negros y bebieron té de hojas de limón.

Aquel mismo día llegaron al primer campo petrolero. Allí no había vacantes. El administrador les dijo que podían quedarse allí dos o tres días, que no les faltaría que comer, y que era cuanto podía hacer por ellos.

—Me temo, muchachos —agregó— que en ninguno de los campos encuentren trabajo y les diré un secreto, créanlo o no; hace mucho tiempo que vivo aquí, sé cómo marchan las cosas y presiento que el petróleo se está fugando a las rocas, posiblemente en toda la maldita República; así, pues, tendremos que volver a nuestro viejo y buen Oklahoma a cultivar frijoles y alfalfa nuevamente. Parece que los buenos tiempos han acabado. La guerra llegó demasiado pronto a su desgraciado fin y ahí estuvo lo malo, creo yo. Hay más petróleo del que el mundo habrá de necesitar por lo menos en diez mil años. Nadie quiere ya comprarlo y si alguien lo hace, que el diablo me lleve si ofrece más de dos desgraciados pesos por barril. Sé de petróleo y puedo decir cuándo afloja el negocio. Bueno, ahora siéntense y métanse la cuchara en la boca. No se preocupen, los muchachos costearán lo que ustedes se coman ahora y mañana, si es que quieren quedarse.

El indio fué a reunirse a los de su raza, a los peones del campo, quienes le llenaron bien la barriga. Los peones tenían su cocina propia, encomendada a uno en quien parecían tener mayor confianza que en los dos chinos que cocinaban para los norteamericanos.

Después de recorrer cinco campos y de tragarse cinco historias diferentes acerca de la falta de trabajo y de las causas de que el negocio petrolero estuviera espirando, Dobbs y Moulton llegaron a la conclusión de que proseguir aquella búsqueda constituiría solamente pérdida de tiempo y de energías. En dos de los campos hallaron hombres que acababan de perder los puestos que desempeñaran durante años.

—Lo mejor que podemos hacer —dijo Moulton— es regresar; en el puerto siempre hay mejores oportunidades de conseguir trabajo y de encontrar a alguien que ande en busca de brazos para trabajar en alguna nueva empresa.

—Hay algo de razón en lo que dices —replicó Dobbs—, alguien me dijo que hacia el norte, por el rumbo de Altamira, pronto habrá algo que hacer. Así, pues, quizás tengas razón; regresemos.

Un día, ya bien entrada la tarde, llegaron nuevamente al puerto.

—Bueno, ya estamos aquí; ahora cada quien tirará por su lado.

Así terminaron su asociación.

Nada nuevo había ocurrido en la ciudad durante el tiempo que estuvieron ausentes. Los mismos aplanadores de banquetas se hallaban listos para conducir a quienes llegaban de los campos petroleros a los sitios en que podían echar un trago, comer un buen bistec, jugar y encontrar muchachas. Ninguno de aquellos aplanadores de banquetas había encontrado sitio mejor al que dirigirse. También los muchachos que acostumbraban a pararse en la esquina del Hotel Southern, en la entrada del Banco Americano, hacían exactamente lo mismo que habían hecho la semana anterior, el mes anterior y tal vez desde años atrás. Esto es, esperar a que alguien los invitara al Bar Madrid o al Lousiana, para ayudarle a gastar el dinero emborrachándose. Ellos sabían a las mil maravillas las palabras exactas, el momento oportuno y la persona apropiada a quien espetárselas. Era así como empleaban su vida, su fuerza y su voluntad.

Dobbs no lamentaba haber perdido el tiempo buscando trabajo en los campos; el hecho valía la pena, ya que con ello había comprobado que los empleos eran tan raros fuera del centro de actividades como en él. Ya no tendría que lamentar haber perdido las buenas oportunidades de su vida, descuidando las buenas ocasiones y recurriendo a las puertas falsas.

Una mañana, mientras vagaba por la estación de carga, fué llamado por el encargado de una agencia americana de maquinaria agrícola, quien le dijo que se hallaban descargando material que acababan de recibir y le propuso que les ayudara durante unos días. Le ofrecieron cuatro pesos diarios, y aceptó. Los nativos que desempeñaban el mismo trabajo ganaban solamente dos, pero él tenía que aceptar ciertas responsabilidades.

El trabajo era duro y los nudillos de los dedos se le pelaban diez veces al día. De cualquier manera, los cuatro pesos le caían muy bien. A los cinco días acabaron y tuvo que dejar el empleo.

Algunos días después, parado cerca de la lancha mayor que cruzaba el río en dirección de la estación de ferrocarril que se hallaba en la margen opuesta, pensaba en la conveniencia de trepar en ella y dirigirse a un pueblo de cierta importancia río arriba, cuando cinco hombres llegaron corriendo para alcanzar la embarcación a punto de zarpar.

Uno de ellos, fuerte y de pecho erguido, miró a Dobbs, se detuvo y gritó:

—¿Andas buscando trabajo?

—Sí. ¿Tienes alguno que darme?

—Ven. ¡Pronto, que el bote se va! Tengo trabajo para ti si quieres venir. Trabajo duro, pero bien pagado. ¿Has trabajado alguna vez equipando un campo?

—Seguro, amigo; esa es mi especialidad.

—Tengo contrato para equipar uno, lo malo es que me falta un hombre, porque el tal por cual a quien había contratado me plantó. Quizá tenga la malaria o esté enredado en algunas desgraciadas enaguas. Así, pues, quedas contratado.

—¿Cuánto pagan?

—Ocho dólares americanos por día. La comida corre por tu cuenta; calcula que tendrás que pagar un dólar ochenta al cocinero chino y te quedarán seis dólares diarios limpitos. Pero ¡por el diablo! no te quedes bobeando. Ven.

Sólo diez minutos antes, Dobbs hubierra corrido tras un empleo igual que un gato tras de una cucaracha gorda, pero en aquel momento miraba en rededor como si esperara que le dieran un abrazo de gratitud por aceptar aquél que le ofrecían.

—Ven o vete al diablo de una vez —gritó el contratista—. Tienes que venir tal como estás, no hay tiempo de que vayas en busca de tus cosas. Esta maldita lancha no esperará ni el tren tampoco, y si no salimos al instante lo perderemos.

Sin esperar respuesta, tomó a Dobbs por la manga y lo arrastró hacia el bote.

Pat McCormick, el contratista, era viejo vecino del lugar. Antes de llegar había trabajado en los campos de Texas y después en Oklahoma. Había llegado a aquel sitio antes de la guerra de 1914-18, mucho antes de que por aquellas latitudes hubiera vestigios de auge petrolero. No había un solo empleo en conexión con el petróleo que él no hubiera desempeñado. Había sido chofer de camión, tomador de tiempo, perforador, equipador, bombero, almacenista y todo lo que le había salido al paso. Pero en los últimos años había encontrado que era más fácil ganar dinero equipando campos por contrato, hasta dejarlos listos para empezar a perforar. Había adquirido una gran experiencia para juzgar el trabajo. Le bastaba mirar una parcela en la selva para poner precio a la obra con habilidad tal, que la compañía interesada creía pagar un precio bajísimo, cuando en realidad él obtenía una respetable ganancia. Su juego consistía en conseguir la mano de obra tan barata como ninguna compañía podía lograrla. Una empresa no puede contratar a sus trabajadores embaucándolos y haciéndoles creer que los toma por lástima. Pat sabía representar a la perfección el papel de buen compañero, hasta de camarada bolchevique, para conseguir su mano de obra barata. Sabía vituperar a las ricas compañías y a sus poco escrupulosos accionistas mejor que un orador comunista cuando de ablandar a sus víctimas se trataba. De acuerdo con lo que él decía, jamás obtenía ganancia alguna en la consecución de sus contratos; al contrario, siempre perdía el buen dinero que había ganado en tiempos menos duros. Y si tomaba los contratos aseguraba que lo hacía únicamente porque no soportaba ver hombres que se morían de hambre y padecían por falta de trabajo. En el campo representaba el papel de buen compañero de trabajo, trataba a todos amistosamente y bromeando. Manejaba la empresa dándole la apariencia de una cooperativa cuya única finalidad era el bien común. Hablaba de las excelencias del comunismo y de las ventajas que reportaría tanto en los Estados Unidos como en la América del Sur, que se convertirían en paraísos gracias a él.

A los americanos no le era muy fácil conquistarlos con aquellas ideas. Ellos conocían a los de la clase de Pat para dejarse enredar por sus contratos cooperativistas. Por ello tomaba americanos sólo en casos extremos. Los mejor recibidos eran los checos, los polacos, los alemanes e italianos, quienes habían oído hablar en su tierra de la bonanza de los trabajadores de los campos petroleros mexicanos, de quienes se decía que ganaban de treinta a cincuenta dólares diarios sin tener casi que mover un dedo.

Pero al llegar a la República se percataban, durante la primera semana de su estancia, de que tales salarios fantásticos eran tan raros como los que se supone ganan los albañiles hábiles en Chicago, de acuerdo con los cuentos maravillosos que circulan por Europa. Al cabo de dos meses de permanencia en América, esos hombres suelen arrodillarse ante cualquier contratista que les ofrezca cuatro dólares diarios, y si llega a ofrecerles ocho lo veneran más que al Todopoderoso y aquél puede hacer de ellos lo que quiera, pues después de seis meses sin trabajo están dispuestos a aceptar cualquier ofrecimiento y cualquier trato.

Pat McCormick hubiera fallado al intentar hacer caer a Dobbs con sus doctrinas. Sus condiciones económicas no le brindaban alternativa y aceptaba el trabajo con el mismo gusto que lo hubiera aceptado un obrero húngaro desesperado.

El sistema cooperativista obligaba a todos los hombres a trabajar dieciocho de las veinticuatro horas del día durante todo el tiempo de su contrato, y no había pago de horas extras. Ocho dólares eran el pago por un día de trabajo y la duración de éste la determinaba Pat. No había descanso dominical. Los mexicanos se hallaban protegidos por sus leyes y no trabajaban ni un minuto más de ocho horas diarias, pues de no haber sido así, Pat habría dado con sus huesos en un calabozo, donde habría permanecido hasta no pagar diez mil pesos por violación al artículo ciento veintitrés.

A través de la selva se había hecho una especie de camino y, cuando el tiempo era seco, los camiones podían llegar fácilmente hasta el sitio en que se hallaba el campo que debía equiparse. Pat enviaba con algunas semanas de anticipación a los peones mexicanos para que lo limpiaran, a efecto de que cuando los equipadores llegaran iniciaran su tarea inmediatamente.

Ocho dólares diarios parecían un dineral a Dobbs, cuyo estómago se hallaba vacío, pero pronto se percató de que ocho dólares diarios constituían una paga miserable por aquel trabajo. El calor nunca era menor de 100 grados a la intemperie en el sitio en el que había que trabajar, rodeados y acosados por las diez mil especies de insectos y de reptiles que la habitaban. Cien veces diarias pensó que el calor le quemaría los ojos. Nunca llegaba ni la más leve brisa a aliviar a los hombres que allí trabajaban en el acarreo de madera, izándola para construir el armazón y colgándose a menudo durante largos minutos con una sola mano, a la manera de los changos, de algún travesaño, o asiéndose a él con las piernas enroscadas como culebras en alguna cuerda, a fin de sujetar una viga que se balanceaba; veinte veces diarias arriesgaban su vida, y todo por ocho dólares al día.

Pat no les daba más tiempo para descansar que unas cuantas horas de sueño. Trabajaban hasta las once de la noche a la luz de linternas de gas, y ya a las cinco de la mañana estaban nuevamente en pie.

—Tenemos que aprovechar las horas frescas de la mañana, muchachos —les decía Pat al despertarlos. Y en cuanto terminaban de beber después de comer y se disponían a limpiarse los dientes con un palillo, Pat los fustigaba diciéndoles:

—Muchachos, claro que hace calor, bien lo sé, estamos en el trópico; también en Texas hace calor de repente. Bien sabe el diablo que yo no tengo la culpa de ello, pero ya volveremos al puerto y podremos tomar refrescos. ¡Ey, Harry, tráete a esos desgraciados mexicanos perezosos! Haz que esos sinvergüenzas descarguen la máquina de vapor, y tú, Dobbs, lleva el tambor por arriba y asegúralo bien, ya sabes cómo. Yo revisaré las cabinas. Bueno, muchachos, muévanse, a trabajar todos. ¡Vamos!

Seguramente Pat McCormick hacía buen dinero con los contratos, las compañías le pagaban bien y daban lo suficiente para que se pagaran salarios decentes y se trabajaran las horas justas. Pero mientras más pronto terminara la tarea, mayores ganancias le quedarían, ya que el único desembolso que tenía que hacer era el de los salarios. Con el objeto de exprimir hasta la última partícula de energía a sus hombres, les prometía una bonificación en caso de que su contrato se concluyera en determinada fecha.

Aquella promesa de gratificación le servía como látigo, pues bien sabía que los capataces de los esclavos modernos no pueden usar el verdadero. Y ganaba,

ganaba siempre. Equipaba dos campos en el tiempo en que otros contratistas apenas lo hacían con uno.

—Muy bien, muchachos; pongan toda el alma en este trabajo y volveré a ocuparlos en la próxima obra que contrate. Estoy casi por conseguir tres más. Afánense.

Aquello era otro de sus látigos, pues al prometer a sus hombres trabajo para el futuro, los hacía rendir como deseaba.

Cuando se terminaba de equipar el campo, la cuadrilla volvía al puerto y los mexicanos regresaban a los pueblecitos de su procedencia.

Dobbs dijo:

—Y ahora ¿que hay de mi paga, Pat? No he visto un centavo todavía.

—¿Qué prisa tienes, camarada? Tendrás lo tuyo a su debido tiempo; no te preocupes, que no me voy a ir con tu dinero. Además te tomaré también para la obra que tengo contratada con la Mex Gulf. Seguro que vendrás.

—Pero mira, Pat —dijo Dobbs—, no tengo ni un cobre para comprar una camisa nueva y parezco ya el peor de los vagabundos.

—Bueno, no lloriquees —contestó para tranquilizarlo—, te diré lo que voy a hacer: te daré el treinta por ciento de tu paga. Es cuanto puedo hacer por ti, pero no se lo digas a los otros.

Dobbs supo que ninguno de los otros muchachos había recibido lo suyo, solamente dos que estaban ansiosos de trabajar en el próximo contrato, dijeron humildemente: "Aunque sea algo, Mr. Pat", y les entregó el cinco por ciento para que pudieran comer, pues no lo habían hecho desde su regreso al puerto.

En unos cuantos días Dobbs había escuchado muchos cuentos acerca de Pat McCormick. Se sabía que Pat no pagaba jamás todo lo que debía a sus trabajadores si podía evitarlo. Esa era la razón por la que raramente se enganchaban con él americanos. Sólo europeos y alguno que otro pocho caían con él. Comían porque Pat pagaba al chino para que los alimentara, considerando aquello como un adelanto de salarios. Y alguna que otra vez daba un poco de dinero a los que lo perseguían con amargas quejas, alegando que no tenían para comer ni para pagar su hospedaje.

Una tarde, Dobbs estaba bebiendo un vaso de café en el Café Cádiz de la plaza, cuando Curtin pasó, lo vió y se detuvo.

—Te acompañaré a tomar café. ¿Qué haces, Dobbs?

Curtin era californiano y había trabajado para Pat al igual que Dobbs.

—¿Conseguiste tu dinero? —preguntó Dobbs.

—Sólo el cuarenta por ciento, fué todo lo que pude arrancarle a ese bandido.

—Lo que yo quisiera saber es si ya cobró el dinero del contrato, es lo único que me gustaría saber —dijo Dobbs.

—La cosa es difícil de averiguar —contestó Curtin—. Las compañías suelen retardarse en el pago de los contratos; a menudo andan escasas de dinero, ya que los fondos con que cuentan en la República los destinan a gastos de perforación y a pago de opciones.

—¿No tienes idea de cuál es la compañía con que hizo el contrato?

—Ni la más leve. Puede haber sido contratado por algunos forasteros deseosos de probar su suerte con el petróleo. ¿Cómo podría saberlo?

Durante toda una semana, Dobbs y Curtin anduvieron tras de Pat sin lograr hallarlo en parte alguna.

En el hotel en el que generalmente se hospedaba, el empleado no daba razón de él.

—Se ha escondido en alguna parte para largarse con el dinero —reflexionó Curtin—. Sabe que no podemos quedarnos aquí eternamente y espera el momento en que volvamos a engancharnos para salir de su agujero.

Dobbs dió un nuevo sorbo al café y dijo:

—No me extrañaría si ese tío empleara nuestro dinero para especular en un nuevo pozo. Él siempre tiene noticias frescas de las secciones de Alamo, Altamira y Ébano.

Aquella idea hizo que Curtin se sulfurara.

—Ya le enseñaré yo a ese tipo; deja nada más que le eche la vista encima.

En aquel preciso momento, Pat McCormick cruzaba la plaza en compañía de una mexicana, que lucía un flamante vestido nuevo de colores chillones, elegantes zapatos y una sombrilla de seda policromada y de modelo estrafalario.

—¿Qué te parece eso? Trapos pagados con el dinero que nosotros sudamos.

—Atrapémoslo ahora mismo —gritó Curtin—, hay que apretarle los tornillos.

Con la rapidez del viento, Curtin y Dobbs se hallaron al lado de Pat.

Curtin lo cogió por la manga de la camisa, porque no llevaba saco.

Pat, al verlos, trató de mostrarse amistoso y les preguntó:

—*How's tricks, boys?* ¿Qué les parece si nos echamos un trago?

Pero dándose cuenta de que aquellos hombres afectaban la seriedad fría y seca de un cadáver, dijo a su compañera:

—Perdóname, mi vida; tengo un asunto que resolver con estos caballeros. Te llevaré a aquel café y me esperarás un ratito, preciosa.

La llevó bajo las arcadas del edificio de Luz y Fuerza, pidió para ella un refresco y repitió:

—Espérame, linda; no tardaré mucho.

Dobbs y Curtin lo esperaban a unos cuantos pasos de distancia. Pat caminó a través de la plaza como si fuera solo y viendo que los dos hombres no se separaban de él, se detuvo ante las oficinas de la Western Union y dijo:

—Bebamos una copa, yo pago.

—Muy bien —contestó Curtin—, aceptado, pero entiende que no es por eso por lo que andamos detrás de ti.

Entraron en la cantina Joe's Place, y Pat pidió tres copas de Scotch.

—A mí un Hennessy —dijo Dobbs al cantinero.

—Para mí también —agregó Curtin.

—Yo prefiero Scotch —dijo Pat ratificando su orden.

Cuando hubieron bebido, Pat preguntó:

—Ahora díganme; ¿qué quieren? Ya les dije que los tomaré en mi próximo contrato; no se preocupen.

—No se haga el tonto; bien sabe lo que queremos —replicó Dobbs.

—Mira —dijo Curtin aproximándose la copa—, abreviemos el asunto. ¿En donde está nuestro dinero? Ahora no te irás, te lo aseguro; hemos trabajado como esclavos negros, bien lo sabes, y hace ya tres semanas que esperamos nuestra paga. Así es que ahora nos pagas aquí mismo, en este instante y sin excusa ni pretexto.

—Tres habaneros —ordenó Pat—. No, Chucho; dánoslos grandes, respetables, para adultos.

—¿Habaneros? ¿Ahora juegas al pobre? No te molestes —dijo Dobbs, pero tomó la copa.

—Miren, muchachos —explicó Pat, poniendo en juego su habilidad—, lo que ocurre es que todavía no logro que me paguen ese maldito contrato, pero en cuanto tenga el dinero lo primero que haré será pagarles y además los tomaré en el próximo contrato. Empezaré los arreglos el lunes y podremos salir el viernes. Me complace volver a tenerlos conmigo, de todos mis obreros son ustedes dos a quienes más aprecio porque son expertos y eficientes como ninguno.

Curtin no se impresionó con aquello y contestó:

—Te lo agradecemos, Pat; pero no te imagines que nos has ablandado con tus mieles y con los movimientos de tu bien lubricada lengua. Sabemos de memoria tus discursos y ya no nos producen ni el más leve efecto. Suelta los centavos y déjate de rodeos ¿me entiendes?

—¡Mira, desgraciado tal por cual, o sueltas el dinero o te mato! —gritó Dobbs zarandeándolo con ambas manos y empujándolo contra el mostrador.

—Orden, caballeros, orden; este es un lugar decente —intervino el cantinero. Decía aquello no porque le importara el hecho, sino en previsión de cosas mayores y para poder alegar, si se llegaba el caso, que él había intentado calmarlos. Después limpió el mostrador con un trapo y preguntó—: ¿Lo mismo, señores? —Y sin esperar la respuesta volvió a llenarles los vasos de dorado habanero.

Después encendió un cigarro, puso los dedos sobre el mostrador y empezó a leer *El Mundo*.

Pat podía derrotar fácilmente tanto a Dobbs como a Curtin por separado, pero el hecho de desafiarlos juntos podía costarle muy caro y lo más que podía arriesgar, teniendo un contrato en perspectiva, era presentarse con los ojos morados en la oficina de la compañía. Se daba cuenta de que aquellos hombres estaban exasperados, que en aquel momento se olvidarían de pelear con decencia y serían capaces de enviarlo al hospital por algunas semanas, y mientras tanto su contrato iría a parar a otras manos.

Considerando que lo que más le convenía era pagarles, les dijo:

—Les diré lo que voy a hacer. Les daré el treinta por ciento, quizá pueda darles hasta el cuarenta, y el resto, digamos a mediados de la semana próxima.

—Nada de la semana próxima —insistió Curtin—, ahora mismo y hasta el último centavo, porque de lo contrario juro que no saldrás vivo de aquí.

Pat plegó la boca feamente y contestó:

—Son ustedes unos ladrones, unos salteadores de caminos; de haberlo sabido no les hubiera permitido dormir en la misma cabina que yo, pues a lo mejor me habrían asesinado y robado. Pero lo que es ahora no los tomaría ni aunque me lo pidieran de rodillas, y si viera que se morían en la calle no les daría ni una patada que les sirviera de tiro de gracia. ¡Ea! Tomen su dinero y quítense de mi vista.

—¡Cierra la boca y suelta la plata! —gritó Dobbs—. Ya estamos hartos de tus sermones.

Seguramente, mientras Pat hablaba, había estado contando el dinero hábilmente, porque de un golpe sacó un fajo de billetes, y los arrojó sobre el mostrador.

—Ahí está el dinero —dijo. Después, haciendo un guiño al tendero, le tiró un puñado de pesos agregando—: Eso por las copas, yo no acepto que me las paguen estos zorrillos, y guárdate el desgraciado vuelto para comprarte un hotel.

Después se echó el sombrero sobre la nuca, escupió con un gesto despectivo y salió.

II

—Oye viejo, ¿por qué vives en el Hotel Roosevelt? —preguntó Dobbs a Curtin cuando pasaron por el Hotel Southern—. Por lo menos debes pagar cinco pesos diarios.

—Siete —contestó Curtin.

—Debieras venirte conmigo al Oso Negro; allí sólo cuesta cincuenta centavos el catre.

—No soporto la suciedad, no puedo vivir en medio de aquellos vagos y malvivientes.

—Bueno, presidente; como quieras. Algún hermoso día, cuando tu plata se haya agotado, tendrás que aterrizar allí, te lo apuesto. Por ahora, yo también podría pagar un alojamiento decente, pero he aprendido la lección y prefiero guardar mis pesitos. ¿Quién puede decirnos cuándo, en alguno de los cuatro siglos próximos, volveremos a encontrar trabajo? La cosa se pone peor cada día. Hace cuatro o cinco años, te rogaban para que aceptaras un trabajo y tú ponías el precio, pero ahora es diferente, y me parece que la situación no cambiará en algunos años. Por eso, aun cuando no lo creas, todavía como en un café de chinos por un tostón y no me importa, porque sé que nadie me dará ni un quinto cuando haya gastado hasta mi último centavo.

Llegaron a la esquina de la plaza en la que se hallaba la gran joyería "La Perla". En los cuatro grandes escaparates se exhibía una profusión de oro y de diamantes que difícilmente podría verse en Broadway. Había una diadema valuada en 24,000 pesos. En aquel puerto jamás se presentaba la oportunidad para que una dama luciera joya semejante. Ésta no era para llevarse en aquel lugar como bien lo sabía cualquiera que la comprara; pero ocurría que allí había unos cuantos hombres que hacían dinero tan fácilmente, con tal rapidez y con tan poco sudor, que no sabían qué hacer con él. No era posible comprar carros lujosos, porque no existían carreteras para ellos y la mayoría de las calles se hallaban en condiciones tales, que sólo carretones podían transitarlas. Aquellos hombres estaban en posibilidad de invertir su dinero y lo hacían, pero mientras más dinero invertían más ganaban y volvían a encontrarse con la misma pregunta, sólo que más urgente. ¿Qué haré con el dinero? Los propietarios de "La Perla" sabían lo que hacían al exhibir aquellas joyas. Cualquiera de ellas que pareciera bonita a un nuevo rico petrolero y que tuviera un precio fantástico, permanecía escasamente tres días en el aparador, pues al cabo de ellos algún hombre penetraría en la tienda mirando como cualquier holgazán, en mangas de camisa, cubierto de petróleo, y diría "Envuélvamela pronto, porque tengo mucha prisa", y arrojando el dinero sobre el mostrador se guardaría la elegante caja en la bolsa del pantalón, como si se tratara de una simple cajita de jabón, para salir después sin dar las gracias ni despedirse.

Dobbs y Curtin se quedaron mirando aquellos tesoros que bien podían valer cien mil dólares y una multitud de pensamientos les llenaron la mente, pero entre ellos ni por un momento se contó el de robar alguna de ellas. Durante todos los años que durara el auge, prácticamente ningún banco había sido asaltado, ningún almacén robado en el puerto. En el único asalto a un banco que había ocurrido, todos los asaltantes habían sido muertos y el que los esperaba afuera en un carro, herido y transportado al hospital, en donde se había hecho lo indecible porque no sobreviviera. Aquellas joyas exhibidas tras los aparadores se hallaban tan seguras como en una caja fuerte, y ello no se debía a que la gente de allí fuera mejor que la de cualquier otro sitio. No, por todo el puerto había carteristas, y eran los americanos quienes, por supuesto, llevaban la batuta. Pero los bancos y las joyerías se hallaban a salvo de los bandidos. No les era posible huir, porque no había carreteras por las que pudieran transitar automóviles. Sólo dos trenes salían diariamente del puerto y éstos podían ser vigilados con éxito aun por detectives de tercer orden. Lo mismo ocurría con los barcos de pasajeros y los de carga. El puerto se hallaba protegido de un lado por el mar y de otro por el río, los pantanos y la selva y los dos o tres malos caminos que existían se encontraban vigilados por policía montada. Los bandidos mexicanos podrían haber logrado su intento escondiéndose, pero les faltaba habilidad para llevar a cabo un robo de esa categoría. Los bandidos americanos no podían esconderse en parte alguna, ya que todos sabían que si un bandido era aprehendido, nunca llegaba vivo a la jefatura de policía; por ello la gente, aún los niños, podían atravesar las calles cargando sacos llenos de oro y sin nadie que los acompañara, con la seguridad de llegar a salvo y con su carga tal y como si fueran en un carro blindado.

Así, pues, no fué la idea de robar la tienda lo que ocupó las mentes de Dobbs y Curtin.

Todos los que vivían y trabajaban en el puerto por aquel entonces, sólo pensaban en petróleo. Hasta en los momentos de comer o de cenar se hallaban rodeados por una atmósfera que olía a petróleo. Bien podía mirarse a una dama perfumada y elegantemente vestida, con la seguridad de que en alguna parte de sus ropas o de su piel había una mancha de petróleo. En el vestido, en los zapatos blancos, en la sombrilla, en la bolsa de mano, en cualquier parte podía distinguirse la huella.

Pero entonces, al mirar todo aquel oro en el aparador, Dobbs y Curtin pensaron por primera vez en el metal, olvidando por un minuto el petróleo.

Después, apoyados de espaldas contra el edificio de Correos miraron a través de la plaza los mástiles de los barcos que se hallaban en el muelle. Sólo la parte superior de aquéllos era visible desde el sitio en que se encontraban. La vista de los mástiles les trajo a la memoria el recuerdo de viajes por lejanos países y pensaron en otros sitios del mundo y en otras posibilidades de hacer dinero. ¿Por qué ha de ser siempre el petróleo? ¿Es que no hay otra cosa en la tierra? Digamos, por ejemplo, oro, para referirnos a algo más.

—Dime, Curtin ¿qué piensas? —preguntó Dobbs—; quiero decir ¿qué opinas de todo esto? De este vagar de un lado para otro en tanto se consigue trabajo por unas semanas o unos meses, para después del auge esperar la nueva quiebra y quedar otra vez a merced del buen o mal humor del contratista, quien puede o no tomarte mientras el dinero se va evaporando hasta terminarse. Después, la quiebra, el abordar a las gentes por diez centavos, el dormir en carros de carga o bajo los árboles o donde sea posible. Ya estoy cansado de esto, harto del petróleo, eso es, ¡harto del petróleo!

Quiero ver algo distinto, quiero oír hablar a las gentes de otra cosa.

—Pues a mí me ocurre exactamente igual, ahora mismo pensaba, por la tercera vez, marcharme de aquí. Sé perfectamente lo que pasa cuando se tiene trabajo y cuando se carece de él. Ya no quiero lustrar la pared de las oficinas del banco en el Southern en espera de alguien que quiera contratarme por algunos meses. ¿Por qué no intentar la búsqueda de oro?

—Tú lo has dicho, manito —repuso Dobbs, haciendo un signo de asentimiento—, en eso pensaba justamente cuando nos detuvimos ante aquel montón de oro y de diamantes. Explorar... ¡eso es la vida! Pensemos en ello; no es ni más ni menos arriesgado que el esperar aquí nuestra nueva quiebra. ¿Nunca se te ha ocurrido pensar, viejo, que éste es el país en el que los montones de oro y de plata están esperando a que se les ayude a salir de las entrañas de la tierra, para convertirse en resplandecientes monedas, para brillar en los dedos y cuellos de las mujeres elegantes? Pues bien, ya ves que hemos atinado.

—Sentémonos en aquel banco —sugirió Curtin—, tenemos que reflexionar sobre esto, es una magnífica idea. Tenemos que hacer planes; vamos pensando en el asunto.

Después de haberse sentado, Curtin continuó:

—Te diré un secreto: yo no vine a este país por petróleo, porque ya en San Antonio, en el viejo Texas, tenía la nariz llena de él. Vine aquí por oro y nada más que por eso. Tenía pensado trabajar en los campos petroleros uno o dos años para juntar dinero suficiente para comprar un equipo decente e internarme en la sierra hacia el oeste y allí dedicarme a buscar, pero nunca conseguí el dinero. Cuando tenía quinientos pesos y todo preparado para hacerme de otros quinientos, no encontraba trabajo en muchos meses, y el dinero se me iba volando.

—De hecho —dijo Dobbs— el riesgo no es muy grande. Esperar aquí hasta que caiga otra chamba es igualmente duro. Si tienes suerte puedes hacerte de trescientos dólares en un mes; si no la tienes, puedes esperar doce meses sin poder conseguir ni siquiera trabajo de cargador. Y además ¿qué arriesgamos con esto? Si no encontramos oro podremos hallar plata; si no, bien puede ser cobre, plomo o piedras preciosas. Siempre hay algo de valor que encontrar. La vida es más barata a campo raso que aquí. El dinero nos durará más y mientras más no dure más ocasión de buscar tendremos.

Cuando empezaron a planear en serio, se encontraron con que el dinero que tenían era insuficiente para hacer una prueba. Así, pues, su entusiasmo murió.

Una vez más ocurrió que hombres con buenas ideas tuvieron que desistir de ellas tan pronto como chocaron con el primer obstáculo. Esto ocurre a la mayoría de los hombres. No había uno solo en el puerto que no hubiera pensado varias veces en buscar alguna mina de oro escondida. Todas las minas que producen en el país alguna clase de metal fueron ya encontradas y excavadas por los primeros hombres que emprendieron la búsqueda del oro y quienes si no encontraban este metal, aun cuando fuera en pequeñas cantidades, se daban por satisfechos de hallar cobre, plomo, cinc y en último término hasta talco.

Dobbs y Curtin debieron no haber vuelto a pensar seriamente en la búsqueda de oro después de haber discutido el asunto. Era mucho más fácil sentarse a contemplar a un par de hombres que trabajaban en una posición bien peligrosa sobre un techo, tendiendo alambres de teléfono; ello representaba mucho menos dificultades que el hecho de ponerse a reflexionar o a esperar frente al Banco a que ocurriera algo que viniera a cambiarlo todo. Siempre resulta más conveniente soñar.

Curtin decidió quedarse una noche más en el Roosevelt y mudarse al día siguientes al Oso Negro.

Cuando Dobbs regresó al hotel, se encontró en la misma barraca a otros tres americanos. El resto de los catres no se hallaba ocupado aún. Uno de los americanos era ya viejo y el cabello comenzaba a blanquearle.

Dobbs notó que en el momento de su aparición los tres hombres cesaban de hablar para reanudar su plática momentos después.

El viejo estaba tendido en su catre y los otros dos, medio desnudos, se hallaban sentados en los suyos.

Al principio Dobbs no comprendió de qué hablaban, pero no tardó mucho en darse cuenta de que el viejo conversaba con los jóvenes acerca de sus experiencias como explorador. Los jóvenes habían llegado a la República en busca de oro, porque las historias fantásticas que en su país habían escuchado acerca de la abundancia de ese metal habían despertado su ambición, y esperaban hacer millones.

—De cualquier modo —dijo Howard, el viejo— el oro es algo endemoniado; créanme, chamacos. En primer lugar suele cambiar totalmente el carácter de los hombres. Cuando se ha conseguido, el alma no es la misma que antes de obtenerlo, y nadie escapa a esto. Puede llegar a amontonarse tanto que será imposible transportarlo, pero mientras más se tiene más se ambiciona y ocurre lo que cuando alguien se sienta ante la ruleta, que siempre piensa en una última vuelta. Así el afán sigue indefinidamente. Se pierde la noción del bien y del mal, se olvida la diferencia entre lo honesto y lo deshonesto, se pierde la facultad de juzgar.

—No veo por qué —interrumpió uno de los jóvenes.

—Verás, cuando salgas habrás de decir: quedaré satisfecho con cincuenta mil hermosos machacantes o su equivalente; ayúdame, Señor, a llevar a cabo mi propósito. Después de sudar un horror, de sufrir por la escasez de provisiones y cuando empieces a dudar de encontrar algo, rebajarás tu petición a cuarenta mil; después a treinta mil y así hasta que llegues a cinco mil, diciendo: si tan sólo pudiera hacerme con cinco mil, sin duda te lo agradecía y nunca, nunca te pediría más en la vida.

—Cinco mil no estaría mal, después de todo —dijo el mismo joven.

—Basta —intervino su compañero—, ¿no puedes cerrar la boca, mientras alguien dice algo que vale la pena escuchar?

—No es tan fácil como lo imagináis —dijo Howard insistiendo—; deberéis sentiros satisfechos si lográis cinco mil, pero si encontráis algo, no habrá poder humano que os aparte de allí, ni siquiera la amenza de una muerte miserable podrá haceros desistir de conseguir diez mil más. Y si lográis cincuenta mil, queréis cien mil más, para aseguraros por el resto de la vida. Y ya obtenidos ciento cincuenta mil, desearéis doscientos mil para estar seguros, absolutamente seguros, de estar a salvo ocurra lo que ocurra.

Dobbs se hallaba excitado y para mostrar que tenía derecho a estar allí y a escuchar al hombre experimentado dijo:

—Eso no me ocurriría a mí, lo juro; cogería veinte mil, empacaría mis cosas y regresaría. Lo haría aun cuando supiera que había medio millón en espera sólo de que lo recogieran; lo haría porque veinte mil es cuanto necesito para sentirme bien y feliz.

Howard lo miró escudriñando, al parecer, hasta la última arruga de su rostro. Hizo aquello sólo un instante y después contestó indirectamente, como si no hubiera sido interrumpido.

—Cualquiera que nunca ha ido en busca de oro no sabe de lo que habla cuando a ello se refiere. Sé bien que es más fácil dejar una mesa de juego cuando se está ganando que un buen filón. En este caso parecen lucir ante nuestra vista todos los tesoros de Aladino. No, señor; no es posible regresar ni aun teniendo en la mano el cable en que se nos comunica que nuestra abuela agoniza abandonada. Miren, yo cavé en Alaska y obtuve algo; también me uní a la multitud que invadió la Colombia Británica y logré allí por lo menos un salario regular. Estuve en Australia, de donde tuve que regresar a mi patria para curarme de una enfermedad del estómago que adquirí allá. Excavé en Montana y en Colorado y no sé en cuántos sitios más.

Uno de los jóvenes preguntó:

—Según dice usted, ha excavado prácticamente en todo el mundo. Entonces ¿cómo ha llegado usted a hallarse aquí, sentado en este sucio rincón y en quiebra?

—El oro, joven; ha sido el oro. Eso es lo que hace de nosotros. En un tiempo mi cuenta en el banco llegó a ser de cien mil pesos en efectivo y de otros tantos en inversiones. Uno de los bancos se evaporó cantando la eterna canción, es decir, haciéndome saber que de mis dólares no restaba un solo centavo. —Después continuó—: Dos de las inversiones fracasaron completamente; me quedaron sólo algunos derechos sobre una compañía fundidora. Después de emplear cuanto me restaba en pagar, todavía quedé con una deuda de dieciséis mil. Logré hacer aquí en el puerto sesenta mil con un pozo de petróleo. Los últimos cincuenta mil que tenía el propósito de no tocar se me fueron en tonterías, y ahora aquí me tenéis en el Oso Negro, y dedicado a detener en la calle a viejos amigos para pedirles cincuenta centavos para un catre en que pasar la noche. Ahora ya soy viejo, no cabe duda, pero no he perdido el espíritu, eso nunca. Estoy hecho para llevar al hombro pico y pala siempre que alguien esté dispuesto a hacer los gastos. Claro que preferiría hacerlo por mi propia cuenta, pero carezco de elementos para ello, pues a decir verdad, lo mejor es marchar solo aunque, desde luego, se necesitan las energías suficientes para desafiar la soledad. Infinidad de hombres se trastornan cuando permanecen solos por largo tiempo. Por otra parte, marchar acompañado de uno o dos compañeros suele ser peligroso. Siempre hay asesinos al acecho, y los filones tienen que compartirse. Lo peor de todo es que difícilmente transcurre un día sin que haya riñas, originadas por las continuas acusaciones mutuas por faltas cometidas y por el eterno sospechar unos de otros por cuanto se hace, se dice y hasta se ve. Mientras nada se encuentra, la noble hermandad durará, pero cuando la veta se halla ¡horror!, entonces es cuando se conoce a los compañeros y se sabe lo que valen.

Ninguno de los dos jóvenes interrumpió el explorador. Tendidos sobre sus catres le escuchaban con mayor interés del que podía despertar en ellos una novela apasionante. Hablaba alguien realmente autorizado en la materia y tal vez no se presentaría otra ocasión de escucharlo. Lo que se decía en las páginas de las revistas les parecía necio. ¿Quienes escriben esos cuentos? Hombres sentados tras un escritorio en una oficina, en cualquier gran ciudad. Hombres que jamás han palpado la realidad de la vida. ¿Qué saben ellos? La vida real es bien diferente. Y aquello era la vida real, aquel hombre había vivido la realidad, había visto el mundo de cerca, había sido rico, muy rico, y se encontraba en la miseria, obligado a pedir cincuenta centavos a un amigo para poder comer.

Una vez que había comenzado y mirando a su alrededor aquel auditorio que contenía el aliento mientras él devanaba sus recuerdos, Howard les relató algo que no habrían hallado en ninguna revista de las que venden en las esquinas.

III

"¿No conocéis la historia, la verdadera historia, de la mina de Agua Verde?... ¿No?... Bueno os la voy a contar para ver que sacáis de ella. Yo se la oí a Harry Tilton, uno de los que se enriquecieron explotándola.

"Los indios, sus dueños legítimos, fueron desposeídos por unos monjes que se aproximaron a ellos con dulces sermones en los que les prometían la salvación del alma y un pasaje seguro para el cielo. Esto ocurrió en el siglo XVI. La Iglesia tomó posesión de la mina, pero al poco tiempo, el virrey de la Nueva España, haciendo en cambio fuertes concesiones territoriales, la obtuvo en nombre del rey.

"Era una mina increíblemente rica, se hallaba abierta y en ella se encontraban vetas portentosas. Estaba situada en una región montañosa en el norte de la República y cercano a ella había un lago de aguas cristalinas de color esmeralda, reposando entre las rocas. A él se debía el hermoso nombre de la mina.

"Algo ciertamente extraño ocurría. Los españoles comisionados por el gobierno para trabajarla, solían vivir poco tiempo. Raramente algunos de ellos podían regresar a España y muchos ni a la capital llegaban. Eran perseguidos por toda clase de infortunios; algunos eran mordidos por serpientes, otros sufrían las picaduras de alacranes y arañas venenosas; otros contraían raras enfermedades cuya naturaleza y origen nadie, ni sus doctores, podían determinar, y como si ello no fuera suficiente, los que podían escapar de las mordeduras y picaduras de animales venenosos y del misterioso mal, eran atacados por las diferentes fiebres que allí abundaban.

"Era evidente que los indios habían maldecido la mina para vengarse de las torturas que para lograr su posesión les habían infligido los invasores. En aquella época cualquier cosa que no podía explicarse era considerada como brujería.

"Habían sido enviados curas y hasta obispos para que bendijeran la mina, se celebraron cientos de misas por ella; todas las galerías y los túneles habían sido bendecidos por separado, así como todas las maquinarias, las herramientas y los hornos.

"Pero parecía que la maldición de los indios tenía mucha más fuerza que todas las oraciones y bendiciones de los dignatarios de la Iglesia Romana. Las condiciones cada día empeoraban. Los comisionados duraban cuando mucho un año, al cabo del cual morían o desaparecían durante alguna cacería.

"Los hombres, sean judíos o cristianos, mahometanos o comunistas, son tan codiciosos o tan audaces cuando de oro se trata que a pesar de la vidas que ello pueda costar, mientras el metal exista, mientras no desaparezca, arriesgarán la vida, la salud y la mente y desafiarán todo peligro y riesgo concebible para retener el precioso metal.

"La maldición, o aquello a lo que los invasores llamaban maldición, llegó a tomar enormes proporciones, pero nada tenía que ver con las misteriosas maquinaciones de los indios y de sus jefes.

"Todo el trabajo efectivo de la mina era hecho por indios. Al principio, cuando los monjes poseían la mina, obtenían la mano de obra gracias a un ingenioso plan. Los indios eran bautizados y como pago por la salvación de su alma tenían que trabajar para su nuevo Señor, que se hallaba en los cielos, ya que eran considerados como sus amados hijos, estableciéndose como ley que esos indios debían trabajar para los monjes en cualquier momento en que fueran requeridos, por lo que recibían, en cambio, algunas chucherías. Pero más tarde, una de las razones por las cuales la Iglesia accedió a vender la mina al gobierno fué porque el problema del trabajo había llegado a ser extremadamente complicado. Los indios descubrieron el juego de los frailes, al percatarse de que aquellos hombres blancos que les mostraban al nuevo dios se preocupaban menos por el bienestar terrenal de sus hijos que por las riquezas que acumulaban.

"En consecuencia, cada día disponían de menor número de hombres deseosos de trabajar a cambio de la gracia del Señor. Y toda vez que los frailes estaban más acostumbrados a vivir con facilidad que a caminar por caminos rocosos y llenos de maleza espinosa y a trabajar la mina sin ayuda de los inocentes hijos de la tierra, concluyeron que la explotación de ella constituía un pecado para la Iglesia y que al Señor le parecería mejor aceptar la buena proposición de compra hecha por el gobierno. Convenían a la Iglesia mejor las grandes concesiones para explotar tierras, ya que una mina tarde o temprano se agotaría, en tanto que la tierra podría ser siempre explotada. Además, había otro punto de gran importancia y era que los monjes no podían transportar lo que obtenían de la mina sin la ayuda del gobierno, que proporcionaba la escolta necesaria, y, siempre que era solicitada, el virrey se excusaba diciendo que no podía distraer del servicio ni a uno solo de sus soldados, pues necesitaba de todos para sofocar un brote de rebelión en algún sitio. No hay oro que tenga valor si no es posible transportarlo a los sitios en los que la gente lo necesita. Los monjes sabían que si ellos tomaban una escolta por su cuenta, los soldados nunca llegarían a la capital y el cargamento caería en manos extrañas, tal vez en las del gobernador de alguna de las provincias que la caravana cruzara.

"Una vez que el gobierno estuvo en posesión de la mina, trató de obtener de ella lo más posible en el menor tiempo. Los recursos empleados por los frailes para conseguir mano de obra, ya no daban resultado, y la mina, sin el trabajo de los nativos, carecía de valor. Durante algún tiempo el gobierno trató de trabajarla valiéndose de prisioneros. Pero mucho antes de que la caravana llegara a la mina no restaba ya ni uno de ellos, todos se habían evadido, y para atraparlos el gobierno habría necesitado todo un regimiento.

"Los nativos fueron inducidos a trabajar con la añagaza de víveres, joyas falsas, cuentas de vidrio de colores vivos y otras chucherías. Al cabo de algunos meses reclamaron su salario, pero ya fuera que la mercancía prometida no hubiera llegado o que los comisionados hubieran comerciado con ella, el caso es que nada se les dió y los indios, al verse engañados, abandonaron la mina. Los comisionados trataron de evitarlo valiéndose de todos los procedimientos indebidos imaginables y de severos castigos, pero los nativos, conocedores del terreno, fueron escapando uno a uno o en pequeños grupos.

"Entonces los comisionados se armaron y recorrieron los pueblos de los alrededores conduciendo a la mina a todos los hombres a quienes habían podido cap-

turar. No era posible encadenar a los prisioneros, pues
no se disponía de cadenas ya que todo el material de
hierro era necesario para los trabajos de la mina. Y
hubiera sido una gran locura transportar aquel pesado
material teniendo que hacer un recorrido de dos mil
millas cuando había necesidad de transportar tantas
cosas indispensables, y además sobre todas las precauciones que se tomaran, al cabo de un corto tiempo no
quedaría ni un solo hombre trabajando. Así, pues, era
necesario volver a los pueblos y capturar más hombres,
pero cuando lo intentaron se encontraron las villas
quemadas y desiertas.

"Entonces se vieron obligados a recorrer distancias
mayores para encontrar pueblos en los que poder lograr material humano.

"Para evitar nuevas deserciones, los españoles penetraban en los pueblos de los desertores y, si no les
era posible capturarlos, aprehendían a algunas mujeres, ancianos y niños y los ahorcaban a manera de re-
presalia.

"Procedimientos semejantes pueden emplearse por
largo tiempo entre los africanos, pero no con los indios
de América. Una vez, cuando la cuadrilla que hacía las
levas había dejado la mina, llegó a ella una partida
de guerreros que acabaron con todos los blancos que en
ella se encontraban, después de lo cual incendiaron el
lugar. Luego se emboscaron entre la maleza y en cuanto distinguieron a la cuadrilla que traía a los nativos
cautivos, se lanzaron sobre ella y, ayudados por los
prisioneros, acabaron con todos sus hombres. Ni un
solo español sobrevivió o pudo escapar.

"Para hacer el transporte de los productos de la mina a la capital, se necesitaban, de acuerdo con la estación, entre dos o tres meses. Cuando la matanza ocurrió
acababa de salir un transporte para la capital; así,

pues, el gobierno no se enteró de lo acontecido sino hasta seis meses más tarde. Se envió una expedición para recobrar la mina y aquélla llegó más o menos un año después de ocurrida la matanza. El jefe de la expedición envió al gobierno un extraño informe diciendo que, después de varias semanas de tediosa búsqueda, no había podido ser localizada la mina, y aun más, ni siquiera se podía determinar el sitio en el que había estado, pues no se encontraba lago, ni cueva, ni cosa semejante que indicara el lugar en el que podía haberse hallado. Era indudable que los indios habían destruído la mina totalmente haciendo desaparecer todo signo o marca que pudiera descubrirla; no satisfechos con ello, disfrazaron el terreno, para lo que plantaron árboles y yerbas, transportaron trozos de roca, borraron y desviaron caminos y veredas. Transcurrido un año, el clima había cooperado a cambiar el aspecto del terreno en forma tal que aun cuando hubiera quedado allí alguno de los comisionados que trabajaran con anterioridad, habría encontrado dificultades para localizar la mina.

"En los veinte años siguientes fueron hechas cuatro expediciones más, de las que formaban parte ingenieros provistos de mapas y de toda clase de instrumentos. Todo fué en vano. Ahora bien, muchachos, para no cansaros os diré que la mina jamás volvió a ser descubierta."

Aquí daba Howard por terminada su historia cuando uno de los jóvenes oyentes dijo:

—No creo que aquella mina no haya podido ser encontrada y estoy seguro de que aun ahora podría lograrse su localización.

—Tal vez ni siquiera existió y lo único que queda es la leyenda, sin pruebas verdaderas —agregó un segundo.

El otro muchacho dijo:

—Tienes razón; eso ocurrió hace ciento cincuenta años. ¿Qué sabemos de aquellos tiempos? Yo pienso lo mismo, no hay pruebas y nunca las habrá.

Howard repuso con calma:

—Estáis equivocados, muchachos; sí que hay pruebas, de lo contrario no os habría relatado la historia. Hay pruebas y bastantes. La mina existió y se encuentra en el sitio incendiado por los indios, pues fué localizada no hace mucho tiempo.

—Cómo. Cuéntenos por favor —dijeron a un tiempo los muchachos con excitación.

Howard reanudó su relato en los términos siguientes:

"Fácilmente, muchachos, os relataré el resto de la historia, porque en ella aparece de vez en cuando mi antiguo compañero Harry Tilton.

"La matanza de que os he hablado ocurrió hace mucho tiempo, en 1762, pero la mina nunca se borró de la memoria de aquellos a quienes el oro y la plata interesan, aun cuando estos metales se hallen ocultos.

"Veintenas de hombres han enloquecido tratando de localizar la mina, que de hecho nunca ha quedado abandonada; es decir, siempre ha habido aventureros, durante estos ciento y pico de años, que han sacrificado su dinero, su salud y su vida al afán de localizarla.

"El afán se acentuó cuando Arizona fué anexado a los Estados Unidos. Cientos de aventureros intentaron descubrirla. Muchos jamás regresaron, murieron en el desierto o se despeñaron por los riscos; algunos fueron encontrados enloquecidos por la sed; otros regresaron a su tierra enfermos o en completa bancarrota.

"La suerte suele ser bondadosa con los no iniciados y con aquellos que nunca imaginan tenerla, por lo me-

nos así parece y yo he tenido cientos de pruebas de
ello.

"Fué unos años después de nuestra guerra civil
cuando tres estudiantes emprendieron un largo viaje
de recreo para conocer a fondo el país. Vagando por
Arizona, llegaron una noche a un pueblecito, y como
no hallaran alojamiento, el cura del lugar les brindó
hospitalidad. Aquel pueblo estaba habitado principal-
mente por "pochos".

"El cura simpatizó con los muchachos y les pidió
que permanecieran allí por algunos días más para que
conocieran los alrededores, que eran pintorescos.

"Un día, curioseando en los anaqueles de la biblio-
teca del sacerdote, encontraron una serie de viejos mapas de aquella parte del país y del norte de Sonora. En
uno de ellos se hallaba señalada una mina llamada
Mina de Agua Verde. Cuando interrogaron al cura
respecto a ella, les relató la historia de la mina. Dijo
que aquella era de las más ricas que se habían descubierto, pero que sobre ella pesaba la maldición bien
de sus antiguos poseedores los indios o del Todopoderoso, el caso era que quienquiera que se aproximara
a ella se veía acosado por el infortunio. Por esa razón
no aconsejaba a nadie que tratara de encontrarla y él
sería el último en intentarlo, ya que no abrigaba ningún
propósito mundano.

"Al día siguiente el sacerdote tenía que atender un
funeral y, mientras estuvo fuera, los muchachos copia-
ron cuidadosamente el mapa, con la seguridad de localizar la mina con la misma facilidad con la que podrían localizar el edificio de su escuela.

"Cuando regresaron a su casa se pusieron en contacto con hombres más experimentados y que contaban
con los medios necesarios para costear la expedición,
los cuales se mostraron entusiasmados con el proyecto.

"La expedición, compuesta de quince hombres, se puso en marcha. Los más jóvenes eran los estudiantes, entre el resto había hombres desde veinticinco hasta cincuenta años de edad.

"El mapa estaba perfectamente trazado; siguiéndolo no era posible incurrir en errores, pero resultó que al llegar al sitio preciso en que la mina debía hallarse, todo aparecía diferente a las especificaciones que en él se encontraban. Allí estaban los tres picachos de forma peculiar, también se veía claramente la cumbre de una montaña señalada en el mapa y que formaba ángulo recto con los otros tres picos para dar la posición exacta de un sitio determinado. Pero no se encontraban los grandes árboles y rocas que precisaban la posición exacta.

"Perforaron profundamente y en una extensión considerable. Volaron con dinamita todas las rocas que les parecieron sospechosas. Hubo un sitio en el que excavaron a setenta pies de profundidad porque uno de los miembros de la expedición pensó que los indios habían cubierto el lugar con montañas de tierra y que excavando en el sitio señalado encontrarían el laguito. Pero estos cálculos fallaron como otros muchos.

"No podía decirse que habían emprendido la búsqueda sin planearla bien. Después de trabajar unos veinte días todos juntos, cambiaron de planes y formaron cinco grupos de tres miembros cada uno. Todos partieron en dirección distinta, llevando consigo una copia del mapa. Después de tres días de trabajo, todos los grupos se reunieron por la tarde del último para pasar juntos la noche discutiendo sobre los datos que cada cual aportara, sacados de sus experiencias, a fin de formular nuevos planes.

"Pasaron semanas, las provisiones se iban agotando, el trabajo parecía más duro cada vez, el sol era

enloquecedor. La situación era desesperante, desconsoladora. Sin embargo, los hombres no desmayaban,
nadie se daba por vencido. No porque tuvieran fe en
los resultados, sino por temor o envidia. Todos temían
irse y que, tan pronto como se hubieran apartado, los
otros tuvieran fortuna. Nada quedaba que hacer más
que perseverar.

"Un día, ya entrada la tarde, uno de los grupos se
hallaba sentado alrededor de la hoguera en la que sus
miembros cocinaban la cena. El café no podía hervir
porque una ráfaga de viento se llevaba la llama para
otro lado; así, pues, uno de los muchachos decidió cavar a mayor profundidad para que el fuego quedara
mejor defendido de la corriente de aire.

"Cuando había cavado cerca de pie y medio, tropezó con un hueso. Lo sacó y casi sin verlo lo arrojó
lejos. Una vez acomodado el fuego apropiadamente,
consiguieron que la cena estuviera lista.

"Empezaron a comer despreocupadamente y por
casualidad Brawny, uno de los muchachos, fijó la vista en el hueso; lo recogió y empezó a dibujar con él
sobre la arena.

"Otro de los muchachos, llamado Stud, dijo de
pronto:

"—Déjame ver eso que tienes ahí.

"Lo examinó y exclamó:

"—¡Mal rayo! Esto es un hueso humano, el hueso
de un brazo. ¿De dónde lo sacaste?

"—De aquí mismo, de donde cavé el hoyo.

"Stud meditó y dijo:

"—Bueno, acostémonos; el día ha sido pesado.

"La noche había caído, se envolvieron en sus sarapes y se tendieron.

"A la mañana siguiente, mientras desayunaban, Stud dijo.

"—El hueso que encontramos anoche me ha hecho pensar. ¿Por qué se encontrará aquí?

"—No te preocupes —contestó un tercero llamado Bill—, sin duda es de alguien a quien asesinaron o que murió de hambre o sed.

"—Puede que tengas razón —admitió Stud—. Muchos han rondado por aquí, pero lo que no comprendo es por qué habían de morir o de ser asesinados precisamente en este lugar. Debe haber alguna razón o una justificación. Se me ocurre que ya que ninguno de los españoles fué hallado muerto o vivo, es posible que toda la mina, con los que en ella se encontraban, haya sido cubierta en un momento por alguna tempestad de arena o por el derrumbamiento de una montaña o debido a algún terremoto. Nuestro mapa está correcto, así, pues, yo creo que la apariencia del terreno cambió debido a una catástrofe de la naturaleza. Las montañas pudieron haber desaparecido o bien haber sido divididas en dos.

"Brawny, intervino:

"—Justo; yo sé algo de geología. Cosas como esa suelen ocurrir con mayor frecuencia de lo que las gentes desearan creer.

"—Bien —continuó Stud—, esto establece el hecho de que los españoles que se hallaban cerca de la mina no pudieron evaporarse por obra de milagro y que sus huesos deben estar aún cerca de donde la mina se encontraba. Desde luego que tratándose de un solo hueso, éste bien pudo haber sido transportado por algún zopilote o por otro animal, pero veamos si podemos encontrar el resto del esqueleto. Si lo hallamos, buscaremos otro cerca. Si encontramos dos, podemos presumir que hay más, y si seguimos el rastro de los esqueletos quizá demos con la mina o por lo menos con el sitio en que se encontró. Mi idea quizá no dé resultado, pero creo que vale la pena probar.

"Stud tenía razón. Cavaron y encontraron el esqueleto al cual pertenecía el hueso, y cavando en círculo pronto tropezaron con otro; siguieron buscando y encontraron más; también tropezaron con toda clase de herramientas.

Un ciento y pico de yardas más adelante, se hallaron con un filón tan rico que contenía más metal que piedra.

"—Bueno —dijo Stud—. Creo que hemos dado en el clavo. ¿Qué os parece?

"—Llamemos a los otros —dijo Bill.

"Brawny lo miró y repuso:

"—Ya sabía yo que eras un jumento, pero nunca imaginé que fueras tan borrico como eres ¿Qué crees tú que hubieran hecho los otros en nuestro caso? No los creerás tan tontos como para venir a invitarte al festín. Yo los conozco mucho mejor, te hubieran engañado. Si nosotros tuvimos la idea, si tuvimos los sesos suficientes es sólo a nosotros a quienes corresponde la ganancia. Además ¿no fué este español muerto quien nos invitó a sacar la canela? Fué precisamente para invitarnos para lo que sacó su brazo; si él hubiera deseado que los otros realizaran el hallazgo hubiera actuado de muy diferente modo. Así, pues, cerremos la boca, regresemos a casa con los otros y dentro de dos meses vendremos a coger lo nuestro. ¿Entendido?

"Todos convinieron en ello. Recogieron unos trocitos de mineral que hallaron sueltos y los guardaron en sus mochilas con la idea de comprar herramientas y provisiones para su segunda expedición. Cubrieron cuidadosamente lo que habían cavado para hacer imposible que la mina fuera descubierta por otros.

"Antes de que hubieran terminado de hacer aquello, otro de los grupos apareció inesperadamente. Todos miraron con desconfianza en rededor y uno de ellos dijo:

"—Ey, muchachos, ¿Qué es esto? ¿Estáis escondiéndoos de nosotros? ¡Nada de triquiñuelas! ¡Jugar limpio!

"Los acusados negaron estar traicionando a los demás y dijeron que nada de importancia habían hallado.

"Como las voces que proferían al disputar llegaron hasta un tercer grupo, éste apareció pronto en escena y en el momento preciso en que los dos primeros estaban a punto de llegar a un acuerdo, y sin duda hubieran llegado a él con el tercero si una hora más tarde no hubiera aparecido un cuarto grupo, pero cuando el segundo y el tercero lo vieron, olvidaron todo arreglo posible y arremetieron, sobre todo el segundo, contra el primero, acusándolo de actuar suciamente. Uno de los hombres fué enviado en busca del quinto a fin de que todos los miembros de la expedición se encontraran reunidos para aplicar la ley marcial al traidor primer grupo.

"No se deliberó largo tiempo, pronto sentenciaron a Bill, Stud y Brawney a la horca. El veredicto fué unánime por la sencilla razón de que colgando a los acusados las partes de la mina que les correspondían serían divididas entre los caballeros que formaban el jurado, quienes, si hubieran tenido la más leve oportunidad, habrían obrado exactamente en la misma forma que los acusados.

"La mina fué totalmente descubierta y trabajada con el avaricioso celo de que son capaces los humanos. El filón era increíblemente rico y sus explotadores tenían la creencia de que aun no llegaban a las vetas más ricas.

"Las provisiones se iban consumiendo y eran necesarias nuevas herramientas. Entonces fueron enviados cinco hombres para que, con las ganancias, obtuvieran todo lo necesario para proseguir la explotación.

"Harry Tilton, quien después relató la historia, se hallaba satisfecho con lo que había ganado y decidió partir con los cinco hombres y no regresar. Recibió su parte y se fué. Un banco de Phoenix le pagó sesenta mil dólares por su cargamento. Prometió a sus socios no decir nada acerca de la mina. Guardó su promesa, compró un rancho en Kansas, de donde era nativo, y allí se estableció.

"Los cinco hombres llevaban instrucciones de comprar provisiones, caballos, ropas, herramientas y alimentos para largo tiempo. Una vez cumplida su comisión y después de registrar en debida forma sus derechos, regresaron a la mina.

"Cuando regresaron, se encontraron el campo destruído por un incendio. Seis de los socios yacían muertos, sin duda por los indios, como podía deducirse por la forma en que habían sido asesinados.

"El oro estaba intacto, así como todas las herramientas.

"Por el aspecto que el campo presentaba dedujeron que se había librado un encarnizado combate antes de que sus socios fueran derrotados.

"Lo único que quedaba que hacer era enterrar a los muertos y ponerse a trabajar nuevamente.

"Apenas transcurrida una semana, los indios regresaron; eran cerca de cien hombres fuertes, los que, sin cruzar palabra con sus enemigos ni hacerles advertencia de ninguna índole, los atacaron con tal rapidez que aquéllos no tuvieron tiempo siquiera de tomar un rifle para defenderse. Una vez terminada la matanza, los indios partieron sin tomar ni un grano de oro.

"Uno de los exploradores, gravemente herido y a quien los indios habían dejado por muerto, pudo arrastrarse una vez que aquéllos partieron y ni él mismo pudo determinar cuanto tiempo, tal vez días o semanas, se había arrastrado a través del desierto hasta ser rescatado por un ranchero que había salido de caza. El ranchero vivía absolutamente solo en una barraca solitaria situada a treinta millas del pueblo más cercano. El herido le relató su historia. El ranchero no pudo llevarlo al pueblo porque comprendió que sus heridas eran tan graves que podía perecer en el camino. Algunos días después el hombre murió.

"El ranchero dió aviso del caso cuando cinco meses después visitó el pueblo, pero nadie, ni siquiera el *sheriff*, tomó en serio su relato. Consideraron aquel cuento como una prueba de que el hombre estaba desequilibrado, como lo habían sospechado cuando lo vieron establecerse en aquel lejano punto del desierto.

"Por supuesto, Harry Tilton ignoraba cuanto había ocurrido después de su partida. Pensaba que sus socios habían regresado a sus respectivos hogares después de hacer fortuna. Él no era ningún parlanchín, consideraba que la exploración le había dado buenos rendimientos y lo demás no le importaba.

"Entonces la fiebre de oro invadió el mundo. Se hallaron depósitos en Australia, África del Sur y Alaska. La gente de todas partes enloqueció con un deseo de riqueza. Si todas las fábulas que se relataban en aquellos días hubieran resultado ciertas, a la fecha el mundo dispondría de más oro que plomo. Cuando un explorador entre diez mil lograba hacer cien mil dólares en seis meses, la noticia se extendía y las gentes creían que cada uno de los veinte mil exploradores que emprendían la búsqueda lograba hacer en cuatro semanas dos millones.

"Fueron aquellas historias exageradas las que recordaron a los hombres de espíritu aventurero que vivían en el mismo condado que Harry Tilton, trozos de la historia que Harry les había relatado.

"Se organizó una expedición y Harry, muy a su pesar, fué electo conductor de la misma. No tenía deseos de aventurarse nuevamente porque ya era viejo y, además, estaba satisfecho de su vida. Pero aquellos hombres lo presionaban, lo perseguían de día y de noche, le llamaban mal ciudadano, embustero, egoísta, y trataron de expulsarlo del condado, hasta que lo obligaron a partir con ellos a la vieja mina.

"Casi habían transcurrido treinta años desde que Harry estuviera allí y su memoria no era muy clara. Sin embargo, daba con facilidad la descripción de ciertas particularidades del terreno e hizo mapas que parecieron claros a todos los miembros de la expedición.

"Yo era miembro de la expedición. Había metido un buen pico en aquella aventura. Pero aunque ello parezca tonto, nunca encontramos el sitio a pesar de que trabajamos como locos. Por lo general dos veces al día, si no más a menudo, Harry aseguraba que la mina debía encontrarse en el lugar en que cavábamos, para decir dos horas después que se había equivocado y que debía hallarse dos millas más lejos. Finalmente los hombres llegaron a pensar que él los extraviaba intencionalmente, cosa enteramente injusta. Él era honesto. ¿Qué interés podía haber tenido, siendo un viejo como era, en ocultar el lugar en donde se hallaba la mina? Si lo hubiera conocido lo habría señalado.

"Los miembros de la expedición estaban furiosos. Una noche lo torturaron en la forma más cruel, creyendo que así lo obligarían a hablar, pero no podía precisar una cosa que él mismo ignoraba. Dos llegaron al grado de sugerir que se le matara como a una rata por haberlos traicionado. Pero, afortunadamente para él, la mayoría de los miembros conservaban algún sentido y se opusieron a aquella injusticia. Hubiera sido una verdadera jugarreta del destino que él también pereciera en el sitio en donde murieran sus antiguos socios.

"Una noche, después de su retorno al pueblo, los edificios de su rancho fueron incendiados; sin embargo él, hombre duro y de empresa, no se dió por vencido y comenzó a reedificar, pero apenas terminados los trabajos y hallándose ausente, los edificios volvieron a ser incendiados. Harry tuvo que vender su rancho por menos de la mitad de lo que le había costado, pues comprendió que ya no le sería posible seguir viviendo allí. Dejó el rancho y no he vuelto a saber de él.

"Ahí tenéis muchachos, el final de otra historia acerca de esas empresas mineras formadas por un solo hombre. He visto a más de uno hacerse rico explorando, pero ninguno de ellos ha retenido sus ganancias. Mi viejo amigo Harry Tilton no fué una excepción y no cabe duda que nadie como él trató de retener lo que había logrado.

"Bueno, por hoy, eso es todo; muy buenas noches, muchachos, que tengáis sueños agradables."

IV

A la mañana siguiente, mientras estaban sentados en la plaza, Dobbs relató a Curtin la historia.

Curtin escuchó con ansiedad hasta el final. Cuando Dobbs terminó le dijo:

—Quizá la historia sea verdadera.

—Ya lo creo que lo es —dijo Dobbs—. ¿Qué puede hacerte creer que se trata de una historia de suplemento dominical?

Se sorprendía de que alguien pudiera dudar de la veracidad de aquel relato que le parecía uno de los más hermosos que pudieran escucharse. Sin embargo, aquella reflexión hecha por Curtin en tono de duda produjo un extraño efecto sobre la mente de Dobbs. La noche anterior, cuando Howard había relatado este cuento con su voz calmada y convincente, Dobbs sentía estarlo viviendo; no encontraba nada ilógico en ello, todo parecía tan claro y sencillo como la historia de cualquier zapatero afortunado. Pero aquella ligera duda de Curtin había hecho aparecer la historia como un cuento de aventuras.

Dobbs nunca había pensado que las exploraciones en busca de oro tuvieran necesariamente que estar ligadas a algún misterio. Las exploraciones en busca de

oro no eran sino uno de tantos trabajos encaminados
a ganarse la vida. No podía haber en ello más misterio
del que pudiera encontrarse en la excavación para
hacer un abrevadero en un rancho de ganado o en las
practicadas en alguna mina de arena. Pero aun cuando
el resto del relato pareciera fantástico, había un incidente en la historia contada por el viejo aquel que parecía tan claro como la luz del día, y era el hecho de
que los tres socios del primer grupo de la expedición
hubieran tratado de traicionar al resto en cuanto descubrieron la mina.

Dobbs agregó, haciendo un signo de asentimiento.

—Eso es exactamente lo que yo digo. Es la eterna
maldición del oro que transforma en un instante el alma
del hombre.

En el momento de decir aquello se dió cuenta de
que había hablado de algo que nunca antes había tenido cabida en su mente. Jamás se le ocurrió pensar
que el oro traía consigo una maldición. Tuvo la sensación de que no era él sino alguien que habitaba en
su interior, y de cuya existencia nunca se había percatado, quien había hablado por su boca. Se sintió incómodo al percatarse de que en el interior de su mente
habitaba una segunda persona a quien por primera
vez acababa de conocer.

—¿Qué hay una maldición en el oro? —a Curtin
no pareció impresionarle la idea—. Yo no veo cual
puede ser ni en donde puede estar. Eso parece chismorreo de viejas. Nada de eso. El oro trae consigo mayor
cantidad de bendiciones que de maldiciones. Ello depende de quien lo posee, pues en final de cuentas
es la mala o buena condición de su poseedor lo que de-
termina las bendiciones o maldiciones. Dale a un canalla una bolsa llena de piedras o una llena de oro y
le verás emplear una u otra en la satisfacción de sus

deseos criminales. Y de paso, lo que mucha gente ignora es que el oro en sí mismo carece de importancia. Supongamos que yo fuera capaz de hacer creer a la gente que era poseedor de montañas de oro. Lograría los mismos propósitos que si realmente las poseyera. No es el oro lo que transforma al hombre, es el poder que él confiere lo que cambia su alma. Ese poder, sin embargo, es imaginario, pues si no es reconocido por otros hombres deja de existir.

Dobbs, escuchando a medias lo que Curtin decía, se balanceó en el banco y miró hacia los techos de las casas sobre los que unos hombres trabajaban colocando alambres de teléfono. Los había observado el día anterior y los observaba entonces esperando que algo les ocurriera. Se hallaban en posturas tan difíciles que no acertaba a comprender como podían trabajar.

—Y todo eso —decía—, por cuatro cincuenta diarios, con la posibilidad de caer y romperse el cuello. La vida de los trabajadores es vida de perro, eso es. ¡Por el diablo, hablemos de algo más divertido!... Volviendo a la historia, me pongo a cavilar si tú serías capaz de traicionar a tus compañeros para quedarte con todo el oro.

Curtin no contestó inmediatamente. Al fin dijo:

—Creo que nadie puede decir lo que haría si tuviera la oportunidad de obtener mayores rendimientos valiéndose de una triquiñuela o de algún engaño. Estoy seguro de que todos los hombres obran en distinta forma a la que suponen en cuanto se encuentran frente a un montón de dinero o ante la oportunidad de embolsarse un cuarto de millón con sólo mover una mano.

—Yo creo que habría de obrar en la forma en que lo hizo Harry Tilton —dijo Dobbs—, es el camino más seguro. Sin duda que me satisfaría determinada cantidad, con ella me establecería en algún pueblo bonito y dejaría que los demás disputaran.

Después de bañarse en el río y de caminar tres millas para ahorrar los quince centavos que costaba el pasaje en autobús de regreso al pueblo, los dos volvieron a hablar de exploraciones.

No era oro lo único que deseaban. Estaban cansados de vagar esperando una nueva oportunidad de trabajar o corriendo tras los contratistas a quienes había necesidad de sonreír y de reír sus gracias para conservar su amistad. Lo que más necesitaban era un cambio. Aquel correr en pos de trabajo no podía durar siempre, debía haber algo más que aquella noria enloquecedora. ¡Era tan tonto aquello de pararse junto a las ventanas del Banco y estorbar el paso de quienquiera que por allí cruzara, mirando en cada uno a un posible contratista en busca de gente para trabajar en los campos!

Había transcurrido media semana sin que se presentara ni la más remota esperanza de conseguir trabajo. Parecía más que nunca que todo el negocio petrolero hubiera muerto en la República y sin duda en aquella región del país.

Muchas compañías habían comenzado a parar los trabajos en un gran número de campos y otras hacían preparativos para retirarse definitivamente de la República. Algunos hombres, que desde hacía cinco años trabajaban invariablemente, volvían al puerto para reunirse a los sin trabajo. Dobbs, en un arranque de desesperación dijo:

—Todo parece muerto, muchos de los que tienen para comprar pasajes se han marchado a Venezuela, en donde parece que habrá auge próximamente. Creo que aquí todo ha terminado. Lo que es yo, me largo ahora mismo en busca de oro, de plomo o de lo que sea, aunque tenga que ir solo. Estoy harto de este pueblo y de esta vida. Si he de verme en la necesidad de alimentarme con polvo, igual puedo hacerlo en este maldito lugar agonizante que entre los indios de la Sierra Madre. Eso es lo que pienso y eso haré.

—Tú lo has dicho —dijo Curtin—, y puedes contar conmigo; estoy listo hasta para robar caballos o ganado.

—Así quería oírte hablar. ¿Qué oportunidades esperas tener, después de, digamos, cuatro semanas —preguntó Dobbs—. Bolsear al prójimo y después las Islas Marías. Por mí, gracias; no es eso lo que quiero. Si el bolseo te falla y alguien te echa el guante, no son muy gratas las vacaciones que se pasan en esas islas. ¿Sabes por qué todos los cromos de la Virgen la representan con un cuchillo clavado en el corazón? Ese puñal debe haberlo clavado en su pecho alguien que regresó vivo de aquellas islas. En ellas hay muy pocos guardias, porque están vigiladas por millones de feroces tiburones.

—Hermoso lugar —dijo Curtin riendo—. Así, pues, el bolseo queda descartado. ¿A quién le gusta que lo custodien tiburones?

—Eso mismo pienso yo. Entonces, mañana nos largamos. Mientras más pronto, mejor. Aquí estamos gastando nuestro dinero inútilmente; lo empezaremos a invertir con provecho en cuanto nos pongamos en camino. Esta noche hablaré de nuestros proyectos con el viejo Howard.

—¿Con él? —preguntó Curtin—. ¿Para qué? ¿Piensas llevarlo con nosotros? Es muy viejo; a lo mejor tenemos que cargar con él a cuestas.

—Te equivocas acerca del viejo; es quizá más duro y resistente que nosotros dos juntos. Esos viejos son como las buenas pieles, y hay algo más importante: a decir verdad yo nada sé de exploraciones. Francamente, ni siquiera sé qué apariencia tiene el oro en la arena. Puedes tenerlo enfrente de ti y no reconocerlo, pensando que es alguna especie de roca, de polvo de cal o de algo por el estilo. Así, pues, de nada nos servirá trabajar como burros y prodigar nuestro sudor si en fin de cuentas no sabemos distinguir entre los desechos y el metal. El viejo es veterano en el asunto y sin duda sabrá cuando se encuentra en presencia de oro y cómo es posible sacarlo. Por eso lo necesitamos, necesitamos de su experiencia. La cuestión es que él se decida a reunirse a este par de cachorros; si lo logramos ya podremos felicitarnos de ello.

—Tienes razón, en realidad nunca se me había ocurrido eso; vayamos a preguntarle ahora mismo —dijo Curtin sin hacer más objeciones.

Cuando llegaron al Oso Negro, encontraron a Howard tumbado en su catre leyendo cuentos de *gangsters*.

—¿Yo? —dijo inmediatamente— ¿Yo? ¡Qué pregunta! Claro que iré cualquier día, a cualquier hora; lo único que esperaba era uno o dos tipos que quisieran acompañarme. Para ir en busca de oro, siempre estoy listo. Me arriesgo y hago la inversión. Veamos ¿cuánto tenemos?

Tomó un lápiz y empezó a anotar al margen de un periódico y a sumar.

—Yo tengo trescientos dólares en el banco y estoy dispuesto a invertir doscientos. Es lo último que me queda en el mundo. Cuando se me haya acabado habré terminado yo también. Pero si no se arriesga no se gana.

Curtin y Dobbs empezaron también a calcular sus bienes, que consistían en lo que les restaba del salario pagado por Pat. No sumaba mucho; juntando cuanto ambos tenían no llegaron a la cantidad que invertiría el viejo.

—Bueno, me temo que no nos alcanzará.

Howard hizo una lista de las provisiones y herramientas más indispensables y encontró que ni siquiera podían subvenir a aquellas modestas necesidades.

Dobbs tomó aliento al recordar su billete de lotería.

—No seas supersticioso —le advirtió Curtin—, hasta ahora yo nunca he sabido de nadie que gane algo con la lotería.

—Nada me costará mirar la lista —dijo Dobbs levantándose de su catre.

Curtin rió de todo corazón diciendo:

—Voy contigo, no quiero perderme de ver la carota que pondrás cuando veas tu número y te encuentres con que ni siquiera reintegro lograste. Bueno, andando que quiero mi función gratis.

En todos lados había listas. Se hallaban colgadas a las puertas de todas las dulcerías y de las tabaquerías, para dar facilidades a las gentes que desearan examinarlas. Muchas estaban impresas en calicó, pues eran examinadas con tanta frecuencia y tan nerviosamente que las impresas en papel eran rápidamente destruídas, y había necesidad de que duraran todo un año, ya que los billetes eran pagaderos dentro de los doce meses siguientes al sorteo.

En la tabaquería del Hotel Brístol había una lista.

—Acaba de llegar, caballeros —dijo la muchacha que estaba en el mostrador.

—¿Y ahora qué? ¿Qué dices ahora de las supersticiones, borrico? —dijo Dobbs, golpeando la lista cariñosamente—. Echale un vistazo a este lindo numerito, a este encantador numerito al que daría un beso porque es el mío. ¿Sabes lo que representa en dinero contante y sonante? A mi vigésimo le corresponden cien pesotes. ¡Bienvenidos, dulces soldaditos!

—Bueno, ganaste; pero fué una excepción y me mantengo en la idea de que sólo los idiotas ganan.

—Puede que tengas razón —concedió Dobbs, pues se sentía superior en posesión de sus cien pesos—. Posiblemente sólo los idiotas hagan dinero, pero no importa, lo esencial es tener plata, y además se necesita buena mano para elegir el billete. ¿Cómo ha de saber un idiota cuál es el número acertado? Contéstame. Yo elegí el número acertado ¿verdad?

Mientras sostenían aquella conversación llegaron a la agencia en la que pagaban los billetes. El suyo fué cuidadosamente examinado, porque algunos vivos solían cambiar los números impresos con tal maestría que aun los pagadores experimentados eran a veces engañados. Pero el billete fué aceptado y Dobbs recibió su dinero.

—Ahora me toca a mí conseguir cien más para completar nuestro equipo —dijo Curtin, tratando de encontrar la manera de conseguir el dinero.

En aquel momento los vendedores voceaban por las calles llevando un rollo de periódicos bajo el brazo.

—¡San Antonio Express! ¡El Express! ¡Acaba de llegar El Express!

Uno de ellos se detuvo frente a Dobbs y Curtin y les ofreció el periódico. Apenas acababa Curtin de ver la primera página cuando dijo:

—He aquí la solución. ¿Ves este hombre? ¿Puedes ver cómo se llama? Pues me debe cien dólares y aquí dice que ha hecho mucho dinero y que acaba de comprar una esquina en la calle Commerce. Le cablegrafiaré; es buen pagador y me mandará el dinero.

Se dirigieron a las oficinas del Western Union y en unas cuantas palabras Curtin expresó a su viejo amigo lo que deseaba. Esa noche y por la misma vía recibió un cable por doscientos dólares en vez de cien.

—¿No te dije que era de fiar ese tío de San Antonio? A eso le llamo yo un amigo. Ese sabe atender al que tiene necesidad.

Curtin no se sentía entonces menos superior que Dobbs cuando hizo efectivo su billete de lotería.

—No perdamos más tiempo —dijo Howard cuando estuvo al corriente de todo—. Partamos mañana mismo.

Todos estuvieron de acuerdo y a la mañana siguiente abordaron el tren con rumbo a San Luis Potosí, de donde partieron para Aguascalientes con el fin de tomar la línea del norte. Cuatro días después se hallaban en Durango.

Allí emplearon dos días en estudiar mapas y tratar de obtener información de toda clase de gente conocedora de aquella parte de la República.

—Ved, pichones —dijo Howard—. Excluid cualquier parte en la que veáis rieles o carreteras, por malas que éstas sean, pues a esos sitios resulta inútil ir, ya que los constructores de ferrocarriles y carreteras suelen examinar hasta la última partícula del terreno en que construyen sus caminos. La cosa es natural y forma parte de su negocio, así, pues, resultaría una pérdida de tiempo buscar en sitios examinados de antemano por ingenieros.

—Me parece comprender lo que pretendes —dijo Dobbs, empezando a darse cuenta de los planes de Howard.

—No habrá dificultad después de que os explique claramente cual es un suelo virgen y cual no lo es —Howard empezó a señalar con un lápiz sobre el mapa que tenía enfrente, y agregó—: Debemos dirigirnos a algún sitio en el que tengamos la seguridad de que ningún agrimensor o conocedor de metales haya puesto el pie. Los

mejores sitios son aquellos temidos por las gentes paga-
das para trabajar en ellos y a los que no se han arriesgado a ir por considerar que su salario no compensa el peligro de llegar a ellos. Sólo en esos lugares podremos
tener alguna oportunidad de encontrar algo. Esas son
las regiones que habremos de señalar en la carta.

Tiró algunas líneas sobre ciertas secciones del mapa
e hizo algunas señales aquí y allá. Por algunos minutos se quedó mirando los signos, al parecer comparando
los sitios entre sí. Después, con un gesto decidido, hizo
un pequeño círculo en el mapa sobre determinado punto
y dijo:

—Aquí es a donde nos dirigiremos. El sitio exacto no
importa mucho, es decir, en detalle. Veámoslo de cerca
y entonces decidiremos, porque aquí en el mapa resulta
difícil determinar cuando se trata de una montaña, un
desierto, un pantano o algo por el estilo. Eso viene
a demostrarnos que quienes confeccionaron el mapa ignoran lo que allí se encuentra. Una vez que nos halle-
mos en el lugar, todo lo que tendréis que hacer será
abrir bien los ojos y mirar cuidadosamente. Yo conocí
a un tipo que, creaislo o no, olía el oro cuando se encontraba cerca de él, lo mismo que los burros suelen
olfatear el agua cuando tienen sed. Y esto me recuerda,
muchachos, que tenemos que ir cerca de aquí en busca
de burros, que nos serán necesarios para acarrear nuestras maletas y para otros trabajos en el campo.

Emplearon los tres días siguientes en comprar burros a los campesinos indios en pueblecitos de la vecindad.

V

Curtin y Dobbs se dieron cuenta inmediatamente de que sin la ayuda de Howard nada hubieran podido hacer, pues de ir solos ni siquiera hubieran sido capaces de seguir una huella. No tenían idea de lo que debían hacer con los burros durante la noche, ni de cómo acomodarles la carga, ni de cómo conducirlos por los caminos rocosos entre las altas montañas, por los que difícilmente podían ellos, en ocasiones, guardar el equilibrio.

Durante el viaje, los muchachos tuvieron que prescindir hasta de las mínimas comodidades que el más primitivo campo petrolero puede brindar. Para acostumbrarse a aquellas dificultades necesitaron más de una semana. No se trataba de las excursiones que hacen los *boy scouts* y no se encontraban lugares para acampar de los que suelen señalarse en las guías para cazadores. Aquello significaba trabajo y trabajo muy duro. A menudo durante la noche, cuando se hallaban a tal grado cansados que se hubieran caído dormidos en cualquier parte, tenían que levantarse para buscar a algunos de los burros que se habían extraviado. Y a ello había que agregar un sin fin de cosas más desagradables y aburridas a las que era necesario atender.

En muchas ocasiones durante el día, casi siempre en las noches, ambos se lamentaban diciendo que, de haberlo sabido de antemano, hubieran preferido quedarse en el puerto en espera de trabajo.

Su respeto por Howard aumentaba a medida que los días transcurrían. Aquel hombre jamás se quejaba, nunca hablaba con voz plañidera, jamás se mostraba demasiado cansado y su paso era siempre seguro. Parecía rejuvenecerse y era sorprendente ver cómo su actividad aumentaba con cada milla que se aproximaban a la meta.

Trepaba como un gato por los más empinados riscos y trotaba durante largas y tristes horas a través de pasajes áridos, sin reclamar ni un trago de agua.

—No olvidar nunca por qué el oro es tan valioso —solía decir cuando miraba a los dos muchachos extenuados—. Tal vez ahora comprendáis por qué una onza de oro vale más que una tonelada de hierro fundido. Todas las cosas en este mundo se hacen pagar su verdadero precio, nada se consigue gratis.

El viaje constituía el esfuerzo de menor importancia. Lo principal era encontrar el metal y saber cómo sacarlo después de encontrado. Respecto a esto, Dobbs y Curtin se hallaban más desorientados aún que en lo que se refería a la conducción de una recua de burros por determinado camino. Cuando aun se encontraban en el puerto, pensaban que las exploraciones en busca de oro se asemejaban al acto de colectar piedras en la cama de un río seco. Creían imposible equivocarse, pues tenían la idea de que cuanto relumbra es oro y, para su asombro, casi todos los días se encontraban con trozos de tierra cubiertos por un polvo amarillento y brillante, y encontraban también la misma arena reluciente en arroyos y esteros. Cuando miraban aquella especie de arena, creían hallarse en presencia de oro puro o por lo menos de piedras que lo contenían. Howard no se mofaba de ellos, solamente les decía:

—Ya os indicaré cuando hay que cobrar, pues por un camión cargado de esto que veis ahí, no nos darían ni para pagar una cena, y eso en el caso de que lo lleváramos hasta algún sitio en el que se estuviera construyendo. El oro no se muestra abiertamente, hay que saber reconocerlo. Hay que hacerle cosquillas para obligarlo a salir sonriendo —solía agregar Howard—. Puede pasarse veinte veces diarias por frente de él sin reconocerlo si se ignora la forma de lograr que se muestre.

El viejo Howard conocía el oro y su apariencia. Lo distinguía aun cuando sólo hubiera trazas de él. Muchas veces por la apariencia del paisaje podía determinar si existía en los alrededores y si valía la pena de cavar uno o dos días y de lavar y hacer pruebas en determinado sitio. Siempre que sacaba de la mochila su sartén para lavar dos o tres paladas de tierra en un arroyo, los muchachos podían tener la seguridad de que algo había descubierto.

Cinco veces encontraron oro, pero la cantidad que podían extraer por procedimientos tan primitivos como los que les era dado emplear, no hubiera bastado para pagarles un salario decente por los días de trabajo.

En cierta ocasión encontraron un lugar en el que los rendimientos eran prometedores, pero el agua necesaria para lavar la arena se hallaba a seis millas de distancia; así pues, tuvieron que abandonar aquello.

—No creáis, muchachos, que la búsqueda de oro es juego de niños —dijo Howard a sus socios, que estaban a punto de perder el último destello de esperanza—. El oro representa trabajo, y trabajo muy duro: Olvidar cuanto hayáis leído en novelas y revistas; todo es mentira. Sólo embustes se encuentran en ello. Descartad la idea de que hay millones tirados. Muy pocos hombres en la historia habrán logrado hacerse millonarios triturando rocas o lavando arena en busca de oro. Y además, nadie puede lograrlo solo. Si queréis conseguir millones, seguid mi consejo.

Una mañana se encontraron totalmente aislados en una región salvaje, desolada, montañosa. Parecía imposible proseguir o regresar. Jadeando, jurando y renegando, los muchachos trataban de cruzar la espesura del monte y de trepar por las rocas, al parecer inaccesibles, para salir de aquellos parajes.

Las dificultades eran de tal magnitud que perdieron toda esperanza y estaban dispuestos a abandonar la empresa, a dejar todo aquello y a regresar al mundo civilizado en el que, si bien no había trabajo, tampoco era necesario luchar con aquellas durezas. Estaban en el límite de lo que cualquier persona cuerda puede soportar.

El viejo mostraba excelente humor. Para él, con la experiencia que tenía, aquellas complicaciones eran de rutina cuando se anda en pos de oro.

—¡Por mi abuela! Me he echado a cuestas un par de señoritos, dos muchachitos elegantes y refinados que corren ante la primera gota de lluvia y se esconden bajo las enaguas de su madre en cuanto oyen un trueno. ¡Vaya, vaya! ¡Buenos exploradores me han resultado este par de buscadores de minas olvidadas! Eso de cavar un hoyo en busca de petróleo con la ayuda de cincuenta peones mexicanos, yo podría hacerlo hasta después de dos días de parranda; en cambio éstos, ¡vagazos! Se sientan a leer una revista en la que se habla de un río allá en Alaska e inmediatamente se lanzan a explorar.

—¡Cierra el apestoso hocico! —aulló Dobbs, tratando de arrojarle un trozo de roca.

—Tíralo, nene, tíralo. Será bien recibido. Tíralo y nunca podréis salir de aquí. Sin mi ayuda moriréis como miserables ratas.

Curtin trató de calmar a Dobbs, diciendo:

—Deja en paz al viejo. ¿No ves que está loco?

—Loco ¿eh? ¿Es eso lo que quieres decir? —Howard, en vez de enojarse, lanzó una carcajada satánica—. ¡Loco! Pues oíd bien, cachorros; repito lo que dije antes, que me he echado a cuestas un par de inútiles. Son los dos tan brutos, tan inmensamente imbéciles, que aun cuando parezca inconcebible, sorprenderían con su estupidez hasta a un agente de la secreta.

Dobbs y Curtin escuchaban al viejo, se miraban entre sí y lo miraban a él, posaron la vista en las plantas espinosas, en el campo, en el cielo, la volvieron en todas direcciones y por fin la fijaron en el rostro de Howard convencidos de que se había vuelto loco, de que, tal vez debido a las penalidades o a su vejez, se había trastornado.

—Pues bien, son tan brutos que ni siquiera se percatan de que caminan sobre millones. No podrían descubrirlo ni aun palpándolo con sus propias manos.

Los dos abrieron la boca. Era evidente que no habían comprendido el verdadero sentido de lo que Howard les decía. Al cabo de un minuto comprendieron, al ver que éste seguía mofándose de ellos mientras por entre sus dedos resbalaba la arena que empuñaba. Sólo entonces se dieron cuenta de que el viejo estaba tan cuerdo como siempre y de que les hablaba con sensatez.

No se pusieron a bailar por aquel venturoso alivio, ni se apresuraron a expulsar de su pecho la angustia que los había invadido en los últimos días. Tomaron aliento y se sentaron a palpar el suelo con las manos y a examinarlo cuidadosamente.

—No esperéis encontrar trozos de oro fundido, bien pulido y adornado con diamantes y rubíes —dijo Howard aun en pie—. Tenemos tierra con trazas de oro, que debe proceder de algún sitio aun lejano —Howard señaló las rocas que habían estado a punto de cruzar—. Allá iremos y, si no me equivoco, allí nos estableceremos por algunos meses. Vamos.

Aun cuando el trecho que tenían que cruzar era corto, representaba el esfuerzo más duro de la expedición. La distancia era menor de dos millas, pero tuvieron que emplear todo un día para alcanzar el sitio indicado por Howard.

Cuando por fin llegaron, les dijo:

—Más vale que no acampemos aquí, en el mismo sitio en que habremos de trabajar. Acamparemos a una milla o milla y media de distancia. Algún día sabréis la conveniencia de esto.

Había oscurecido y por aquella noche acamparon en aquel lugar.

Al día siguiente, Howard y Curtin salieron en busca de sitio mejor, en tanto que Dobbs permaneció al cuidado de los animales y encargado de cocinar y hacer el pan.

Habiendo encontrado un lugar apropiado y bastante retirado del sitio escogido para trabajar, establecieron el campamento.

—Supongamos que alguien llega por aquí accidentalmente; no os olvidéis de decir que somos cazadores, cazadores profesionales en busca de pieles con valor comercial. Cuidado con olvidarlo, porque podría costarnos caro.

Howard sabía bien lo que hablaba.

VI

Si Dobbs y Curtin nunca hubieran trabajado duramente, habrían pensado que lo que allí hacían era la labor más dura que pudiera haberse emprendido en cualquier parte del mundo. Para ningún amo habrían trabajado con el afán que lo hacían en beneficio propio. Cada día de trabajo duraba lo que la luz del sol. Los convictos encadenados de Florida y Georgia se habrían declarado en huelga de hambre, y ni los azotes les hubieran obligado a moverse, de haber tenido que trabajar en la forma en que lo hacían aquellos hombres con el afán de llenarse los bolsillos.

El campo que exploraban se encontraba en el fondo de un vallecito en forma de cráter situado en la cúspide de unas altas rocas. La altitud de las montañas y la poca presión atmosférica hacían el trabajo aun más duro de lo que hubiera podido ser bajo mejores condiciones.

Durante el día, el calor era sofocante y las noches eran en extremo frías. Allí no existían ni siquiera las ventajas que hasta el trabajador de un país civilizado —sí, y hasta un soldado que marchara contra los rusos— puede disfrutar, y sin las cuales supone que no podría vivir.

No debe olvidarse que aun cuando la Sierra Madre es hermana de las Montañas Rocosas, se halla en el trópico. Allí no hay invierno ni nieve y, en consecuencia, todas las matas, arbustos y animales abundan en cualquier época del año y con gran vitalidad.

Las moscas pican día y noche y mientras más se suda más embelesadas se muestran chupando la sangre. Hay tarántulas y arañas del tamaño de una mano de hombre y cuya vecindad no es muy grata. Pero la plaga genuina en aquellos sitios son los alacrancitos rubios, hermosísimos animalitos cuya picadura mata en quince horas.

El oro tiene su precio. Hay que tenerlo presente y olvidar las historias fantásticas contadas por los interesados en vender terrenos sin valor al precio de los cultivados huertos de naranjos del Royal Valley.

—Nunca imaginé que algún día habría de trabajar de este modo —gruñó Curtin una mañana en que Howard lo sacudía por el cuello para levantarlo del catre.

—No te preocupes —dijo el viejo calmándolo—, yo he trabajado así más de una vez en mi vida y a menudo por años enteros, y aun estoy vivo, y lo que es peor, sin una cuenta en el banco que me permita pasar el resto de mi vida tranquilamente contemplando filosóficamente las estupideces del mundo. Bueno, levántate y haz que los burros acarreen el agua.

Como en el lugar en que trabajaban no había agua, era menester acarrearla a lomo de burro desde un arroyo que se encontraba a cerca de trescientos cincuenta pies más abajo. Cuando empezaron a trabajar y hallaron que el agua estaba tan lejos, pensaron en llevar la arena para lavarla en el arroyo, pero después de una larga discusión decidieron que era más conveniente llevar el agua al campo que transportar la arena al arroyo. Cavando tanques y usando canales de madera de fácil construcción, podían emplear el agua acarreada durante bastante tiempo antes de que se evaporara. Se construyó una noria con latas vacías y cajas de madera, y con la ayuda de un burro resultaba fácil sacar el agua del tanque y hacerla pasar a otro más elevado, abriendo el vertedero, del cual pasaba a través de canales para lavar la arena.

Howard era todo un experto. Siempre que les comunicaba alguna idea, Dobbs y Curtin se preguntaban seriamente que habrían hecho sin él en aquellos parajes desolados. Seguramente se habrían encontrado en un rico campo que contenía cincuenta onzas de oro por tonelada de arena, sin saber cómo extraerlo ni como conservar la vida mientras les era dado transportarlo a su país.

Howard tuvo además la habilidad de fundir la cal de las rocas y mezclarla con arena, para construir un tanque en el que no se perdía más agua de la que se evaporaba. Con la misma mezcla sujetó los canales de madera y los recipientes para que tampoco con su uso se desperdiciara ni una gota de agua.

Desayunaban mucho antes del amanecer para empezar a trabajar lo más temprano posible. A menudo no les era dado trabajar al mediodía, durante algunas horas, porque el calor espantoso hacía que los oídos les zumbaran y los miembros les dolieran.

—Otra de las razones por las cuales yo preferí subir el agua a bajar la arena es ésta —explicó Howard—: podemos esconder tan bien el campo que es casi imposible para ningún sabueso encontrarnos, y de haber bajado la arena para lavarla, cualquier cazador nativo podría haber sospechado; en cambio, si alguno de nosotros es sorprendido con los burros acarreando agua, sólo pensarán que la necesitamos para cocinar y lavar la ropa y las pieles. Mañana empezaremos a tapiar el campo para hacerlo invisible. ¿Qué os parece, muchachos?

—Muy bien, papacito —contestó Curtin.

Dobbs gruñó:

—Por mí muy bien; tú lo sabes mejor, gallo viejo.

En una ocasión, durante las cálidas horas del mediodía, cuando Dobbs y Curtin estaban descansando en sus catres quejándose del calor y del trabajo, Howard, sentado sobre una caja, manufacturaba alcayatas para un nuevo invento suyo y observaba a sus dos socios desperezarse en los catres.

—¡Por todos los diablos! —dijo—. A menudo me pregunto cómo os figurabais que se llevaba a cabo la busca de metal. Creo que debéis haber pensado que sólo teníais que caminar y que al aproximarse a aquellas colinas que se ven a lo lejos vuestro único trabajo consistiría en recoger el oro allí tirado como granos regados por el campo después de una cosecha de trigo; luego, lo meteríais en los sacos llevados al efecto y lo transportaríais a cualquier ciudad para venderlo y convertiros en nuevos millonarios de película. Deberíais pensar en que, de poder encontrarlo y transportarlo con la misma facilidad con la que se carga de piedras un camión que correrá fácilmente por una buena carretera pavimentada, no tendría mayor valor que el que puede tener la arena.

Dobbs, volviéndose en el catre dijo:

—Bueno, bueno; tienes razón. Es duro, muy duro, pero lo que yo pienso es que debe haber sitios en el mundo en los que los filones sean más ricos, mucho más ricos, y en donde no sea necesario esclavizarse y trabajar como demonios para conseguirlo.

—Esos sitios existen —afirmó el viejo—. Yo he conocido algunos en los que el oro puede extraerse de las vetas con una navaja. Y sitios he visto también en los que las pepitas se recogen a granel. Sé de hombres que han conseguido treinta, cuarenta, sesenta onzas diarias, y he visto también como una semana después esos mismos hombres enloquecían por no poder sacar ni un grano más. Hay algo extraño en el metal. Lo mejor para compensar un día de trabajo es hacer lo que estamos haciendo, esto es, lavar arena que contiene cierto porcentaje del metal; ello generalmente dura un tiempo considerable, no se acaba rápidamente y deja un buen rendimiento. Por otro lado, tomar las ricas vetas sin duda hará ricos en corto tiempo a los primeros que lleguen, pero eso es muy raro. Todos los que llegan después pierden. Y lo que os digo se basa en más de cuarenta años de experiencia.

—Bueno, diría yo que este es un método más que lento para hacerse rico.

—Tienes razón Curty *boy;* es un método muy lento. Si trabajas unos cinco años podrás acercarte a los cien mil. Pero no he sabido todavía de nadie que aguante cinco años. La dificultad principal es que el terreno se agota antes de lo que sería de esperar. Entonces lo único que se puede hacer es salir en busca de una veta virgen. Así van las cosas. Pueden hacerse diez mil duros en un sitio y eso debiera satisfacer, pero confiando en la buena suerte se sale otra vez y otra hasta que se ha gastado el último níquel de los diez mil primeros pesos tratando de encontrar otro filón en cualquier parte del mundo.

Dobbs y Curtin se percataron de que la realización del trabajo no era cosa sencilla, pues aun en el caso de que en el transcurso de un día hicieran bastante, ello lo ganaban trabajando más duramente que bajo los contratos de Pat.

Las ampollas que les salían en las manos se les re-
novaban constantemente. El solo hecho de recoger la
arena y lavarla cientos de veces, habría constituído un
trabajo bien duro, pero antes de ser lavada era necesario cavar para obtenerla, y aquello no se hacía con la
facilidad con que se hace en una mina de arena, pues
se trataba de terreno rocoso. Las matas estaban tan ad-
heridas al suelo que era necesario romper la roca para
dejar libre el campo. Después había necesidad de tri-
turarla para convertirla en grava lavable. Ya para llevar a cabo el lavado tenían que acarrear bastante agua,
especialmente en los días muy calurosos, porque se
evaporaba rápidamente.

No había días de descanso. La espalda les dolía
tanto que después de un día de trabajo no les era dado
descansar cómodamente ni sentados ni acostados. Difícilmente podían estirar los dedos de las manos, porque se les habían endurecido y sus articulaciones se-
mejaban nudos. No se rasuraban ni tenían tiempo para
cortarse el cabello, estaban demasiado cansados para hacerlo, y lo que era peor, no les importaba en absoluto su apariencia. Si sus pantalones estaban descosidos
o rasgados, no los remendaban más de lo absolutamente necesario para que no se les cayeran.

Si uno de ellos disponía de algunas horas, no podía
emplearlas en provecho propio, tenía que salir de caza
para conseguir algún pavo salvaje o algún venado, o
bien tenía necesidad de recorrer los alrededores en
busca de mejor pastura para los burros o de dirigirse
al poblado cercano para comprar huevos, manteca, sal,
maíz, café, tabaco, piloncillo, harina, jamón, "royal",
azúcar. Jabón bueno, leche en lata, té y otros lujos semejantes sólo podían conseguirse haciendo todo un día
de viaje hasta el pueblecito que se hallaba en la ladera
este de la sierra, y aun allí se conseguían difícilmente.

No había clientes para tales rarezas y por ello los tenderos las llevaban sólo ocasionalmente. Cuando el hombre que salía en busca de las provisiones regresaba con una botella de tequila o de habanero, celebraban un banquete, alegrando así uno de los días de su triste vida.

Ocasionalmente hablaban de legalizar sus derechos para explotar la mina. Aquello no costaría una fortuna, pero el gobierno tenía ideas muy especiales sobre la concesión de licencias de esa naturaleza y acudía en seguida a reclamar su parte en las ganancias. Mas no era por esto por lo que los hombres estuvieran remisos a hacer el registro de derechos, era debido a otras muchas consideraciones. ¿Quién podía garantizar la honestidad de los empleados subalternos y del jefe de policía del poblado cercano, del presidente municipal del municipio próximo, del jefe de la guarnición de la plaza? ¿Quién se atrevería a responder por ellos?

Al registrar los derechos ante las autoridades, habría necesidad de denunciar la exacta localización de la mina. Aquellos tres hombres significaban poco y aún el embajador norteamericano difícilmente habría podido protegerlos. Con frecuencia ocurría en ese país que los jefes de policía, alcaldes, diputados y hasta generales se veían complicados en secuestros y hasta ejercían el bandidaje abiertamente. El gobierno, tanto el local como el federal, podía en cualquier momento confiscar no sólo el terreno, sino hasta la última onza de oro extraída con tanta pena y trabajo. Mientras los hombres se hallaran trabajando, estarían bien guardados, pero cuando recogieran el fruto de su esfuerzo para retirarse se encontrarían con una partida de bandidos que los desvalijarían por orden de alguno de los individuos a quienes la nación paga por librar a sus ciudadanos del bandidaje. Cosas como esta ocurren también en el país del Norte. ¿Por qué no habrían de ocurrir aquí? La misma influencia, el mismo espíritu dominan la atmósfera del continente.

Los tres socios sabían aquello y lo sabían bien. Entonces su lucha era sólo en contra de la naturaleza, pero en cuanto registraran sus derechos tendrían necesidad de luchar con enemigos más peligrosos. Aparte de las contribuciones que correspondían al gobierno, habrían tenido que cohechar a una serie de gente para quedar ellos en final de cuentas con un porcentaje mínimo. Pero todavía existía un peligro más serio: alguna fuerte compañía minera, en buenas relaciones con el gobierno o bien respaldada por algunos diputados de esos mejor conocidos en los cabaretuchos y en las zonas de tolerancia que en la tribuna de la Cámara, podría enterarse de la denuncia del mineral hecho por los exploradores, y entonces ¿qué podrían hacer aquellos tres pobres hombres, cuando la poderosa empresa comenzara a pelear ante las cortes derechos de prioridad sobre la mina, valiéndose de algunos miserables nativos a quienes por cien pesos podrían comprar un testimonio falso?

—Reparad en todo esto, si es que tenéis cerebro para pensar. Por mucho que lo deseemos, no podemos ser honestos con el gobierno —concluyó Howard—. No soy partidario de engañar a nadie y ni al gobierno le negaría una justa participación en mis ganancias. Si estuviéramos en territorio británico no vacilaría un instante en cumplir con la ley; pero en este caso no tenemos alternativa. No sólo nuestras utilidades, sino nuestra salud y nuestra propia vida dependen de que nos olvidemos de la licencia ¿Estáis de acuerdo?

—Sin duda.

—Bien, ahora debéis saber que si somos sorprendidos nos confiscarán lo que hemos sacado y cuanto poseemos y hasta es problable que pasemos un año en la cárcel.

—No obstante, debemos arriesgarnos. ¿No crees, Dobbs? —preguntó Curtin.

—Seguro. Nadie pensará en proponer otra cosa.

Así quedó terminado el asunto de la licencia, porque tenerla no representaba un medio de protección en contra de los bandidos. En cambio, ignorándose lo que poseían estaban a salvo. La maleza cubre extensiones tan amplias, y la sierra es tan grande y solitaria, que si un hombre desaparece en esos parajes ¿quién podrá jamás decir lo que le ocurrió?

La discusión acerca del aseguramiento de sus derechos los llevó a comprender el cambio que se había realizado en sus vidas. Cada onza de oro que obtenían era un paso más que daban para alejarse de la clase proletaria y aproximarse a la de los poseedores, a la clase media acomodada. Antes nunca habían tenido nada de valor que cuidar de los bandidos, pero empezaban a tener algo y a preocuparse por la forma de protegerlo. El mundo dejó de tener para ellos la apariencia que sólo unas semanas antes tenía. Ahora pertenecían a la minoría de la raza humana.

Aquellos a quienes consideraban en otro tiempo como compañeros de clase, eran tenidos ya como enemigos contra quienes había que defenderse. Mientras nada habían poseído habían sido esclavos de su estómago hambriento, esclavos de aquellos que tenían los medios para llenarles la barriga, pero todo eso había cambiado.

Iniciaban la marcha que suelen emprender los hombres para convertirse en esclavos de sus propiedades.

VII

Aquellos tres hombres se habían reunido con el único propósito de enriquecerse, sin que entre ellos mediara amistad alguna. Sus relaciones eran puramente comerciales y el hecho de haber reunido su cerebro, su esfuerzo y sus recursos para obtener buenas utilidades, era precisamente lo que había impedido que llegaran a ser verdaderos amigos.

La situación parecía ventajosa para el desarrollo de su trabajo. Ocurre a menudo que amigos, verdaderos buenos amigos, obligados a trabajar juntos y forzados unos por otros, alejados del resto de las gentes, suelen convertirse en enemigos encarnizados.

Ni siquiera eran camaradas. Cada uno de ellos iba tan sólo en pos de sus utilidades y si algún grano de oro que le pertenecía era tomado por otro, inmediatamente se iniciaba una batalla sin cuartel.

Las preocupaciones comunes, el trabajo, las inquietudes, las esperanzas, los habían convertido en compañeros de campaña. Más de una vez alguno de ellos había salvado la vida a otro. Varias veces Dobbs había arriesgado su propia seguridad para rescatar al viejo o a Curtin cuando rodaban por un precipicio, caían en alguna grieta o se veían atrapados entre la maleza espinosa de un empinado risco. También Dobbs había sido auxiliado por los otros en situaciones peligrosas. Sin embargo, ninguno de ellos tuvo jamás la creencia de que la ayuda dada o los sacrificios hechos respondían a un sentimiento generoso. Todos sentían que aquel servicio era prestado porque, de haber muerto alguno, los otros dos no habrían podido trabajar. Ocurría lo mismo que con los soldados extraños entre sí, pero pertenecientes a una misma nacionalidad o a ejércitos aliados, quienes ayudan a sus compañeros no sólo por patriotismo, sino en atención a otras muchas razones, frecuentemente difíciles de explicar en detalle.

En esas circunstancias, los servicios mutuos suelen producir amistades duraderas, pero ello no ocurría entre estos tres hombres.

Un día, Dobbs se encontraba en un túnel del que extraía tierra, y de pronto, al derrumbarse, quedó sepultado. Howard, que cavaba en el lado opuesto, no se enteró de lo que ocurría.

En aquel momento, Curtin regresaba de acarrear agua del arroyo con ayuda de los burros. Cuando miró al túnel le extrañó no oír a Dobbs ni ver un solo rayo de luz de la linterna que usaba. Inmediatamente comprendió lo que pasaba y ni siquiera perdió tiempo avisando a Howard, pues consideró que no había un minuto que perder. Penetró en el túnel, aun cuando la bóveda se hallaba en tal estado que en cualquier momento podría caer y sepultar al salvador. Logró sacar a Dobbs, y entonces llamó al viejo, porque el primero estaba inconsciente y Howard sabía bien lo que había necesidad de hacer en esos casos.

Cuando Dobbs volvió en sí se dió cuenta de lo que Curtin había hecho por él y del peligro que había corrido para rescatarlo.

—Gracias, muchacho —dijo sonriendo—. Si hubieras perdido el tiempo siquiera en escupirte las manos, todo habría terminado para mí. Creedme, oí claramente las arpas celestiales.

Después volvieron al trabajo.

Aquella misma noche, mientras se hallaban sentados ante la hoguera en que cocinaban su cena, Dobbs empezó a meditar. Cuando terminaron de cenar, se quedó mirando con sospecha a sus socios.

—¿Qué miras? —preguntó Curtin.

—Estoy pensando, ¿por qué demonios me sacasteis de aquel agujero? Vuestras ganancias hubieran aumentado considerablemente si me hubieseis dejado allí sólo cinco minutos más —contestó Dobbs apretando los ojos mientras hablaba.

—Me parece que todavía estás oyendo música angelical y mirando blancas túnicas —dijo Howard tratando de ridiculizarlo.

—Vosotros nunca me atraparéis dormido —contestó Dobbs—, no me creáis tan estúpido como vosotros dos. Yo tengo mis ideas y me aferro a ellas; tenedlo muy presente, ladrones con mente sucia, porque eso es lo que sois y lo que seréis siempre.

—Sigue cacareando así y te rompo el hocico ¡maldito! —dijo Curtin acremente.

—¿Quién habló de romper el hocico? —preguntó Dobbs poniéndose en pie.

—Estaros quietos, nenes; a nada conduce que os rompáis los huesos y os estropeéis las quijadas; las necesitamos y mucho —intervino Howard en tono paternal, para apaciguarlos. Y puso el dedo en la llaga, pues nada era tan valioso para aquellos hombres como la conservación de sus energías para el trabajo, y recordarles aquello era el mejor recurso empleado por el viejo para evitar sus riñas.

—Claro está que tú, bisabuelo apolillado, eres lo bastante cobarde para pelear. Te echas a temblar hasta cuando ves reñir a dos machos, te desmayarías si vieras una nariz sangrante —dijo Dobbs aun en pie, olvidándose de Curtin y volviéndose contra el viejo—. Siempre me he puesto a cavilar en cual es la razón por la cual te gusta hacer el papel de padrino entre nosotros. Algún día lo sabré y entonces os saldrá caro a los dos.

Cuando Dobbs se puso en pie, Curtin no se movió, solamente adoptó una actitud defensiva.

—No le hagas caso —dijo a Howard—. No lo debes tomar en consideración. ¿No te has dado cuenta de que está chiflado?

—Tal vez —gruñó Dobbs—. Tal vez esté chiflado, pero yo sé por qué y a causa de quien estoy chiflado. Y ahora me voy y os dejo discutiendo sobre la forma de hacerme estirar la pata, pero tal vez la cosa resulte a la inversa.

Cuando se hubo metido en la tienda, Howard dijo a Curtin:

—Parece que nada nuevo ocurre bajo las estrellas. He visto repetirse esta escena tan a menudo y tan innecesariamente, que me pregunto cómo ha tardado tanto en ocurrir entre nosotros. Y no pienses tú, Curtin, que estás tan libre de ese mal como crees. Hay muy pocos inmunes a la infección. Bueno, yo también me voy a acostar. Buenas noches.

Todas las noches se calculaban cuidadosamente las ganancias del día con la presencia de los tres socios. Hecho esto, se dividían y a cada uno se le entregaba su parte. Aquel sistema de pagar dividendos no era muy inteligente, pues algunas veces las ganancias del día eran tan cortas que se hubiera necesitado un matemático experto para que determinara la forma de dividirlas justamente.

Aquel sistema se había adoptado accidentalmente y casi desde el primer día en que obtuvieron alguna utilidad.

Curtin lo había sugerido durante la segunda semana y cuando los productos empezaban a acumularse.

—Yo estoy de acuerdo —dijo Howard sin discutir—. Para mí, mejor; así no tendré que hacer de dragón para cuidar vuestros centavos. Nunca me gustó serviros de caja fuerte.

—¿Quién te ha nombrado nuestro banquero? Nunca te hemos pedido que cuides de nuestros bien ganados pesos.

—Lo que significa, en buenas palabras, que no confiáis en mí.

—Eso es exactamente lo que queremos decir —agregó Dobbs, sin dejar lugar a duda sobre la forma en que juzgaba a su socio.

—Muy bien —dijo Howard sonriendo—. Lo único que puedo aseguraros es que de los tres yo soy el único en quien se puede confiar.

—¿Tú? ¿Cómo? —dijo Dobbs acremente.

Howard no dejó de sonreír; había tenido muchas experiencias similares para sentirse ofendido.

—Posiblemente ahora me preguntarás en qué penitenciaría me criaron. Bueno, te diré que todavía no he estado en ninguna y espero que lo creas. Además, el hecho de no haber estado nunca en la cárcel no garantiza nuestra honestidad. Aquí carece de sentido el mentirnos unos a los otros; al cabo de unas semanas nos conoceremos mejor de lo que podríamos lograr valiéndonos de un *record* policíaco o del reporte de un celador de presidio. En nuestra situación no valen triquiñuelas ni importa lo listo que se haya sido en la ciudad. Aquí podemos mentir o hablar con verdad tanto como nos dé la gana; todo se aclarará tarde o temprano. Así, pues, no importa lo que penséis de mí, pero lo que sí os aseguro es que de los tres soy el único en quien se puede fiar. En cuanto a quien es el más honesto nadie podría determinarlo.

Dobbs y Curtin se concretaron a sonreír. A Howard pareció no importarle.

—Podéis reíros de lo que digo; no por ello será menos ciertos. ¿Por qué? Porque aquí sólo los hechos cuentan. Supongamos que te encargamos a ti, Dobbs, de cuidar nuestros bienes mientras yo me encuentro entre la maleza buscando leña y Curtin ha ido al pueblo a comprar provisiones; ¿no sería esa una buena oportunidad para que te largaras y nos dejaras con un palmo de narices?

—Sólo un ladrón como tú puede pensar que yo sería capaz de semejante cosa —dijo Dobbs ofendido.

—Puede ser un ladrón quien como yo diga eso, pero más ladrón es quien tiene pensamientos semejantes y no lo reconoce. Tú serías el primer tipo a quien yo podría imaginar abrigando la idea de robar en cuanto se le presentara la mínima oportunidad. Quedarte con cuanto poseemos parecería fuera de aquí una mala acción en contra de tus socios, pero aquí resultaría la cosa más natural. Tú piensas y has pensado muchas veces en hacerlo. Por ahora no te convendría, sólo tienes ideas vagas sobre ello, pero algún día esas ideas se fijarán con mayor claridad en tu cerebro. Yo conozco a mis compañeros, vosotros no; en eso está la diferencia. Si un bello día me cogen, me amarran contra un árbol, toman cuanto poseo y se marchan abandonándome a mi destino en estos parajes, no me sorprenderé en lo más mínimo, porque sé lo que el oro suele hacer a los hombres.

—¿Y respecto a ti, presuntuoso? —preguntó Curtin.

—Conmigo la cosa es diferente; ya no tengo ligereza en los pies, no podría hacerlo por más que me afanara. Me atraparíais en un instante y me colgaríais. Yo no puedo escapar, dependo de vosotros en más de un caso. No me es posible correr con rapidez y ahí tenéis claramente expresada la razón por la cual se puede confiar en mí.

—Juzgándolo desde ese punto de vista, creo que tienes razón —dijo Curtin—. En cualquier forma y tal vez por tu propio bien, Howy, será mejor dividir las ganancias todas las noches para que cada socio se haga responsable de lo suyo. Así cada cual gozará de mayor libertad y podrá marcharse cuando quiera.

—De acuerdo —contestó el viejo—, sólo que entonces cada cual deberá cuidar de que los otros no se enteren del lugar en que guarda su tesoro.

—¡Por el diablo! ¡Qué mente más sucia tienes, canalla! —dijo Dobbs.

—No sucia, nene; no sucia. Sólo sé con quien estoy sentado aquí, ante el fuego y qué clase de ideas hasta supongo que gentes decentes pueden tener en la cabeza cuando hay oro de por medio. La mayoría de la gente teme únicamente al hecho de ser atrapado, y eso las hace no mejores, pero sí más cuidadosas e hipócritas; y su malicia suele afinarse a tal grado que resulta imposible atraparlas una vez que han huído. Aquí no tiene utilidad ser hipócrita ni mentir. En los poblados es diferente. Allí puedes poner en juego cuantas triquiñuelas existen sin que ni tu propia madre las descubra. Aquí hay un solo obstáculo: la vida de tu socio. Y fácil como puede parecer acabar con ese obstáculo, en final de cuentas suele resultar costoso.

—La policía podrá encontrarlo tarde o temprano, ¿no es eso lo que quieres decir? —preguntó Dobbs.

—No pensaba en la policía. La policía y los jueces no podrán enterarse nunca, de hecho jamás se enterarían. En cambio si los actos torcidos no molestaran la conciencia del hombre, su mente y su alma nunca le dejarían olvidarlos. El crimen cometido no le atormentaría tal vez, pero el recuerdo de los hechos que le precedieran convertirían su vida en un infierno sobre la tierra y lo privarían de toda la felicidad que soñara adquirir con su mal proceder. En fin ¿para qué hablar de esto? Hagamos lo que queráis, partamos las ganancias todas las noches y que cada cual esconda lo suyo lo mejor que pueda. Será duro de cualquier modo cargar la bolsa colgada al cuello tan pronto como hayamos hecho doscientas onzas.

VIII

Valiéndose de obras ingeniosas, lograron esconder su mina. La naturaleza cooperó con ellos para que nadie pudiera aproximarse y encontrarla.

Si alguien acertaba a pasar por allí nunca sospecharía que aquella roca que se proyectaba sobre un vallecito en forma de taza, en la cúspide de una alta montaña rocosa, fuera algo más que un pico. Tres pasajes conducían a aquel pequeño valle y era necesaria toda la fuerza de un hombre para ascender hasta alcanzarlos. A excepción de la maleza corta y espinosa, el valle no ostentaba vegetación alguna. Los cazadores indígenas nunca habrían pensado en subir a aquella altura en busca de caza, porque tenían bastante en el gran valle que se hallaba al pie de la montaña y nadie habría cometido la tontería de escalarla. Los habitantes del pueblo tenían suficientes tierras de labranza para trabajar y no necesitaban buscar más en las faldas de la montaña.

Por otra parte, los pasajes habían sido tan bien cubiertos con matas, rocas y troncos de árbol, que aún cuando alguien llegara allí accidentalmente, jamás podría pensar que aquellas matas de apariencia tan natural sólo jugaban un papel decorativo para disimular los pasajes. Cuando se acarreaba agua para el lavado, aquéllos tenían que abrirse, pero inmediatamente que los burros pasaban, eran cerrados.

El terreno en el que los hombres acampaban, se hallaba hacia la izquierda y a la vista de todo el que por allí pasara. El campamento estaba bastante alejado de la mina y en un sitio mucho más bajo. Los indios del pueblo sabían que en aquel lugar vivía un cazador norteamericano porque Curtin solía ir en busca de provisiones. Difícilmente un ser humano, excepción hecha de algún indígena, habría llegado a esos parajes, y aquello se antojaba una rara ocurrencia ya que los que lo intentaran tendrían que permanecer lejos del pueblo no sólo todo el día sino parte de la noche. Ninguno de esos indios tenía nada que hacer en aquel sitio y haber ido con el solo propósito de saber a que se dedicaba el extranjero hubiera parecido una descortesía.

Durante los largos meses de trabajo que los mineros permanecieran allí, nadie había acudido. Los campesinos estaban satisfechos con la explicación de que el norteamericano se dedicaba a la caza de tigres, zorras y leones para aprovechar sus pieles.

El propietario de la miscelánea y alcalde del pueblo era indio también y la más alta autoridad del vecindario. Nunca su negocio había estado tan floreciente como desde que el cazador principiara a patrocinarlo. Curtin pagaba en efectivo y rara vez regateaba los precios. A él le parecían ridículamente bajos y, sin embargo, el tendero le cargaba siempre un poco más de lo que podía cargar a sus clientes nativos. De haber buscado dificultades al extranjero, habría perdido aquel excelente cliente, y toda vez que el cazador no molestaba a ninguno de los nativos, a nadie le interesaban sus actividades. Por esa parte, los aventureros nada tenían que temer.

Cada día la situación era más difícil para los socios, hasta que llegó un momento en que comprendieron que no la podían soportar más.

La vida que llevaban era miserable. La comida era siempre igual, preparada a toda prisa cuando ya se hallaban tan cansados que hubieran preferido no comer a tener que cocinarla y, sin embargo, tenían que comer, o cuando menos que llenar el estómago. Y comiendo todos los días en aquella forma, los malos resultados no se hicieron esperar.

A esto había que agregar la creciente monotonía de su trabajo. Durante las primeras semanas había sido bastante interesante, pero para entonces ya no se presentaba ni la más leve variación. Si siquiera hubieran encontrado una pepita de oro o algunos granos de tamaño de maíces, habrían tenido algo nuevo de que hablar y se habrían sentido refrescados por aquel resplandor de aventura que los apartara un poco de la monotonía. Pero nada de eso ocurría.

Tierra y arena, arena y tierra, acoplados con privaciones inhumanas. Aquel triturar rocas desde las frías horas de la mañana hasta las ardientes del mediodía y las avanzadas de la noche, hacía que se sintieran peor que presidiarios. Cuando después de machacar un montón de rocas obtenían apenas el salario de un albañil de Chicago, su decepción era tan grande que se hubieran matado unos a otros por el solo placer de hacer algo que saliera de la rutina de sus días.

Por las noches, cuando el trabajo había sido duro y las ganancias desproporcionadas, tenían lugar disputas por la inutilidad de aquella clase de vida. Deberían permanecer allí una semana y ni un día más. Casi a diario se hacían ese propósito, pero si al día siguiente o cualquiera otro, las ganacias eran tales que parecería un pecado abandonar las riquezas que les esperaban, se olvidaba el propósito y el trabajo continuaba.

La sociedad pasaba por dificultades que nunca hubiera imaginado. De no ser por Howard, quien debido a su gran experiencia no se sorprendía de nada, los jóvenes habrían reñido todos los días.

Durante las primeras semanas de trabajo, siempre había algo nuevo de que hablar y problemas interesantes en cuya resolución había que pensar. Eso tuvo sus mentes ocupadas por algún tiempo, a tal grado que ni siquiera tenían necesidad de mirarse unos a otros para distraerse.

Pero llegó un momento en que las mismas historias y bromas habían sido escuchadas cientos de veces y en que la vida de cada uno de ellos era perfectamente conocida por los otros.

Dobbs, quizá debido a una lesión temprana en la cabeza, tenía el hábito de mover la piel de la frente hacia arriba, arrugándola mientras hablaba. Curtin nunca se había fijado mientras trabajaron en el campo petrolero y permanecieron juntos en el puerto. Pero allí se había percatado de ello, y durante las primeras semanas el viejo y él lo habían encontrado simpático por la cómica impresión que causaba cuando iba acompañado de ciertas frases, y a menudo bromeaban a ese respecto de acuerdo con el mismo Dobbs. Pero después de algún tiempo llegó una noche en que Curtin gritara a Dobbs:

—Mira perro maldito; si no dejas de una vez para todas esa horrible mueca, juro que te aplastaré la cabeza con esta piedra. Bien sabes, tal por cual, que estoy harto de esa carota que el diablo ha de llevarse.

Dobbs se levantó furioso requiriendo la escopeta, y Curtin pudo salvarse únicamente porque había dejado la suya sobre el catre de la tienda; de otra menera, Dobbs habría cobrado el tigre.

—¡Hace mucho que esperaba este momento! —gritó Dobbs—. ¡Mira tú quién se atreve a criticarme! ¿Acaso no fuiste azotado en Georgia por raptar y violar a una muchacha? Bien sabemos qué es lo que te trajo a este país. No estás aquí por placer. Vuelve a cacarear una vez más cerca de mi cara y te aplasto el pecho y la panza.

Lo curioso era que Curtin ignoraba si Dobbs había estado en prisión, por lo tanto no tenía razón para llamarle "convicto buscado por la policía de ocho ciudades", y Dobbs no sabía que Curtin hubiese estado en Georgia, porque éste nunca había hablado de ello ni había hecho mención de sus dificultades con la ley de los Estados Unidos que le obligaran a refugiarse en la República.

El viejo se mantuvo apartado de aquel combate, fumando su pipa y lanzando espesas bocanadas de humo para alejar a los mosquitos.

Finalmente, Dobbs dejó de acometer y Howard pensó que era el momento oportuno para que su consejo fuera bien recibido.

—¿Por qué tanto ruido, muchachos? No haremos dinero si nos vemos obligados a curar heridas de bala. Además, no sabemos si las municiones nos serán necesarias para mejor ocasión. ¡Cabezas duras! ¿Por qué increparse con tanta facilidad? Es necesario que tengáis un poco más de sangre fría, muchachos, y algo de flema sajona, ¿entendéis?

Ninguno de los jóvenes contestó.

Después de permanecer en silencio largo rato ante la hoguera, Dobbs tomó su escopeta y se marchó, dejando a Curtin y al viejo solos.

Poco tiempo después, una mañana, Curtin apuntó su escopeta a las costillas de Dobbs diciendo:

—Un ladrido más y te despacho, hablador.

—¿Por qué no disparas? Cobarde ¿eh? Bueno, no he dicho nada, olvídalo, pero de cualquier modo te repito que ella era una tal por cual. Créeme, hijito.

Otra riña que tuvo lugar una mañana temprano, antes de que iniciaran su rudo trabajo, sacó de quicio a Howard.

—¿Por qué demonios, par de imbéciles, no podéis portaros como hombres? Obráis peor que un matrimonio en domingo. ¡Quema esa escopeta, Curty!

—¿Cómo dices? Dando órdenes otra vez ¿eh?

—Yo no tengo que dar órdenes a nadie —dijo Howard en un tono que ponía de manifiesto que también él había sido atacado por la devastadora enfermedad causada por la monotonía de su vida—. Os repito que no estoy aquí para dar órdenes; he venido a hacer dinero y no a cuidar a dos chiquitines tan estúpidos que no podrían vivir una semana solos sin ser devorados por los coyotes y los zopilotes. Aquí necesitamos unos de otros sin tomar en cuenta odios o simpatías. ¡Por Cristo! Si alguno de vosotros acaba con el otro en uno de sus arranques de estupidez, los dos restantes tendríamos que regresar a casa, porque nada podríamos hacer. Yo he venido a hacer dinero, y si quisiera ver una buena pelea, no perdería el tiempo mirándoos a vosotros, sino que pagaría por verla.

Curtin retiró la escopeta y la guardó en su funda.

—Y eso no es todo —continuó Howard—; estoy harto y más cansado que un perro, no del trabajo, sino de vosotros dos. No quiero quedarme aquí sólo con uno, después de que haya despachado al otro. Me voy; esto se acabó. Sabedlo de una vez, yo estoy satisfecho con lo que he logrado y no quiero seguir arriesgándome con vosotros.

Dobbs protestó:

—Tú tendrás bastante; pero nosotros, no. Tú bien puedes calentar tus huesos viejos y podridos con lo que te hemos ayudado a hacer, pero nosotros somos jóvenes todavía y tenemos por delante una maldita vida bien larga; necesitamos dinero y bastante. Ya ves que no puedes dejarnos fácilmente. Necesitamos recoger mucho más y sólo después de ello te daremos nuestra amable licencia para que partas.

—Mira, viejecito lindo —intervino Curtin—. No es oportuno que saques a relucir tu segunda infancia; eso sería de mal gusto. ¿Cómo podrías hacer lo que piensas? Inténtalo. No juzgues torpemente a tus piernas. ¿Sabes lo que haríamos en ese caso?

—No es necesario que me lo digáis. Os conozco tan bien, par de infelices, que no me equivoco suponiendo la suerte que el destino me depararía.

—Tal vez seamos peor de lo que tú piensas —dijo Dobbs—. Esperaríamos a que empacaras tus cosas para estar seguros de que llevabas contigo tu polvo. Entonces te cogeríamos, te ataríamos a un árbol y hecho esto emprenderíamos nuestro feliz regreso a casa, en donde el dinero todavía tiene valor, sin tomar en cuenta su procedencia. ¿Matar; matarte a ti? No, eso sería sucio y desagradable tratándose de un compañero tan bueno y tan amable. Tú, por supuesto, con tu mente puerca supones que te mataríamos a sangre fría. No, no somos tan malos.

—Te entiendo, Doby, mi buen muchacho —dijo Howard sonriendo sardónicamente—. Para decir verdad ya he pensado y seriamente en la posibilidad de que me asesinéis y huyáis haciendo que pierda el dinero que he invertido en la empresa. Pero nunca cruzó por mi imaginación la idea de que podíais abandonarme en estos parajes atado a un árbol, expuesto a los moscos, alacranes, lobos, coyotes, hormigas y otras bellas sabandijas creadas por el Señor para hacer la vida miserable. No, cargaríais vuestra buena conciencia con un piadoso y rápido tiro en el pecho para librarme de penas. ¡Oh, no! Sois demasiado buenos para eso. En fin, vosotros ganáis; mi destino está en vuestras manos.

Después siguió un largo silencio. Los jóvenes evitaron la mirada escrutadora del viejo. Estaban inquietos. Sin duda ni Dobbs ni Curtin tuvieron intención de decir aquello. Lo que deseaban era emplear el mejor aguijón para obligar al viejo a permanecer a su lado, ya que sin él estaban perdidos.

Curtin no pudo soportar más aquel silencio embarazoso.

—¡Al diablo con todo eso! Olvidemos lo pasado. Todos tenemos averiado el cerebro; eso es lo que nos ocurre.

—Soy de la misma opinión. No creas ni una sola palabra de las que hemos dicho, Howy; te juro que todas son tonterías. Bueno, estoy trastornado, completamente trastornado. Cuando hablo no me reconozco a mí mismo. Creéme, viejecito. Pongámonos a trabajar, pues tal vez hagamos hoy un cuarto de onza —dijo Dobbs.

Howard sonrió y repuso:

—Así se habla. Sois unos chiquillos necios; algún día, quizá dentro de treinta años, alguno de vosotros se encuentre en la situación en que ahora me hallo. Entonces comprenderá mejor. De cualquier modo, no os tomé en serio. Bueno, Curty; trae los burros, tenemos que acarrear un mar de agua.

Les había beneficiado descargar el pecho. Después de la discusión parecieron quedar más tranquilos y el trabajo progresó con mayor rapidez.

Esta última riña, sin embargo, tuvo un efecto inesperado. Por primera vez se había hablado de que alguien podía empacar y marcharse.

Aquella sugestión empezó a echar raíces profundas en sus mentes. Howard había dicho que estaba satisfecho con lo que tenía y él sabía el valor que en efectivo representaba el oro que habían acumulado. Los jóvenes lo ignoraban, por lo tanto resultó muy natural para Curtin tratar la cuestión y preguntar una noche:

—Howy, ¿cuánto crees que podremos conseguir con lo que hemos juntado?

El viejo empezó a hacer cálculos mentales.

—Veamos, no puedo deciros exactamente cuanto es en dólares y centavos, pero poco me equivocaría al asegurar que cada uno de nosotros tiene cerca de quince mil dólares. Pueden ser catorce mil o dieciséis mil; hasta ahí llegan mis cálculos.

Los socios no esperaban aquello y se sorprendieron.

—Si es tanto como eso —dijo Dobbs— propongo que permanezcamos aquí seis semanas más trabajando como demonios y que después regresemos al pueblo.

—Me parece perfectamente —asintió Curtin.

—He estado pensando en haceros esta proposición —principió a decir Howard—. De eso os iba a hablar, porque de acuerdo con lo que supongo, dentro de seis semanas quedará muy poco que extraer. Creo que el terreno se va empobreciendo. Si encontráramos un nuevo filón —cosa que dudo mucho— entonces sí nos convendría quedarnos. Pero estando las cosas en el estado en que están, me parece que dentro de seis semanas ya no habrá manera de compensar nuestro trabajo. Así, pues, ¿para qué permanecer aquí por más tiempo?

Acordaron quedarse seis u ocho semanas, ni un día más. Ocho semanas sería el límite.

La decisión apaciguó a los socios. Fijaron el día en que dejarían la Sierra Madre y después de hacerlo experimentaron un gran cambio. No podían comprender cómo había sido posible que riñeran en la forma en que lo habían venido haciendo en los últimos tiempos. Por primera vez tuvieron confianza entre sí. Se hallaban en camino hasta de llegar a ser buenos camaradas.

La razón para ese cambio no partía de su decisión de abandonar el campo; ella por sí sola no lo hubiera producido. La cosa era que por haber fijado una fecha definitiva para la partida, se presentaban muchos problemas que resolver. Ello ocupaba su mente de tal manera que no tenían tiempo que perder pensando en los defectos de sus socios. Cualquier nación, a pesar de sus riñas políticas por supremacía de partido, cuando se encuentra ante una guerra o a punto de perder sus mercados más importantes, reúne a todos sus elementos en un solo frente. Esa es la razón por la cual los hombres de estado hábiles, y especialmente los dictadores, que miran su poder amenazado desde el interior, ponen en juego el recurso de mostrar a la nación a su enemigo ancestral a las puertas del país. Porque para el genuino dictador, para el déspota, todos los recursos son buenos cuando trata de mantenerse en el poder.

Y he aquí que los mismos problemas que tenían que afrontar unían a los socios en el momento en que el final de su aventura estaba a la vista, razón por la cual olvidaron sus reyertas anteriores.

Hacían planes sobre la forma de transportar sus bienes a los sitios civilizados en que tendrían valor. Luego venía algo más personal al preguntarse qué hacer después de obtener su dinero, si sería conveniente emprender algún negocio y cuál resultaría mejor, o si resultaría más conveniente invertirlo en alguna empresa o bien comprar un rancho o, en último caso, darse buena vida mientras les durara. ¡Había tantas cosas por hacer en el mundo! Empezaron, por lo menos mentalmente, a vivir en la civilización. Sus conversaciones versaron sobre puntos cada vez menos relacionados con su vida actual. Hablaban de la ciudad como si ya vivieran en ella. Mencionaban a ciertas personas a las que pensaban volver a ver y a otras que esperaban no encontrar.

Mientras más se aproximaba el día de la partida, mayor era la amistad entre los socios. El viejo y Dobbs proyectaban negociar juntos. Hablaban de abrir un cine en el puerto, del que Howard sería gerente y Dobbs director artístico.

Curtin tenía sus propios problemas. Se hallaba en una situación difícil. Ni siquiera podía decidir por sí mismo su estancia en la República o su regreso a los Estados Unidos. Ocasionalmente hacía mención a una dama de San Antonio, Texas, con quien quería casarse algún día. Aquella idea le asaltaba sobre todo cuando deseaba la compañía de una mujer, y como era a esa a quien mejor conocía, resultaba natural que en ella concentrara especialmente sus deseos cuando pensaba en el placer masculino. Pero era lo bastante listo para reconocerlo y sabía que una vez que volviera a la ciudad y consiguiera la compañía de alguna muchacha, perdería todo interés en su casamiento con la damisela texana. Howard le explicó cual era la realidad de lo que ocurría y por qué razón en aquellos momentos pensaba con tanto ardor en la dama de la calle Laredo.

Los socios, por regla general, raramente hablaban de mujeres. Sabían por experiencia que no era bueno ni para su salud ni para su trabajo pensar frecuentemente en cosas que no podían tener.

Alguien que hubiera presenciado sus discusiones no habría podido imaginar a ninguno de aquellos hombres con una mujer entre los brazos. Cualquier mujer decente habría preferido abrirse las venas a hacerles compañía. Ellos, por supuesto, por haber perdido todo sentido de comparación, ignoraban la impresión que podrían hacer en cualquier extraño que por casualidad los encontrara. Sólo se miraban entre sí y ninguno de ellos cuidaba de su apariencia ni de sus expresiones.

La sortija de oro que rodea el dedo de una elegante dama o la corona colocada sobre la cabeza de algún rey, ha pasado muy a menudo por las manos de criaturas que habrían hecho estremecer con su aspecto a esas damas y a esos reyes. No cabe duda de que las más de las veces el oro es lavado con sangre humana en lugar de jabón.

Un noble rey, deseoso de mostrar pensamientos elevados debería permitir que su corona fuera de hierro. El oro corresponde a los ladrones y a los estafadores, razón por la cual son ellos quienes poseen la mayor parte. El resto es poseído por aquellos a quienes no importa su procedencia.

IX

Curtin había ido al pueblo en busca de provisiones, que deberían durarles hasta el día de la partida.

—¿En donde diablos has estado todo este tiempo? —preguntó Howard a Curtin cuando llegó—. Estaba a punto de ensillar mi burro para ir a buscarte. Temíamos que algo te hubiera ocurrido. Debías haber estado aquí desde el mediodía.

—Sí, debía —dijo Curtin con voz cansada mientras desmontaba lentamente del burro y empezaba a descargar las otras bestias con ayuda del viejo.

Dobbs se hallaba en una especie de balcón que había en un pico de la roca, desde el que podía verse el valle y se dominaban todos los caminos que conducían a la base de la montaña.

Curtin había sido encargado de comprar las provisiones y del acarreo del agua porque sabía conducir los burros, pero aquellos viajes al pueblo estaban muy lejos de ser una vacación. Resultaban más cansados que el trabajo en la mina. Llevaba a cabo una especie de canje con el tendero del pueblo para despistar respecto a lo que realmente hacían, por ello Curtin llevaba siempre algunas pieles a cambio de las cuales recibía casi nada, porque el tendero alegaba que no tenía compradores, y así la mayor parte de lo que compraba tenía que pagarlo en efectivo.

Cualquiera habría pensado que Curtin, a su retorno del pueblo, traería noticias de lo que en el mundo pasaba, pero nunca lo hizo, porque nadie en aquel pueblecito de campesinos indígenas leía los diarios. Difícilmente había entre todos, incluyendo al tendero, cuatro personas que supieran leer. Si por casualidad llegaba al pueblo algún periódico, era sirviendo de envoltura a las mercancías de la tienda y generalmente databa de diez meses atrás. El tendero nunca envolvía las cosas que se le compraban, porque carecía de papel para hacerlo. Sus clientes tenían que encontrar la manera de transportar las mercancías a su casa, y aquello no le importaba al tendero, porque no tenía competidores y porque, además, siendo alcalde era rey, ley, juez y ejecutor al mismo tiempo.

Pero toda vez que los periódicos estaban escritos en castellano y no hallándose los socios muy familiarizados con el idioma, poco habrían comprendido de lo que en ellos se decía. Claro que Curtin habría podido conversar con el tendero o con alguna persona del pueblo, pero aquéllos sólo estaban enterados de lo que ocurría en su pequeña comunidad: de los asesinatos ocasionales, de las mujeres golpeadas, de la misteriosa desaparición de una vaca o una cabra y de la extraña sequía de la estación; del incendio del jacal de don Paulino, del tigre que había entrado al corral de la viuda de don Celerino, de la muerte de los niños de don Gonzalo, a quienes había picado un alacrán, y de la parálisis de don Antonio a consecuencia de la mordedura de una serpiente venenosa.

Aquellas noticias carecían de interés para los socios y si alguna vez Curtin las mencionaba era sólo por decir algo de lo que había escuchado, sin que Howard y

Dobbs le prestaran atención. Poco se habrían excitado también con la noticia del nombramiento del candidato presidencial por la convención de demócratas y por el G. O. P. Cualquier interés en los asuntos del mundo hubiera ejercido una mala influencia sobre su trabajo. Por entonces no podían pensar en nada más que en terminarlo satisfactoriamente. Su única preocupación, pues, era la forma de hacer dinero y, una vez conseguido éste, la forma de emplearlo.

Howard fué en busca de Dobbs.

Curtin abrió los costales y las bolsas y sacó los víveres que había traído. La noche estaba próxima y decidieron dar por terminados sus trabajos de aquel día, cocinar su cena y tener una larga y perezosa plática después, fumando sus pipas cargadas con tabaco fresco y tomando algunos tragos del mezcal traído por Curtin.

—¿Qué te pasa, Curtin? —preguntó Howard viendo que Curtin no decía una palabra desde hacía media hora.

—Tuve que dar un rodeo de veinte mil demonios para poder llegar aquí.

—¿Por qué?

—Ocurre que en aquel maldito poblado indígena había un individuo merodeando con intenciones de interceptar mi paso. Dijo que era de Arizona.

—Podría ser —admitió Howard.

Dobbs empezó a sospechar.

—¿Qué andará buscando por aquí?

—Eso es lo que yo quisiera saber. Pero cerró bien el hocico. Los nativos me dijeron que se había hospedado en una fonda en la que suelen hospedarse los arrieros, y todo el mundo, porque no hay otra. Desde hace una semana se encuentra allí sin hacer daño a nadie. Habla bastante castellano y parece llevarse bien

con los del pueblo. No bebe y además no tiene apariencia de pistolero o de andar huyendo de la policía. No,
por el contrario, tiene tipo de persona decente.

—No te desvíes —interrumpió Dobbs nervioso.

—Eso quisiera pero no puedo, ahí está la dificultad; no veo claro, pero el caso es que preguntó a los
nativos si habría por los alrededores minas de plata
o de oro.

—¡Por el diablo! ¿Conque eso preguntó? —dijo
Howard sobresaltado al oír la noticia.

—Los del pueblo contestaron que no podía haber
oro o plata por aquí, pues de haberlo, ellos, que vivían
en estos sitios desde la creación del mundo, lo sabrían,
y que les gustaría, porque apenas sacaban para vivir
de su trabajo y que si no obtuvieran algo extra manu-
facturando petates, sombreros, canastas, jarros y ca-
zuelas para llevarlas a vender a otros pueblos se verían
obligados a vivir como salvajes sin que les fuera posible siquiera cubrir sus desnudeces.

Dobbs miró en rededor como en busca de algo.

—¿Quieres que te apedree, demonio de hablador?
Dinos lo que pretende y lo que ha hecho.

—Bueno, anda al pueblo, dile que eres periodista
y pídele una información exacta y por escrito para
publicarla en la prensa —aconsejó Curtin irónicamente.

—¡Por el amor de Cristo, Dobby, no interrumpas!
Déjalo que nos cuente las cosas a su manera. Bueno,
Curty, prosigue: ¿Qué hay en todo eso?

—Todo habría resultado bien de no ser por ese
diablo hablador de tendero, a quien en realidad nosotros hemos hecho millonario, que le dijo que en esta
montaña había un americano cazando tigres y leones,
y el muy animal le dijo también que el gringo tal por
cual iba al pueblo en busca de provisiones, que llegaría en uno de estos días y que si él estaba pendiente

podría hablar con ese compatriota suyo, a lo que contestó que le gustaría esperar y hablar conmigo.

—Así es que lo que pretendes decir es que te estaba esperando ¿no es eso? —Dobbs parecía cada vez más excitado.

—Creo que me oíste, ¿o es que estabas dormido mientras yo hablaba? Bueno, pues ese diablo de Arizona me esperó y en el momento preciso en que yo entraba en la tienda, se aproximó. Era enteramente desconocido para mí, nunca lo había visto antes por este rumbo. Me abordó diciendo: "¿Qué tal, forastero? ¿Cómo estás?" Traté de esquivarlo mostrándome indiferente y sólo le contesté: "¿Cómo estás?", alejándome en seguida y dedicando toda mi atención al tendero. Pero a él no le importó mi indiferencia; empezó a hablar diciéndome que creía que en las montañas debía haber un cargamento de bienes y para que yo pudiera comprender lo que trataba de expresar con aquello, me explicó que se refería, por supuesto, a la buena pasta, a las piedrecitas amarillas y relumbrantes.

—¡Diablos! —exclamó Howard—. La cosa me parece complicada. Algo se le debe haber metido en la cabeza cuando el tendero le dijo de tu larga estancia por estos sitios en busca sólo de caza.

—¿Qué le contestaste cuando puso el dedo en la llaga? —preguntó Dobbs.

—Le dije que no me tomara por bobo, que hacía tiempo que yo vivía aquí y que conocía bien el suelo y que de haber un solo grano de oro podría estar seguro de que yo lo sabría; pero que le aseguraba que no existían ni rastros, no ya de oro, ni siquiera de cobre, porque yo no me había enterado de su existencia.

—¿Qué contestó?

—Se sonrió, poniendo de manifiesto que era lo suficientemente listo, y para que yo quedara bien enterado de ello dijo: "No te había juzgado tan estúpido, hermano. Créeme, cuando yo miro una colina desde una milla de distancia sé si de ella puede sacarse una onza o todo un cargamento. Si tú nada has encontrado, yo iré contigo y te haré meter la nariz dentro de él. Aquí en el valle he encontrado un sinfín de indicios, y siguiendo las huellas hasta las rocas creo que la grava que contiene trazas debe haber sido arrastrada por las lluvias torrenciales del trópico." "¡No me lo digas, viejo!", contesté, y él agregó: "Sí, créaslo o no."

Howard interrumpió a Curtin:

—Lo único que puedo decir de ese tipo es que si por la apariencia del paisaje y por las trazas arrastradas por las lluvias puede determinar el contenido de las montañas, debe ser un gran hombre, un semidiós.

—Tal vez sea un geogista o como les llaman a los que saben conocer bien si en el terreno hay petróleo o sólo tierra seca.

—Querrás decir geólogo, Dobby —corrigió Howard.

—Tal vez lo sea, pero quizá anda sacudiendo el zacate para obligar a salir de él a la liebre.

Dobbs tuvo una idea:

—¿No se os ocurre pensar que tal vez ese sea un espía, enviado por el gobierno o por el jefe de alguna horda de bandidos, para que esté pendiente de nuestro regreso y poder robarnos o confiscar cuanto hemos sacado? Es más, yo estoy casi seguro de que está relacionado con bandidos. Porque aun cuando no tengan seguridad de que llevamos algo bueno, podrían atacarnos sólo por robar nuestros burros y ropas y por lo que es más valioso para ellos: nuestras escopetas y herramientas. Tenemos bastantes cosas, además de nuestro oro, que pueden despertar la codicia de los bandidos.

Curtin movió la cabeza diciendo:

—No lo creo; él no tiene apariencia de ser espía del gobierno o avanzado de algunos bandidos. Creo más bien que anda en pos de lo que dijo, que anda en busca de oro.

—¿Cómo puedes saber qué es lo que en realidad pretende? —preguntó Howard.

—Porque empacó sus cosas inmediatamente.

—¿Qué cosas empacó?

—Tiene dos mulas, en una de ellas monta y en la otra carga sus provisiones.

—¿Qué clase de provisiones?

—Parecen ser una tienda de campaña, sarapes, cacerolas y una cafetera.

—¿Ninguna herramienta?, es decir ¿ni palas ni picos ni nada de eso? —y el viejo agregó—: Porque si anda en pos de fortuna no podrá cavar muy bien con sus garras. ¿No viste palas o algo por el estilo?

—La verdad es que no me puse a examinar sus bultos.

—Claro que no —dijo Howard pensativo. Luego agregó mirando a Curtin—: Tal vez traiga todas las cosas enrolladas en la tienda. ¿No te fijaste en si el envoltorio se veía como si encerrara las herramientas?

—Parecía muy pesado.

Estuvieron cavilando largo rato. Finalmente Curtin rompió el silencio.

—Estoy casi seguro de que no se trata de un espía ni del gobierno ni de bandidos. Más bien me pareció un poquito chiflado.

—Bueno, dejémoslo en paz; ya estoy cansado de preocuparme por ese tipo —dijo Dobbs—. No hay por qué temer.

—De eso no estoy muy seguro —empezó a explicar Curtin—. Creo que sí debe preocuparnos porque el hecho es que me siguió. Primero me preguntó francamente si podría venir conmigo a mi campamento. Le contesté que no. Entonces empezó a seguirme. Durante dos millas no me preocupó. Después me detuve y lo dejé aproximarse para decirle: "Mira, amiguito, no me fastidies, porque te puede costar caro. Yo no me ando metiendo en tus asuntos y más vale que tú saques la nariz de los míos si quieres que sigamos siendo amigos. Ahora, si quieres que te hable de otro modo te diré que me es muy fácil derribar a cualquier tipo de tu tamaño; así, pues, si sabes lo que te es más saludable márchate y déjame en paz."

—¿Y qué contestó él a eso? —preguntaron Howard y Dobbs al mismo tiempo.

—Dijo que no pretendía molestarme y que lo único que deseaba era la compañía de un paisano durante algunos días, porque hacía meses que no encontraba a ningún americano y estaba a punto de volverse loco a fuerza de rondar por la Sierra, encontrar sólo indios y no oír más idioma que una corrupción del castellano. Que deseaba sentarse algunas noches ante el fuego, junto a algún ser civilizado, para fumar en su compañía y conversar un poco; que eso era todo. A ello contesté que no tenía deseos de soportar su charla y que quería estar solo. Creo que ignora que vivo acompañado, tiene la idea de que me encuentro solo en el campamento.

—¿Adónde crees que se encuentra ahora? —preguntó Dobbs—. ¿Crees que te haya seguido?

—Tuve buen cuidado de rodear por caminos accesibles a los burros. Me arrastré junto con los animales a lo largo de pasajes cubiertos de maleza para despistarlo, pero ¡diablo!, cada vez que volvía la vista y miraba desde alguna altura en las montañas, lo veía venir en dirección correcta. Parece tener buen olfato. Si yo hubiera venido solo lo habría podido despistar, pero trayendo tres burros era imposible. Es sólo cuestión de tiempo, porque si trata de encontrarme, pronto lo logrará sin duda. Ahora sólo resta preguntar. . .

—¿Qué? —interrumpió Dobbs.

—¿Qué haremos con él si se nos aparece uno de estos días? Ya no podríamos trabajar en la mina con un sabueso como él.

Howard atizó el fuego y contestó:

—Es difícil decir qué haríamos. Si fuera un indio del poblado o del valle, la cosa no tendría importancia. Un indio no se quedaría, regresaría al lado de su familia. Pero tratándose de este tipo, la cosa es distinta. Acabaría por descubrirnos; no será tan estúpido para dejar de preguntarse a sí mismo por qué razón tres blancos permanecen durante meses en este campamento. Imposible decirle que estamos aquí de vacaciones. Podríamos hacerle creer que hemos cometido un par de asesinatos y que tratamos de escondernos, pero supongamos que ello nos resulta contraproducente y que al cabo de algún tiempo regresa en compañía de un piquete de federales. Si ellos nos cogen y el oficial que los manda tiene prisa por regresar al lado de su querida, no tendrá empacho en ordenar que nos maten como a perros rabiosos. Nos matarán cuando tratemos de escapar. Será imposible probar que están equivocados, y nos enterrarán en el mismo sitio en que seamos muertos.

—Ahora tenemos otras cosas de que preocuparnos —interrumpió Dobbs—. Propongo que lo invitemos a largarse en el momento en que se presente, haciéndole entender claramente que si lo volvemos a ver rondar por aquí le llenaremos la barriga de plomo.

Howard no estuvo de acuerdo con la proposición.

—Eso sería tonto. Él se haría el inocente, regresaría al pueblo y pondría a la policía montada tras de nuestra pista, y entonces, ¿qué? ¿Qué sabe la policía de nosotros? Bien podríamos ser penados evadidos o bandidos o rebeldes al gobierno. La policía estaría aquí con la rapidez del viento en cuanto ese tipo le dijera que poseíamos tesoros robados, y una vez que la policía estuviera aquí no podríamos permanecer por más tiempo ni llevarnos lo que hemos conseguido.

—Bueno —dijo Dobbs—, entonces lo único que podemos hacer es despacharlo en el mismo instante en que se presente. También podríamos colgarlo y volver a quedar en paz.

—Puede ser —fué lo único que dijo Howard. Sacó las papas del fuego para ver si ya estaban listas. Eran el mayor lujo que habían disfrutado desde que se encontraron allí, porque raramente se conseguían en el pueblo. En aquella ocasión, el tendero había pedido unos veinte kilos, porque sabía que Curtin las compraría.

Howard colocó nuevamente la olla sobre el fuego y dijo:

—No podemos matarlo. Descartemos eso. Puede ser un vagabundo, un tipo a quien guste rondar por este gran país sin propósito determinado, sólo para dar gracias a Dios por haber creado estas hermosas montañas, y ese no es motivo para que lo matemos. Nada malo nos ha hecho y no podemos decir si realmente trata de entrometerse en nuestros asuntos. Algunos hombres trabajan hasta matarse en los campos petroleros o en las minas de cobre para poder vivir o para amontonar dinero, en tanto que otros prefieren hasta pasar hambre algunas veces antes que perder la oportunidad de contemplar las maravillas y bellezas de la naturaleza. No es ningún crimen visitar estas montañas con el corazón abierto y el alma llena de canciones, por lo menos no es un crimen en contra nuestra.

Dobbs no pareció convencido:

—¿Cómo podríamos saber si es uno de esos tipos chiflados o un ladrón?

—No podemos, tienes razón —dijo el viejo—. Pero debemos darle una oportunidad. Y además, si lo matamos podrían descubrirnos.

—¿Cómo? —Dobbs no podía desechar su idea de matarlo—. Lo enterraremos y lo dejaremos allí. Supongamos que alguien lo viera venir, ¿y que? Eso no sería evidencia de que nosotros lo habíamos matado. Si no queremos matarlo podemos simplemente empujarlo desde alguna roca para que se rompa el pescuezo. Si su cuerpo es encontrado, todos juzgarían el hecho como un accidente lamentable.

—Sí, muy fácil —dijo Howard sonriendo—, tan fácil como empujar por las nalgas a una mula vieja. ¿Y quién lo va a matar o a empujar al precipicio? ¿Tú, Dobby?

—¿Por qué no? Echaremos un volado a ver a quien le toca.

—Sí, ¿verdad?; para que el que lo haga quede entre las manos de los que lo sepan durante toda su vida. Yo no, hazme a un lado. Me resultaría demasiado caro —Howard estaba en apariencia más preocupado por obtener un plato de sabrosas papas que por despachar a un chiflado al otro mundo.

Durante toda aquella larga discusión entre Howard y Dobbs, Curtin había permanecido en silencio, bebiendo su café, atizando el fuego de vez en cuando y levantando la vista del suelo para mirar, preocupado, hacia la maleza que rodeaba el campo.

De pronto Howard se percató de que Curtin hacía mucho tiempo que no tomaba parte en la conversación y preguntó:

—¿Estás seguro de que te seguía?

—Absolutamente seguro.

—¿Cómo?

—Porque allí está —contestó haciendo con los hombros un ademán cansado y dirigiendo la vista hacia un claro de la maleza por el que se veía la vereda que conducía hacia abajo.

Dobbs y Howard se sorprendieron de tal modo que por un momento no les fué dado mirar en la dirección indicada por Curtin.

—¿Donde? —preguntaron al mismo tiempo.

Curtin volvió la cabeza hacia el claro.

Finalmente Howard y Dobbs se volvieron y miraron. Allí, entre las profundas sombras de la noche, ligeramente iluminado por la hoguera del campamento, se hallaba parado el forastero, con sus dos mulas, a las que retenía con cuerdas.

Miraba asombrado a los tres hombres, pues había pensado encontrar solamente a Curtin.

No dió ninguna voz amistosa, permaneció en silencio, esperando a que lo llamaran, a que lo mataran o le dijeran maldiciones. Su actitud poco dejaba traslucir. Parecía esperar a que aquellos tres hombres rudos decidieran lo que habían de hacer con él. Al mismo tiempo denunciaba ser demasiado orgulloso para implorar o esperar alguna ayuda a la que no estaba en condiciones de corresponder.

X

Mientras Curtin les hablaba del forastero, Howard y Dobbs trataban de imaginarse la apariencia que aquél tendría y ambos se lo habían representado de diferente manera.

Dobbs esperaba ver a un vagabundo con el semblante del ebrio cuando habita en los trópicos y vive de raterías y trampas de toda especie, sin escrúpulos para asesinar al primero que se le resista.

Howard, por su parte, lo había imaginado con la apariencia del viejo explorador que nada teme. Robusto, con la piel de la cara como cuero curtido por la intemperie y las manos como raíces de viejos árboles. En suma, un hombre que hace uso de toda su experiencia, conocimientos, inteligencia y testarudez tratando de encontrar un rico filón que explotar hasta el límite. Para Howard el forastero debía ser un honesto buscador de oro de los de vieja cepa, incapaz de cometer un crimen o de robar un clavo, pero capaz de matar a cualquiera para defender su filón en el momento en que trataran de privarlo de lo que estaba seguro de pertenecerle por derecho.

Howard y Dobbs fueron sorprendidos. El forastero tenía una apariencia totalmente diferente de la que ellos suponían, y como había aparecido en forma tan repentina, ni Dobbs ni el viejo pudieron decir palabra.

Permanecía parado en el claro y fácilmente se comprendía que no sabía qué hacer ni qué decir.

Las mulas venteaban con la nariz pegada al suelo, después levantaban la cabeza y relinchaban con todas sus fuerzas hacia el lugar de la pradera en que se hallaban otros animales de su especie. Fué aquel terrenal relincho de las mulas lo que rompió el silencio.

Dobbs se levantó y con pasos largos y lentos se dirigió hacia el visitante, que permaneció inmóvil.

Se había hecho el propósito de tratar al intruso con la mayor dureza, preguntándole sin rodeos qué quería y mandándolo después al diablo. Pero cuando llegó cerca de él, lo único que pudo decir fué:

—¿Qué tal, forastero?

—Bien, amigo; gracias —contestó aquél con calma.

Dobbs llevaba las manos en los bolsillos del pantalón. Miró al hombre, movió la lengua dentro de la boca apretada, rascó el suelo con su pie derecho y dijo:

—Muy bien, ¿quieres venir y sentarte junto al fuego?

—Gracias, amigo —contestó el recién llegado.

Se aproximó al fuego, descargó sus mulas, amarró una de las patas delanteras de una a la de la otra con una correa, les dió unos golpecitos cariñosos en el lomo y empujándolas por las ancas les dijo: "Ahora pícaras, vayan a cenar." Aquello lo dijo en voz tan baja que apenas pudieron oírlo los hombres que se hallaban junto al fuego.

Ninguno de ellos le había ayudado a descargar sus mulas, y él no parecía esperar ayuda alguna.

Las mulas se dirigieron a la pradera. Por un momento él se quedó mirando hacia la oscuridad que se las había tragado, luego, volviéndose lentamente, se aproximó al fuego.

—¡Buenas noches para todos! —dijo y se sentó.

Sólo Howard contestó:

—¿Cómo estás?

Curtin sacó los frijoles de la lumbre. Dobbs tomó la cacerola de las papas, la agitó y tomó una con un cuchillo para probarlas y saber si ya estaban listas. Encontrándolas de su gusto, tiró el agua y las puso cerca del fuego para que se conservaran calientes. Howard asaba la carne. Dobbs se levantó y llevó más leña para la hoguera. Parecía que la cena ya estaba lista. Curtin volvió a poner la cafetera sobre el fuego.

Ninguno de los tres miraba al recién llegado. Y como no hablaban entre sí y simulaban estar muy ocupados cocinando, el visitante se percató de que no les era indiferente y de que su presencia allí no era deseada.

—Sé perfectamente, muchachos, que no se me quiere por aquí —dijo cuando el silencio se hizo casi insoportable.

Curtin frunció el ceño y lo miró:

—Me parece habértelo dicho claramente cuando nos encontramos en el pueblo.

—Cierto, pero no puedo soportar más tiempo la estancia entre los indios. La cosa está muy bien por un rato nada más; por ello, cuanto te vi, sentí el deseo de hablar y de estar algunas días en compañía de un blanco.

Howard, sonriendo fríamente, dijo:

—Si no puedes soportar a los indios ¿por qué diablos no te vas de esta región dejada de la mano de Dios y te marchas a otro sitio en el que puedas encontrar más chiflados de los que puedas aguantar? Durango y Mazatlán no están tan lejos. Con tus dos mulas y tus provisiones bien podrías llegar en cuatro o cinco días a donde hay un sinfín de clubes americanos, cantinas, cabaretuchos, mujeres baratas y todo lo que tú deseas.

—No es eso lo que quiero; son otras mis preocupaciones.

—También nosotros las tenemos, créeme amigo —interrumpió Howard—, y ten cuidado, porque la mayor de ellas en estos momentos es tu presencia. No te necesitamos ni para cocinero, ni siquiera para lavaplatos nos servirías porque estamos completos. ¿Soy claro?

El hombre no contestó.

Fué Dobbs quien continuó:

—Si no hemos hablado claramente, permíteme que te diga que lo mejor que podrías hacer sería cargar tus mulas al amanecer y regresar con nuestras bendiciones al sitio de donde viniste. Eso es lo único que deseamos.

El recién llegado permaneció en silencio, observando como los tres socios preparaban la cena y ponían la carne en los platos. Los miraba sin dar señales de hambre y como convencido de que no le invitarían a compartir su cena.

Cuando Curtin casi había vaciado su plato, dijo:

—Aquí tienes plato, cuchillo, tenedor y cuchara, espero que sabrás usarlos. No vayas a emplear solo la cuchara si no quieres que te censuremos. Nosotros podremos ser de mala catadura, pero aun comemos como en nuestra época hogareña. También tuvimos una madre que nos enseñó a usar el pañuelo de vez en cuando ¿sabes, amiguito?

Dobbs le vió llenar su plato y le tendió la cafetera, sin embargo no pudo hacer aquello sin decirle:

—Por esta noche tenemos algo que ofrecerte, tal vez hasta te demos mañana el desayuno; no somos tacaños y no te vamos a dejar morir de hambre. Pero después del desayuno tienes que ver lo que haces. Aquí no se permite la entrada a nadie, ni a ángeles ni a demonios, ¿sabes?

Después de esto comieron en silencio y no se pronunciaron más palabras que las necesarias acerca de lo que cenaban.

El visitante comió muy poco. Parecía comer más bien por cumplimiento que por apetito y no intervino para nada en la sobria conversación de los socios.

Una vez terminada la cena lavaron los trastos y los colocaron a un lado. Los socios trataron de descansar tan cómodamente como era posible y como lo habían venido haciendo en todos los largos meses que permanecieran en aquel sitio. Por un momento parecieron haberse olvidado de la presencia del huésped. Lo recordaron cuando llenaron sus pipas y lo vieron dirigirse al fuego y sentarse en cuclillas cerca de él. Se había dirigido al sitio en que se encontraban sus bultos y había sacado algo de ellos.

—¿Tienes tabaco? —le preguntó Dobbs.

—Sí, gracias.

No tenía pipa y enrolló un cigarrillo con habilidad.

Los socios empezaron a hablar. De común acuerdo hablaron únicamente de caza. Él, sin embargo, no era tonto para dejarse engañar. Ellos no sabían mucho acerca de cacería, por lo tanto su conversación no resultaba muy convincente para un hombre más experto que ellos en la materia. Varias veces sorprendieron sus miradas en las que ponía de manifiesto que no se dejaba engañar y que sabía muy bien que no estaban allí dedicados a la caza únicamente.

Aquello le apenaba y puso fin a la comedia diciendo:

—Dispensen que intervenga, pero este no es sitio propio para cazar. Aquí no hay una sola pieza que valga la pena perseguir. A ningún buen cazador le costaría trabajo acabar en una semana con toda la caza que pudiera haber en cinco millas a la redonda.

—¡Vaya, vaya; el muchacho es listo! —exclamó Dobbs.

—Tienes razón —dijo Howard—, por aquí no hay buena caza, por eso hemos decidido marcharnos en el término de una semana y buscar sitios mejores. Estás en lo justo, amigo; este campo es muy pobre, hemos perdido bastante tiempo antes de aceptar la verdad.

El visitante miró a Howard con los ojos entrecerrados.

—¿Terreno pobre? Depende de lo que tú llames terreno pobre. Aquí no habrá caza que les permita sostenerse, pero hay algo más, algo mejor.

—¿Puedes decirnos qué es ello, doctor? —preguntó Dobbs, lanzándole una mirada de desconfianza y tratando de ocultar sus verdaderos sentimientos con el tono malicioso de su voz.

—¡Oro, eso es lo que hay aquí! —insistió con calma el forastero.

Curtin repuso reteniendo el aliento:

—Por aquí no hay oro.

Howard sonrió agregando:

—Muchacho, si hubiera por aquí una media onza siquiera yo la habría visto. Conozco la pasta y sé cuando la tengo enfrente, créemelo.

—Creo que usted es lo que aparenta —dijo el forastero con cierta cortesía—, pero si dice usted no haber hallado oro aquí, entonces, buenas noches, señor; eso significa que carece usted de la inteligencia que le atribuí en el momento de verlo por primera vez.

Ninguno de los socios supo qué contestar y juzgaron prudente no seguir hablando del asunto. Y creyeron despistar a aquel hombre no mostrando demasiado interés en lo que decía.

—Tal vez —dijo Howard—, tal vez tengas razón, ¿quién sabe? Me has dado una idea, la consultaré con la almohada y tal vez dé en el clavo. Buenas noches, que sueñen con los angelitos.

Dobbs y Curtin tuvieron que hacer un esfuerzo para secundar la aparente indiferencia del viejo acerca de los montones de oro que debían encontrarse por allí, de acuerdo con la opinión del forastero. Sacudieron las pipas y se levantaron, estiraron los miembros, bostezaron y se dirigieron con pesadez hacia su tienda.

—Hasta mañana —dijo Curtin, volviendo la cabeza hacia el visitante, que seguía sentado junto al fuego.

—Buenas noches —contestó él mirándolos.

No lo habían invitado a dormir en la tienda, que era lo suficientemente espaciosa para dar abrigo a más de tres hombres. Pero aquello pareció no importarle.

Silbó para que se aproximaran sus mulas, les dió un puñado de maíz que sacó de sus maletas, les acarició el cuello y con una patada ligera en las ancas las despachó.

Volvió adonde estaban sus cosas, llevó su montura y dos sarapes cerca del fuego, arregló con ellos una cama y, después de echar a la hoguera dos troncos secos, se acostó. Durante algunos minutos tarareó una canción, y finalmente se enrolló en las cobijas y quedó quieto.

Menos quietud reinaba en la tienda, que se hallaba lo bastante alejada para que el forastero pudiera distinguir lo que se decía, porque hasta él sólo llegaban voces apagadas.

—Insisto en que debemos huir de él en cualquier forma —aconsejó Dobbs.

Howard trató de calmarlo:

—¡Cuidado; no con tanto calor! Nada sabemos de él todavía; démosle una oportunidad. Estoy convencido de que no es un espía ni del gobierno ni de bandoleros. Si lo fuera no hubiera venido solo ni parecería tan hambriento.

—Hambriento ¿eh? ¡No me cargues! —interrumpió Dobbs—. Apenas picó la comida.

—Vamos, vamos; si tú estuvieras muerto de cansancio como él parecía estar, tampoco hubieras comido con apetito. Me parece más bien que carga algo en la conciencia, que anda huyendo de algo o de alguien. Tal vez no sea por asesinato o robo, pero suele haber cosas peores que la policía de las que hay que huir.

—Tal vez sería conveniente provocarlo y cuando se halle irritado despacharlo, así la cosa quedaría justificada —dijo Curtin.

Howard se encontraba sentado en su catre quitándose las botas.

—Eso no me parece bien y me opongo a ello; es sucio, sería una canallada.

—¡Por el diablo! —exclamó Dobbs—. Sucio o no, debemos deshacernos de él. Ya se lo advertimos; si no hace caso habrá que celebrar sus funerales.

Estirados en sus catres, hablaban aún y trataban de hallar la solución al problema que tan inesperadamente se les presentaba. Para ninguno de ellos era grata la presencia del desconocido y querían deshacerse de él, sin embargo comprendían que el hecho de matarlo tenía muchos inconvenientes y sólo una conveniencia, y aun ésta era dudosa. Finalmente durmieron sin haber encontrado solución alguna.

XI

A la mañana siguiente, muy temprano, los socios se reunieron cerca del fuego. Habían pasado malísima noche soñando cosas molestas y se encontraban de un mal humor semejante al que puede experimentar una joven a quien un automóvil salpicara de lodo su flamante vestido blanco, tres minutos antes de encontrarse con su novio.

El huésped había estado activo echando leña a la hoguera que ardía y sobre la que había colocado las cacerolas de su propiedad, llenas de frijoles y café.

Dobbs lo saludó:

—Oye ¿de dónde sacaste el agua para cocinar?

—La saqué del balde.

—Ah, ¿conque eso hiciste? Magnífico. Pero que no se te meta en la cabeza la idea de que nosotros acarreamos el agua para ti. No somos mozos de nadie y menos aún de un vago como tú.

—Perdóname, no sabía que era tan difícil conseguir aquí el agua.

—¡Ahora lo sabes, tal por cual!

—Llenaré el balde.

—Pues date prisa.

En aquel momento llegó Curtin.

—Conque robando el agua, ¿eh?, y también el fuego. ¿Qué te has creído? Que no te sorprenda yo cogiendo algo de lo que nos pertenece, porque te lleno la panza, ¡engendro del diablo!

A lo que él contesto cortésmente:

—Creí encontrarme entre hombres civilizados a quienes no importaría que yo bebiera un trago de agua fresca.

Dobbs parecía estar cargado de dinamita.

—No querrás decir que no sabemos leer ni escribir, que somos unos bandidos y unos tales por cuales, ¿verdad? —y sin esperar respuesta, dió una bofetada en el rostro del forastero, con tal fuerza que lo hizo caer por tierra como si le hubieran golpeado con un mazo.

Necesitó algún tiempo para volver en sí. Se levantó lentamente cogiéndose la cabeza y tratando de enderezarse el cuello.

Entonces se aproximó a Dobbs y le dijo:

—Podría hacer exactamente lo mismo contigo y sería difícil asegurar quien saldría mejor parado de los dos. Pero ¿qué lograría con ello? Bien sé que los tres estáis en espera de que me ponga a tiro para borrarme del paisaje y no tengo deseos de daros facilidades. No os hagáis los tontos respecto a mí. Pero no importa, ya tendré ocasión de que arreglemos cuentas, por ahora me quedo con esto. ¡Gracias por la amabilidad!

Se dirigió al fuego, retiró de él sus cacerolas y se las llevó a otro sitio en donde principió a preparar su propia hoguera. Howard se aproximó a él.

—¿Tienes algo que comer? —preguntó con voz amistosa.

—Sí, amigo; tengo té, café, frijoles, arroz, carne seca y unas latas de leche.

—No te preocupes, por este día puedes comer con nosotros. Pero te sugiero que mañana prepares tus cosas.

—Gracias; tomaré en cuenta su consejo.

—¿Mañana? —Dobbs, que se había desahogado con su victoria, habló con menos aspereza—. ¿Mañana? Oye, ¿qué quieres decir con eso? Espero que no pensarás alquilar una vivienda y pasar aquí tus vacaciones. Realmente no nos complacería tenerte por vecino.

—¿Qué importa? —preguntó aquél, echando algunas hojas de té en su cacerola, y sin desprender la vista del agua hirviente, agregó—: Pienso quedarme por aquí; el rumbo me gusta.

Curtin, en voz más alta de lo necesario, dijo:

—No podrás estacionarte sin nuestro consentimiento.

—Me parece que las montañas y la maleza no tienen dueño. ¿Verdad?

—No creas, amigo —interrumpió Howard—. Cierto que la maleza, el desierto, los bosques y las montañas son gratis para el que quiera permanecer en ellas, en eso tienes razón; pero aquí nosotros fuimos los primeros y reclamamos nuestro derecho de primacía.

—Tal vez; tal vez eso es lo que pensáis, pero ¿cómo podríais probar que fuisteis los primeros? ¿Qué os parecería si os dijera que yo vine aquí mucho antes de que vosotros llegarais?

—¿Registraste tus derechos? —preguntó Howard.

—¿Lo hicisteis vosotros?

—Eso se sale del tema. Nosotros nos hallamos aquí, y supongamos que tú llegaste antes como dices, ¿por qué no estacaste el terreno? Ya que no lo hiciste no tendrías ni la mínima oportunidad de demandarnos ante alguna corte si desearas pelear. Bueno, desayunemos.

Una vez que hubieron desayunado, los socios no supieron qué hacer. No podían ir a trabajar en la mina porque el visitante los habría sorprendido.

Curtin tuvo una idea y propuso que salieran todos juntos de caza.

El forastero se les quedó mirando. No sabía lo que podría esconderse tras esa proposición; la cacería podía darles oportunidad de matarlo accidentalmente, pero, reflexionando, llegó a la conclusión de que si deseaban matarlo lo harían accidentalmente o no, ya que no habría más testigos que ellos.

Así, pues, dijo.

—Bueno, ahora iré de cacería con vosotros, pero mañana tengo otras cosas de mayor importancia que hacer.

—¿Qué? —preguntaron los socios al mismo tiempo.

—Mañana empezaré a cavar aquí en busca de oro.

—¿De veras? —dijo Howard, que lo había escuchado reteniendo el aliento y palideciendo al igual que sus dos socios.

—Sí, voy a explorar estos sitios. Porque aquí o en algún lugar cercano debe haber lo que yo busco, y si vosotros nada habéis encontrado, ello será señal evidente de que todos tenéis la cabeza dura; pero no lo creo.

—Eres listo —repuso Howard—. ¿Dónde estaríamos si no hubieras venido a mostrarnos las glorias celestiales? ¡Vaya, vaya con el gran chico!

—Me imagino que habréis sacado, digamos cincuenta onzas.

—O quinientas ¿no es eso lo que quieres decir? —dijo Howard, abriendo con dificultad la boca que parecía secársele. Dobbs y Curtin se habían quedado sin habla.

—Sí, amigo, o quinientas. Pero aquí habrá sin duda un millón si queréis creerme.

—¿Un millón? —gritaron Dobbs y Curtin, y con aquello volvieron a su estado normal, recobraron el

color, el aliento, la humedad de los labios y la brillan-
tez de los ojos que habían perdido en los últimos momentos.

—Sí, todo un millón, y si no lo habéis encontrado
todavía, vosotros tenéis la culpa, no la montaña. Sé
que no habéis encontrado el filón más rico; sin embargo, habéis merodeado por estos sitios durante ocho o
nueve meses. Los indios del valle me dijeron que aquí
había un solo hombre. Si hubierais encontrado el filón
más rico habríais logrado tanto que haría mucho tiempo que no estaríais aquí, no habríais podido llevaros
todo sin despertar sospechas y sin ser cazados por el
camino. O tal vez habríais enviado a un hombre para
que registrara los derechos y hubierais formado una
compañía minera regular, con maquinaria y un ciento
de hombres trabajando para vosotros.

—¿Ah, sí? —dijo Dobbs con voz cortante—. Bueno, debes saber la verdad, nada hemos conseguido, absolutamente nada ¿ves?

Pero no había manera de callar al forastero, quien
continuó:

—Podéis decirme lo que gustéis; de cualquier manera no creo una palabra. No me importa lo que tengáis, cuanto tengáis, ni si en final de cuentas tengáis
algo o lo que hagáis aquí. No soy un bebé. Cuando me
entero de que tres hombres viven en estos parajes desde
hace ocho meses no necesito consultar la Biblia para
saber que no lo hacen por placer, simplemente por el
gusto de estar de campo. Eso no me lo haréis creer.
Más vale que pongáis los naipes sobre la mesa para que
veamos quien hace juego. ¿Para qué jugar al escondite? Yo no soy ni criminal ni ladrón ni espía. Soy
tan decente como cualquiera de vosotros y no pretendo
ser mejor, porque me sienta muy bien ser como vosotros.
Todos estamos aquí para hacer dinero. Si pretendié-

ramos divertirnos no habríamos escogido este paraje olvidado por Dios y el diablo, con sus plagas de mosquitos, calenturas, paludismo, alacranes, tarántulas, agua que es una promesa de tifoidea y hasta tigres que merodean hambrientos. Sé perfectamente que podéis despacharme en el momento que queráis, pero ello podría ocurrirme hasta en Chicago al caminar tranquilamente por alguna calle de Loop. Siempre hay que arriesgar algo cuando se desea hacer dinero. Si me despacháis no por ello os aseguraréis de que nadie vendrá más por aquí. ¿Quién os dice si mañana o pasado aparecerá alguien más, quizá una docena de hombres? Entonces ya no sería tan fácil que los despacharais y os encontraríais en peor situación que ahora.

—Bien, muchacho —dijo Howard—. ¿Qué traes entre manos? Escúpelo. Tal vez armonicemos.

—Hablemos con franqueza —sugirió el forastero.

—Podríamos —dijo Howard, llenando su taza de café—. La cuestión es que no sabemos quién eres o qué eres. Puedes ser espía y puedes no serlo. Si lo eres, tendríamos que perder todo nuestro trabajo de ocho meses y lo que hemos invertido en dinero contante y sonante, pero ello te costaría bien caro, te despacharíamos aun cuando tuviéramos que irte a buscar a China o a las Pampas Argentinas; sería una guerra sin cuartel, es necesario que lo entiendas bien.

—Lo entiendo; sé que no tendría escapatoria y, aclarado el punto, creo que estamos en igualdad de circunstancias. Quiero que comprendáis que no pretendo participar de lo que tenéis, no quiero ni un solo centavo, ni siquiera deseo trabajar cerca de vosotros. Cercaremos nuestras minas y cada cual trabajará la suya como mejor le convenga. ¿Os parece bien?

—Por mí muy bien. ¿Qué pensáis de la proposición, muchachos? —preguntó Howard a sus dos socios.

Dobbs y Curtin reflexionaron un rato antes de contestar. Al fin, Curtin repuso:

—¿No tienes inconveniente en dejarnos a los tres solos para que lo discutamos?

—Ninguno, yo tengo que ir a ver a mis mulas.

Se levantó y se dirigió hacia el sitio por donde habían partido la noche anterior.

Al cabo de dos horas regresó.

—¿Las encontraste? —preguntó Curtin.

—Sí, están muy bien. ¿Qué buen pasto hay por aquí!

—Bueno, sentémonos y hablemos del asunto —sugirió Howard, llenando su pipa—. Sí, tenemos algo; de hecho constituye la buena paga de ocho meses de un trabajo duro

—Lo que yo suponía. Ahora bien, allá en el pueblo no me dedicaba a vagar únicamente; observé la arena barrida de estas montañas por las lluvias y pude sacar en consecuencia que aquí debe haber una gran cantidad de buena pasta.

Howard interrumpió:

—Creo saber algo acerca de exploraciones, no mucho, tal vez no tanto como parece que sabes tú. Pero si hubiera aquí un millón, como dices, ya lo habríamos visto, y no lo hemos encontrado.

—Tengo la convicción de que existe —dijo el forastero con insistencia—. Debe haberlo, estoy seguro de no equivocarme. Solo no podría sacarlo, necesito de vosotros tres. Tenéis herramientas y experiencia técnica en tanto que yo tengo mayores conocimientos. He estudiado este asunto y vosotros no. Ahora la cuestión está en descubrir el verdadero filón. Sé que nunca podría interesar a un banco o alguna compañía minera en mi proyecto, porque este asunto es difícil de explicar a los banqueros y a los consejos directivos, que desean ver claro desde el principio. Bien, mi proposición es la siguiente: Vosotros guardaréis lo que habéis hecho hasta ahora, como propiedad que por derecho os corresponde, pero de todo lo que saquemos a partir del momento en que comencemos a trabajar bajo mis planes, dos quintas partes me corresponderán y una quinta parte será para cada uno de vosotros.

Los tres socios se miraron entre sí y se echaron a reír en su cara.

—Para extorsionar nos bastamos nosotros mismos, no necesitamos que vengan a ayudarnos —dijo Howard—. Y en cuanto a los cuentos de hadas, los tenemos olvidados desde hace mucho tiempo, desde que cursamos el cuarto grado. ¿Qué os parece, compañeros?

—Nos ha ido bien sin necesidad de tu ayuda y nos seguirá yendo por todo el tiempo que permanezcamos aquí —dijo Dobbs, sonriendo—. ¿Qué opinas tú, Curty? —agregó volviéndose a su socio.

—En mi opinión, nada tenemos que perder si le damos a este gran científico una oportunidad, al menos por algunos días. Ya que nos encontramos aquí y que estamos decididos a partir dentro de una semana, podríamos ensayar lo que nos propone.

—Créeme —dijo Howard—, esas son historias de folletín. Yo he acabado con esta vida de animal salvaje. Tengo deseos de que mis carnes descansen sobre una cama de verdad, estoy completamente satisfecho con lo que he logrado hasta ahora.

A Dobbs le había gustado la idea de Curtin.

—Oye Howdy, creo que en final de cuentas Curty no es tan estúpido; quedémonos sólo una semana más. Tal vez logremos algo mejor de lo que hemos conseguido en los ocho meses que llevamos de vivir como convictos encadenados.

—Vosotros ganáis. Yo no puedo emprender solo el viaje de regreso a Durango. Sé de lo que soy capaz y de lo que no, cuando me encuentro solo con burros cargados. Por esa sola razón me quedaré una semana más entre vosotros.

—Pero entiéndelo bien, amigo —dijo Curtin, tratando de poner en claro los términos de su acuerdo—. No pretendemos permanecer aquí por largo tiempo; hay alguien que me espera, y es una chica muy guapa, por si te interesa saberlo. Si dentro de una semana encontramos buenas pruebas de lo que nos dices que hay aquí, nos quedaremos por más tiempo, pero si no, que es lo más posible, partiré con mi viejo compañero Howard.

—El que esté de acuerdo que diga "¡Ay!" —dijo Dobbs haciendo el payaso.

—Ahora, amigo, ya que somos socios, dinos ¿cómo te llamas? —preguntó Howard—, pero si quieres guardarlo en secreto, dinos sólo como quieres que te llamemos. No podemos seguirte llamando como hasta ahora, forastero o amigo.

—Lacaud. Robert W. Lacaud, Phoenix, Arizona; graduado del Tech. Pasadena.

—Un nombre bien largo para una sola persona, pero no te preocupes por las formalidades —dijo Howard riendo.

—Tal vez no sea suyo; quiero decir, el nombre largo —agregó Curtin sonriendo.

—¿Relacionado con los Lacaud de los Angeles? —preguntó Howard.

—Ligeramente —respondió Lacaud—. He quebrado con esta rama.

—Iré a ver los burros —dijo Howard. Él no tenía que ir, como Lacaud tuvo que hacerlo cuando fué en busca de sus animales, a la pradera que estaba en la falda de la montaña.

Cerca del campamento, en una roca había un buen balcón que los socios habían descubierto y desde donde podía verse claramente la mayor parte de la falda de la montaña. Cuando la atmósfera era transparente, podían precisar la presencia de algún caballo o cabra extraviada a cuatro o cinco millas de distancia.

Partiendo del campamento sólo se necesitaban algunos minutos para trepar al pico. Apenas llegado a él, Howard empezó a gritar:

—Eh, ¿qué es esto?

—¿Qué ocurre? —preguntó Dobbs—. ¿Se han perdido los burros?

—¡Suban! —gritó el viejo—. Suban pronto, dénse prisa, ¡el diablo nos lleve!

Dobbs y Curtin se dirigieron corriendo hacia el pico, Lacaud los siguió más despacio.

—¿Qué es aquello que viene hacia nuestra montaña? —preguntó Howard a sus socios—. No puedo determinar qué es, tal vez a ti te sea posible por tus ojos de buho. ¿Qué es?

Curtin miró durante medio minuto.

—Deben ser soldados o la policía montada. Algunos rancheros, según creo.

—Es la montada —chilló Dobbs, con la vista clavada en el horizonte—. Sí, la montada que viene hacia acá directamente.

Los tres palidecieron y se miraron entre sí.

Repentinamente Dobbs saltó y cogió a Lacaud por el cuello, gritando:

—¡Ahora, puerco tal por cual! ¿Conque este es tu cochino juego, eh? Pronto salió a relucir, bueno, pues

¡trágate esto! —cogió su escopeta y apuntó a Lacaud—.
¡Rata inmunda, si sabes alguna oración, rézala, y
pronto!

Howard, que se hallaba tras de Dobbs, le quitó el
arma con movimiento rápido.

—Déjame matar a esta rata puerca —gritó Dobbs—.
¡Por Cristo! Yo ya sabía que era un soplón, siempre lo
supe, desde que lo oí hablar con su voz untuosa.

Lacaud no se movió y dijo tranquilamente:

—Estás equivocado, socio; esto nos tocará a todos,
incluyéndome a mí.

—¿Qué quieres decir? —preguntó Curtin.

—Quiero decir que creo saber quienes son. No son
soldados ni policía montada, o rurales, como aquí los
llaman. Es gente que sabe de nosotros y que anda tras
de mí y tras de ti, Curty. Ignoran que haya alguien
más acá arriba.

—Pero si ellos lo saben es porque tú los habrás enterado —dijo Dobbs.

—No yo, sino la gente del pueblo. Creo saber quienes son, y si estoy en lo cierto, que Dios nos ayude, porque son bandidos que no vienen tras de nuestro dinero,
sino tras de nuestras armas y municiones, ya que los
indios deben haberles hablado de que el cazador americano que se encuentra aquí tiene rifles, escopetas y
muchas municiones.

—Y ¿cómo lo sabes? —preguntó Dobbs sospechan-
do aún.

—Permíteme verlos —dijo Lacaud.

—Bien que te gustaría, encantado, para hacerles
señas ¿verdad?

—Puedes quedarte detrás de mí, amigo, y dispararr-
me si me ves hacer algo sospechoso.

—Tal vez Arizona tenga razón —observó Curtin—.
No me parecen policías, ni siquiera rancheros organi-

zados y menos aún soldados. Son lo que él dice, una horda de bandoleros inmundos. Ven Lacky y echa un vistazo, ya podremos matarte después.

—Espérate —dijo Howard tomando a Lacaud por un brazo—. ¿No te andarán buscando por haber robado ganado de allá abajo? Más vale que digas la verdad. Si es así, ya te estás largando de aquí en este mismo instante para desviarlos de nuestra pista, porque si no, te entregaremos, aun cuando ello nos avergüence. Necesitamos protegernos, ¿sabes?, y el robo de ganado es un asunto sucio, especialmente tratándose de campesinos pobres como ellos. Así, pues, sábete bien que no queremos tener policías por aquí. Tienes que bajar y hacerte visible para alejarlos de nosotros.

—Entiendo, amigo; pero no tengo nada que ocultar. He estado por semanas en el pueblecito allá en el valle, y cualquiera habría podido cogerme si hubieran andado tras de mí.

—Creo que tiene razón —admitió Curtin—. No se habría atrevido a vagar por el pueblo durante tanto tiempo si tuviera por qué ocultarse. Mira, veamos que encuentras, creo que podemos confiar en ti por esta vez.

Lacaud subió al pico y se sentó para observar cuidadosamente.

—Más vale que no nos movamos —sugirió—, podrían vernos, mientras que si no nos movemos nos confundirán con la piedra y las matas. No son soldados ni policía ni rancheros organizados para perseguir a algún criminal, porque ni ellos presentarían ese aspecto tan desagradable.

—Así es que estamos atrapados —dijo Howard—. Porque si fueran soldados, policías o rancheros, podríamos explicarles y tener oportunidad de defendernos ante el que hiciera las veces de juez. Pero tratándose de bandoleros como éstos, tenemos menos oportunidad que un chino en manos de compatriotas salteadores.

Al oír aquello, Dobbs interpeló a Lacaud diciendo:

—Para mí sigues siendo un soplón, eso es lo único que puedo pensar de ti.

Howard intervino:

—¡Caramba, déjalo en paz, por el diablo! Ahora tenemos que obrar con rapidez.

Dobbs no hizo caso de lo que el viejo decía y prosiguió:

—Eres lo que creí desde un principio: un espía, sólo que no del gobierno, sino de bandidos. Lo malo para ti es que nos hayamos percatado de ello antes de que los trajeras hasta aquí.

—Nuevamente estás equivocado, hermano. Tampoco tengo nada que ver con bandidos. Y si no cesas de sospechar y de acusarme de cosas en las que nunca he pensado, voy a creer que te falta mucho para ser hombre. Dentro de una hora necesitarás no sólo de todos los que aquí nos encontramos, sino de todas las manos y armas que sean posibles, pues de otro modo no volverías a ver la luz del sol. Déjame que vea otra vez, quizá pueda determinar de qué clase de bandidos se trata, porque en el pueblo me han contado cosas que realmente no pueden considerarse como rumores.

Una vez más trepó al pico, seguido por Curtin y por Dobbs.

—Lo que yo suponía —dijo después de mirar largamente.

—¿Qué suponías? —preguntó Curtin.

—¿Ves entre los jinetes a un hombre que lleva puesto un sombrero ancho y dorado, que brilla al sol? —preguntó a Curtin.

—No, no puedo verlo —contestó. Pero después de mirar con cuidado añadió—: Sí, creo que allí viene. Trae un sombrero de los usados comúnmente por los campesinos indígenas, de alas anchas y copa alta. Parece ser de palma.

—Sí, es de palma, pero está pintado de oro brillante; así suelen hacerlo algunos hombres por payasada cuando trabajan en tiendas en las que se expende pintura dorada y de aluminio.

—Parece ser el capitán de la horda —dijo Curtin sin dejar de mirar.

—Es el capitán, el jefe. Ahora sé quienes son y a qué vienen. La semana pasada estuve en la hacienda de don Genaro Monterreal, en donde pasé una noche. El señor Monterreal tenía periódicos y me leyó, es decir, me contó lo que decían en la capital. Y en la descripción que en ellos se hacía de los bandidos, se mencionaba ese sombrero dorado. Así es que ese hombre todavía tiene valor suficiente para no tratar de despistar cambiándose el sombrero. O tal vez no sepa leer y no se haya enterado de que su horda ha sido descrita refiriéndose a uno por uno de sus hombres y de sus caballos. Lo que no pude sacar en limpio de los periódicos de don Genaro, lo supe por las gentes del pueblo. Os contaré la historia y os daréis cuenta del peligro en que estamos, y que Dios nos acompañe si suben y nos encuentran. Después que os haya hecho el relato dejaréis de creerme espía de esos asesinos, sin importar que más podáis pensar de mí. Preferiría ayudar al diablo a prender las calderas del infierno que tener algo en común con esos bandoleros, asaltantes y asesinos.

Mientras los cuatro hombres espiaban desde el pico hasta el menor movimiento de los bandidos, Lacaud les contó la historia.

XII

"Hay una pequeña y poco importante estación de
Ferrocarril que comunica los estados del centro con los
del oeste de la República y en la que el tren se detiene
únicamente el tiempo necesario para cargar el correo y
el *express,* cuando lo hay, y para dejar las valijas del
correo, algunos trozos de hielo y unas cuantas mercancías pedidas por los comerciantes. El pueblo, muy pequeño, está situado a tres millas de la estación, con la
que se comunica por medio de un camino malo y sucio,
por el que algunas veces transita algún que otro carri-
coche asmático.

"Raramente hay pasajeros que tomen o dejen el tren
en esa estación. Suelen pasar muchos días sin que se
registren llegadas o salidas.

"El tren del oeste se detiene a las ocho, hora a la
que en los trópicos la noche es cerrada, tanto en verano
como en invierno.

"De cualquier modo, ni el jefe de estación ni el
conductor del tren se sorprendieron mucho cuando un
viernes por la noche más de veinte pasajeros, todos
mestizos, subieron al tren en la estación mencionada.
A juzgar por sus trajes humildes eran campesinos o
propietarios de ranchitos que se dirigían al tianguis
que tenía lugar el sábado en algún pueblo de mayor
importancia, o bien trabajadores de caminos o de minas

que volvían a sus labores. Sin embargo, al jefe de la estación le pareció un poco extraño que aquellos hombres no le compraran sus boletos, pero eso ocurría a menudo cuando los pasajeros eran bastantes y estaban retrasados, en ese caso los compraban al conductor del tren. Hasta cierto punto se alegró, pues bastante trabajo le daba despachar el *express* y atender a las muchas obligaciones que le correspondían como único empleado de la estación.

"Los mestizos llevaban sombreros de palma bien calados, con los que se cubrían la frente para que el viento no se los llevara cuando fueran en el tren, ya que preferían quedarse en la plataforma, bien por sentirse incómodos en el interior o bien porque temían los descarrilamientos. Vestían pantalones de algodón amarillo, café o blanco, algunos llevaban camisa de media lana y otros sucias camisas de manta, rotas o malamente remendadas. Algunos calzaban zapatos o huaraches en tanto que otros iban descalzos. Uno de ellos calzaba un pie con una bota y el otro con un huarache muy viejo, y alguno que otro llevaba un taco en una pierna y la otra cubierta con el pantalón.

"Todos iban envueltos en sarapes de colores vivos, porque a causa de una onda del norte la noche era bastante fría; embozados hasta los ojos en los sarapes y con los sombreros cubriéndoles la frente, sólo les quedaba visible un pedacito de la cara. Nada había de particular en la forma en que llevaban los sombreros y los sarapes, ya que así los usan los indios y mestizos cuando sienten frío. Así, pues, en el tren nadie, ni pasajeros ni empleados ni los de la escolta pusieron el menor reparo ante la presencia de aquellos hombres.

"Empezaron a buscar asiento o por lo menos fingieron hacerlo. No había lugar suficiente en los coches de segunda que los recién llegados habían tomado, y por eso se distribuyeron entre los de primera y los de segunda.

"El tren iba lleno de familias con niños, de mujeres que viajaban solas, de comerciantes y agentes, de trabajadores del campo o de empleados humildes. En los coches de primera, la gente bien iba leyendo, conversando, jugando a los naipes o tratando de dormir. Junto a un coche de primera y en la parte posterior extrema iban dos carros *pullman* llenos de turistas, empleados de alta categoría y comerciantes ricos.

"En uno de los coches de segunda, colocado a seguida del *express*, venía la escolta sentada en los primeros bancos. Estaba formada por soldados federales, un teniente, un sargento y tres cabos. El teniente había ido a cenar al coche comedor, dejando la escolta a cargo del sargento. Algunos de los soldados llevaban los rifles entre las piernas, otros los habían colocado en el banco detrás de sus espaldas y otros los habían dejado en las perchas.

"Algunos de los soldados dormitaban, otros jugaban para matar el tiempo y otros más leían revistas. Varios llevaban su primer libro de lectura sobre las rodillas y estudiaban las materias elementales que contenía, ayudados por aquellos que cursaban ya el segundo grado.

"Un agente de publicaciones recorría los pasillos ofreciendo cerveza, limonadas, dulces, chicles, cigarros, revistas, periódicos y libros.

"La mayor parte de los pasajeros hacían preparativos para dormir unas cuantas horas. El interior de los coches, particularmente los mal iluminados de segunda, presentaba un cuadro lleno de colorido. Se veían agrupados blancos, mestizos, indios, hombres, mujeres, niños; sucios y limpios; y mujeres y niñas vestidas con los pintorescos trajes regionales.

"El tren había tomado velocidad, a fin de llegar a la próxima estación, que se hallaba a unos treinta y dos minutos.

"Mientras se acomodaban, los mestizos tuvieron buen cuidado de que toda entrada quedara tomada por alguno de ellos. Esto no causó sospechas, ya que las puertas eran prácticamente el único sitio del que era posible disponer, pues los pasillos estaban tan llenos que hasta los conductores tenían dificultad para pasar a inspeccionar los boletos.

"El tren corría a toda velocidad. Repentinamente y sin atender a la más ligera señal, los mestizos abrieron sus sarapes, sacaron de entre ellos rifles y escopetas y empezaron a hacer fuego contra el apretado pasaje sin respetar hombres, mujeres ni niños, no perdonando ni a los de pecho.

"Los soldados habían sido arrinconados con tanta habilidad que ni siquiera tenían tiempo de tomar sus armas, pues al intentarlo caían fatalmente heridos. En menos de quince segundos no quedaba ni uno solo capaz de pelear. Aquellos a quienes quedaba algún aliento para moverse o quejarse, recibían el tiro de gracia, eran acuchillados o bien les hundían el cráneo.

"Algunos de los empleados del tren se hallaban muertos y otros tan mal heridos que apenas podían arrastrarse por el suelo.

"Durante unos segundos, el pasaje quedó paralizado en sus asientos, con los ojos desmesuradamente abiertos, mirando a los asesinos y escuchando los tiros, como si lo que presenciaban no fuera real, sino una pesadilla de la que despertarían en cualquier momento para encontrar todo en perfecto orden.

"Aquella extraña sensación que los imposibilitaba para moverse y gritar, reunida a un silencio espantable ante la catastrófica irrupción en momentos de calma, duró sólo unos segundos.

"Después se escuchó un grito que parecía surgir al unísono de los labios de todos los presentes. Era el grito con que se suele despertar de una pesadilla horrible. Los hombres gritaron y juraron, tratando de resistir a los asesinos o de escapar por las ventanillas. Pero quienquiera que lograba abrir una o intentaba salir por ella, recibía un tiro en la espalda o era golpeado sin piedad hasta que caía muerto. Muchos trataban de proteger con su cuerpo a sus mujeres y a sus niños. Otros intentaban arrastrarse hasta debajo de algún asiento o esconderse en algún rincón tras los equipajes. Las mujeres parecían histéricas moviéndose en todas direcciones como ciegas. Algunas corrían hasta encontrarse con el cañón de una escopeta, se lo colocaban en el pecho y pedían a gritos que las mataran. Los asesinos las complacían. Algunas, arrodilladas, imploraban a la Santísima Virgen, otras besaban sus escapularios, otras se mesaban los cabellos y se arañaban la cara. Las que llevaban niños los levantaban en brazos pidiendo piedad a los bandidos en nombre de todos los santos y ofreciéndoles sus propias vidas por la eterna gracia de Nuestra Señora de Guadalupe.

"No sólo las mujeres, también los hombres lloraban como niños, sin implorar piedad, sin siquiera intentar esconderse; parecían haber perdido todo sentido. Muchos de ellos hacían débiles esfuerzos para pelear, con la esperanza de acabar pronto con aquello. Tenían los nervios deshechos.

"Al grito de ¡Viva Cristo Rey!, los bandoleros habían iniciado la espantosa matanza, y con ese mismo grito pusieron fin a ella.

"Aquellos que aun quedaban con vida, no esperaban conservarla. La mayoría de ellos habían amontonado ante los bandidos cuanto poseían, relojes, cadenas y dinero. Temerosos de que les cortaran los dedos y las orejas para conseguir pronto el botín, se habían despojado de todas sus joyas para ofrecérselas.

"Habiendo acabado con el pasaje de los dos coches de segunda, los asaltantes pasaron al de primera, en el que se habían apostado algunos hombres para evitar que los pasajeros escaparan o acudieran en ayuda de los que ocupaban los otros carros.

"En el momento en que entraban para repetir lo que habían hecho en los carros de segunda, el teniente regresaba del coche comedor. Había oído tiros y se apresuraba a ver lo que ocurría. En el preciso instante en que entraba, recibió seis descargas que lo dejaron tendido.

"Los asesinos, al ver muerto al teniente, volvieron a gritar triunfantes ¡Viva Cristo Rey! y emprendieron el asalto.

"Por no se sabe qué razones sólo mataron a aquellos que les opusieron resistencia, hiriendo a golpes a aquellos que no les entregaban lo que poseían con la rapidez deseada.

"Tomando en consideración que en aquel coche viajaba gente acomodada, el botín logrado era de mucho más valor que el del asalto al carro de segunda, y tal vez ello influyó en la piedad de los asesinos.

"Un grupo se dirigió al carro *pullman*. El teniente había cerrado la puerta tras de sí al dejar el carro, y éste sólo podía abrirse por dentro. Los bandidos rompieron los tableros de la puerta para abrirla y entraron al dormitorio.

"Los primeros robados fueron los pasajeros que se hallaban en el comedor, luego los que estaban en las camas y de los cuales algunos se hallaban aún sentados, en tanto que otros se habían tendido ya.

"Ninguno de ellos fué herido, pero se les despojó de cuanto poseían. Algunas maletas fueron revisadas y luego dejadas por no encontrar en ellas nada de valor.

"Tal vez el hecho de que el tren se aproximaba rápidamente a la estación impidió que los bandidos consumaran su hazaña por completo.

"Alguno de ellos tiró del llamador. El maquinista, al escuchar la señal, sospechó que algo ocurría. Había visto a los mestizos tomar el tren y tuvo la intuición de que ellos tenían que ver con los balazos cuyo sonido le había llegado débilmente. Así, pues, puso la máquina a todo vapor y el tren emprendió una carrera loca. Mientras más pronto llegara a la próxima estación, mejor sería. Por instinto sabía que la llamada la hacían los bandidos y comprendió que lo peor que podía hacer era parar la máquina, dándoles oportunidad de huir con el botín. Ninguna vida podría salvarse parando el tren; es más, entonces algunos pasajeros tratarían de huir y serían asesinados.

"Los bandidos regresaron al carro de segunda, donde los pasajeros se encontraban aún lo bastante confundidos y asustados para poder gritar y fueron invadidos nuevamente por el pánico al verlos regresar, pues creyeron que lo hacían para matar a quien aun se hallaba con vida. Tan aterrorizados estaban que ni siquiera pudieron implorar piedad. Se encararon a su suerte con la convicción de que aquel era su destino y de que no valía luchar. Algunos rezaban en voz baja en tanto que otros solamente movían los labios. Otros más ni siquiera de aquello eran capaces y sólo podían mirar a los bandidos con ojos fijos y asombrados.

"Los asesinos no se ocuparon de los pasajeros. Pasaron corriendo a través del carro, pisoteando los cuerpos o dándoles puntapiés para hacerlos a un lado.

"Al entrar al *express* y al carro de equipajes, mataron a los empleados que manipulaban el correo y las mercancías que debían quedar en la estación próxima. Desde allí, seis hombres se arrastraron por el furgón hasta alcanzar la máquina. El fogonero saltó del tren y al saltar fué muerto.

"El maquinista, al ver a los bandidos trató de escapar también, pero fué aprisionado. Le ordenaron que parara y que desenganchara la máquina y el furgón para poder utilizarlos en su huída.

"Mientras aquello ocurría, una docena de hombres se ocupó de tirar el equipaje, correo y mercancías a la vía, en donde eran recibidos por sus compañeros.

"En el *express*, los bandidos descubrieron medio ciento de latas de gasolina y petróleo consignadas a los comerciantes de los pueblecitos situados a lo largo del camino. Al verlas concibieron una idea diabólica. Las abrieron y empaparon con su contenido los carros de segunda y al pasaje que viajaba en ellos y les prendieron fuego. En un instante los carros ardieron como en una explosión. Inmediatamente el fuego pasó a los otros carros y en unos segundos quedaron envueltos en llamas.

"Gritando, aullando, llorando, riendo como locos, actuando fuera de toda razón e instinto, los pasajeros trataron de escapar. Al mismo tiempo los bandidos habían obligado al maquinista a detenerse, a desenganchar la máquina y el furgón y a conducirlos lejos de allí.

"Un amplio círculo quedó iluminado por las llamas y entre el resplandor espantable se veía correr y danzar gritando a gentes que sólo quince minutos antes habían sido seres humanos normales, que viajaban pacíficamente de un lugar a otro. Madres sin sus hijos, hijos sin sus madres, mujeres sin marido, maridos sin sus mujeres; todos locos, muchos de ellos fatalmente quemados, muchos mortalmente heridos por bala o cuchillo, ninguno de ellos en su razón.

"Los pasajeros de los coches de primera y del *pullman,* menos afectados, hacían lo indecible para ayudar a los otros a escapar del tren en llamas. Auxiliaban a los heridos, consolaban a los moribundos y trataban de hacer entrar en razón a los enloquecidos.

"La máquina y el furgón cargado de bandidos se detuvieron repentinamente en el punto en el que por la tarde, temprano, habían dejado los caballos que se requerían para huir con su botín. Todo el equipaje quedó al cuidado de algunos hombres que debían reunírseles más tarde en su madriguera de la Sierra Madre. El último bandido que abandonó la máquina disparó sobre el maquinista y de un puntapié lo arrojó a la vía, dejándolo por muerto, y fué a reunirse con sus compañeros.

"Todo aquello había ocurrido en menos de diez minutos. La próxima estación se hallaba aún a más de diez millas y no había pueblo cercano al que acudir en demanda de ayuda. La claridad producida por los carros en llamas podía verse desde larga distancia, pero como el fuego iba consumiéndose, cualquiera que lo hubiera visto creería que alguna cabaña se había incendiado, y no prestaría atención al asunto.

"Los pocos que conservaban la razón se reunieron y comenzaron a juntar a los hombres y a las mujeres que habían saltado por las ventanillas al iniciarse el incendio, cuando el tren se encontraba aún en movimiento, quienes habían quedado tirados a lo largo de la vía.

"El maquinista, que yacía también en el camino y que había quedado por muerto, volvió en sí al cabo de un rato. Con la poca fuerza que le restaba se arrastró por la vía, y logró alcanzar la máquina y hacerla llegar hasta la estación.

"El jefe de estación, al ver entrar una máquina sola y reconocerla como la del tren esperado, se apresuró a mirar lo que ocurría y encontró al maquinista sin sentido en la cabina. Agonizante fué llevado a la estación, donde con el último aliento relató lo ocurrido.

"Con la ayuda de los empleados, de los pasajeros y de las gentes que estaban en la estación esperando la llegada del tren, un carro de carga fué convertido en coche de emergencia y conducido al lugar del desastre.

"Los empleados del ferrocarril, sabiendo con quienes tenían que habérselas, ordenaron que la máquina del tren de pasajeros llevada a la estación por aquel valiente maquinista precediera al tren de emergencia con el objeto de asegurarse de que la vía no estaba dañada.

"Cuando la máquina, que se aproximaba al lugar del desastre, se encontraba aún a media milla de distancia, algunos de los bandidos en acecho y otros de los que huían con el botín, hicieron fuego contra ella e hirieron a uno de los fogoneros en una pierna y a otro en el cráneo, pero, no obstante, la máquina pudo llegar al sitio del desastre.

"También el carro de emergencia fué tiroteado, pero la tripulación, que llevaba armas, contestó el ataque, y los bandidos creyeron que en él iban soldados; así pues, soltaron lo más voluminoso de su botín y huyeron con lo que podían cargar en su huída. El botín más importante se encontraba en un lugar más allá del desastre, hasta donde el tren no podía llegar porque la vía estaba bloqueada por los carros quemados.

"Todos los heridos y muertos que pudieron encontrarse fueron llevados al tren de emergencia, así como aquellos que no estaban heridos y los equipajes que se encontraban por allí. El tren regresó a la estación, en la que se hallaba congregado todo el pueblo. Se habían recibido media docena de mensajes oficiales avisando que por la mañana llegaría un carro hospital. El jefe de las operaciones militares y el gobernador ordenaron que salieran tropas de caballería en trenes especiales a la inmediata persecución de los bandidos. La policía montada de todos los distritos circunvecinos había recibido órdenes de salir a la caza de los asesinos y de aprehenderlos por cualquier medio posible.

"La tragedia no había terminado. Veinticuatro horas más tarde, cuando el carro hospital llegó a la estación central, en donde cientos de personas esperaban, más de veinte hombres y mujeres enloquecieron al ver entre los muertos a algún ser amado. Hubo tres personas que se suicidaron en la creencia de que sus parientes habían sido asesinados. Estaban tan excitados que cuando vieron que la persona que esperaban no se hallaba entre las primeras que descendieron del tren, tuvieron la certeza de que había muerto y se quitaron la vida de un tiro o se echaron bajo las ruedas de un tren. A aquel estado de excitación había contribuído la prensa metropolitana, que encontraba en la noticia un buen medio para alcanzar la máxima demanda, habiendo convertido en histérica a la población con las noticias que propalaba, al grado de que no se encontraba individuo alguno en completa posesión de sus facultades y que pudiera juzgar la cosa objetivamente. Todos aquellos a quienes les era posible leer un periódico, se identificaban con las víctimas.

"Generalmente, los seres humanos soportan con mayor facilidad la muerte de muchos cientos de personas ocasionada por un descarrilamiento, el hundimiento de un vapor o un terremoto que los asesinatos en masa. Los hombres lamentan la pérdida de miles de vidas en un naufragio y hacen todo lo que está a su alcance para socorrer a las víctimas y para evitar casos similares, pero claman venganza, encolerizados como salvajes, si veinte personas son asesinadas para despojarlas de sus bienes.

"El gobierno consideró deber imperativo lograr la aprehensión de aquellos bandidos que a la vista del mundo civilizado habían pisoteado el nombre y el honor de una nación culta.

"En algunos países en los que el bandidaje toma grandes proporciones no es posible determinar quienes se benefician con los actos de pillaje. Los bandidos pueden aprovecharse del botín, pero generalmente no se enteran de por quién pelean. Suele ocurrir que algún político encumbrado, algún general en persecución de la presidencia o algún jefe de una secretaría destituído por ineptitud, se vale de esos bandidos a quienes llama rebeldes para destruir la reputación del gobierno ante la opinión de su país y la de otras naciones. Muchos de los actos de bandidaje ocurridos en este país obedecen a esa causa. Como generalmente esos bandidos no son juzgados en forma legal, algunos llegan a ser aprehendidos y se dice que se les ejecuta, pero ocurre que más tarde se les encuentra ocultándose como miembros del ejército. La persecución de los bandidos no puede llevarse a cabo por el público en general, ya que lo que se publica en los periódicos acerca de ellos, así como puede ser cierto también puede ser una falsedad, y al cabo de tres o cuatro semanas no se vuelve a oír hablar de los bandidos; otros asuntos ocupan la atención pública.

"En este caso, los foragidos pusieron de manifiesto que peleaban por Jesús, su rey, a favor de la libertad de la Iglesia Católica Apostólica y Romana. De hecho, ellos tenían una idea muy vaga sobre la personalidad de Cristo y hubiera sido muy fácil hacerles creer que César, Bonaparte, Colón, Cortés y Jesús eran idénticos.

"La Iglesia Católica Apostólica y Romana, durante sus cuatrocientos años de dominación en la América Latina, la que durante trescientos cincuenta fuera absoluta, se ha interesado de preferencia en la adquisición de bienes materiales para llenar los cofres de Roma, sin importarle la educación de sus súbditos dentro del verdadero espíritu cristiano. Pero los gobiernos de los modernos países civilizados tienen una opinión respecto a la educación pública que difiere de la que tiene la Iglesia, y esos gobiernos difieren también acerca de quién entre ella y el Estado está llamado a gobernar.

"No podrá encontrarse prueba mejor de lo que la Iglesia Católica ha hecho en estos países que el hecho de que los bandidos, en nombre de Cristo Rey, asesinen y roben sin piedad a hombres, mujeres y niños a quienes saben miembros de su misma Iglesia, en la creencia de que tales hechos la ayudan y que con ellos complacen a la Virgen Santísima y al Papa.

"Entre la banda de foragidos, los pasajeros pudieron reconocer a dos curas católicos. Más tarde, cuando fueron aprehendidos, confesaron haber sido líderes no sólo de aquel asalto al tren, sino de medio ciento de atracos por los caminos y los ranchos, y que consideraban sus actos similares a los de Hidalgo y Morelos cuando luchaban por la independencia del país. Aquéllos habían tenido que pagar con la vida el fracaso de su empresa porque peleaban en circunstancias absolutamente diferentes a las del gran Wáshington, y esos hombres que luchaban por su patria fueron condenados no sólo por la corona de España, sino por la Santa Inquisición, aun cuando peleaban bajo la bandera de la Virgen de Guadalupe. Algunos años después, cuando la Iglesia Romana tuvo interés en la separación de Hispanoamérica de España, porque este país había empezado a sacudirse el yugo de la Iglesia Romana, la independencia fué ganada con ayuda de la propia Iglesia que antes había cooperado a la ejecución de patriotas que deseaban lo mismo que entonces la Iglesia pretendía, y en la catedral de la capital habían sido quemados los cuerpos decapitados de los sacerdotes rebeldes.

"A excepción de los dos curas, el gobierno ignoraba al mando de quién operaban aquellas hordas de bandidos que atacaban al grito de ¡Viva Cristo Rey! A fin de encontrar al verdadero jefe o para mostrar a los turistas americanos que el país gozaba de seguridad y que los culpables del incidente serían castigados severa y rápidamente, el gobierno cambió algunos jefes militares en quienes había perdido la confianza, y emprendió, usando de todo su poder, la persecución de los malhechores.

"Para perseguir a los bandidos por la Sierra Madre de nada hubiera servido tomar huellas digitales en las paredes de los coches del ferrocarril con objeto de compararlas en los archivos de la Inspección de Policía. La cuestión era cogerlos y una vez que los tuvieran detenidos, matarlos. Ya después se confrontarían las huellas digitales.

"En algunos países latinoamericanos, incluyendo a México, los bandidos, los atracadores, los salteadores de caminos, nunca son conducidos a los tribunales ni tienen oportunidad de hablar con algún abogado, ni se les admite fianza. A ello se debe que no haya bandoleros ni salteadores a quienes juzgar, pues generalmente se conforman con un asalto o dos, a lo más con tres cuando son muy afortunados, y después se retiran.

"Esa clase de bandidos, indios maleados y mestizos en su mayor parte, son generalmente rancheros, o más bien campesinos. Conocen a muchas millas a la redonda de los sitios que habitan todos los senderos de las montañas, todos los agujeros en los que un hombre puede esconderse, todas las grietas de las rocas en las que es posible agazaparse, y en ellas son capaces de permanecer hasta tres días por temor de que otros conozcan su guarida.

"El ochenta por ciento de los soldados son indígenas elegidos entre las tribus para las que la guerra ha constituído la ocupación principal desde que este continente se elevó sobre los océanos; así pues, ningún escondite sirve para escapar de ellos; el resto de los soldados son mestizos sabedores de toda clase de triquiñuelas de las que pueden hacer uso con mayor astucia que los mismos bandidos, ya que gozan de las ventajas que todo cazador tiene sobre la pieza que trata de cobrar. Los oficiales encargados de la cacería sabían por larga experiencia y por especial entrenamiento cómo hacer uso de sus hombres en la forma más ventajosa.

"Algunos soldados de caballería, conducidos por un capitán, llegaron a un pueblo. El capitán había seguido las huellas de ciertos caballos que conducían a aquel lugar o a sus alrededores. Por varias razones pensaba que muchos de los bandidos habitaban en el pueblo o por lo menos que tenían en él parientes o amigos.

"El tren había sido asaltado por cerca de doscientos hombres, aunque los robos y los asesinatos los habían cometido sólo veinte o veinticinco; el resto había permanecido a lo largo del camino, preparados para el ataque en caso de que el tren se detuviera antes de que acabaran con la escolta. En caso contrario sólo tenían que recoger el botín que los ladrones fueran tirando. Una vez consumado el asalto, la banda se dividió en pequeños grupos, la mayoría de ellos regresaron a su pueblo, en donde poseían una parcela, tenían a sus familias y vivían como campesinos pacíficos. Muchos ni siquiera comunicaron a su madre o a su mujer lo que habían estado haciendo en su ausencia, durante la cual, aparentemente, habían estado en el mercado. De regreso escondían sus escopetas o no, ya que después de la revolución, los campesinos tienen licencia para portar armas y poder combatir a los hacendados, antiguos señores feudales, quienes, debido a ella, han perdido la mayor parte de sus grandes dominios, que han sido divididos en parcelas para los campesinos; así que la sola posesión de armas de fuego no era prueba de que sus poseedores fueran bandidos.

"El oficial puso en juego ciertas artimañas que sabía le darían resultado con los asesinos, pues como eran gentes ignorantes, supersticiosas y dotadas de poca inteligencia, caerían inevitablemente. No razonan con rapidez suficiente para contestar a un interrogatorio que dure algún tiempo, se acobardan y confiesan.

"Los soldados penetraron en Chalchilmitesa, un pueblo alejado de la carretera y habitado por campesinos, mestizos e indígenas.

"En la sombra, ante una cabaña de palma, dos mestizos se encontraban sentados en cuclillas fumando cigarrillos de hoja. Vieron a los soldados con poco interés y sin moverse o pretender esconderse.

"Los soldados pasaron, pero treinta metros más allá de la cabaña, el oficial dió orden de hacer alto. Uno de los mestizos se levantó y trató de ir detrás de la cabaña. Su compañero le indicó con un movimiento de cabeza que permaneciera donde estaba, y aquél volvió a sentarse.

"Un sargento sabía algo acerca de las actividades de aquellos dos hombres y dijo algunas palabras al oído de su capitán, quien se dirigió a la cabaña opuesta a aquella en la que se encontraban los dos mestizos. Desmontó y pidió un poco de agua. Tomó el jarro que le ofrecieron, bebió y preguntó si había llovido mucho por allí en los últimos días.

"Meditó un rato sobre algo al parecer sin importancia y caminó hacia donde se encontraban los mestizos.

"—¿Viven ustedes en este pueblo?

"—No, teniente.

"—¿De dónde son?

"—Tenemos nuestra casa y nuestra parcela en Mezquital, jefe.

"—¿Vinieron a visitar a alguien, a su compadre?

"—Sí, coronel.

"El capitán pidió a un soldado que le llevara su caballo y trató de montar. El caballo se movía y el oficial aparentaba tener dificultad para meter el pie en el estribo. El caballo casi pateó a los mestizos. Uno de ellos se levantó y se aproximó para ayudar al oficial a montar.

"El capitán tocó al hombre y se paró con firmeza como esperando a que el caballo se aquietara.

"—¿Qué tienes en los bolsillos? —preguntó el oficial en forma inesperada.

"El mestizo se miró los pantalones y fijó la vista en sus bolsillos, que parecían repletos y pesados. Se volvió como si deseara regresar al jacal, pero se dió cuenta de que los soldados se aproximaban sin recibir orden de hacerlo, o por lo menos eso le pareció. Trató de serenarse enrollando otro cigarrillo y preguntando a su compañero si deseaba uno.

"El capitán seguía de pie no interesándose al parecer por nada de aquello. Justamente cuando el mestizo encendía su cigarro, el capitán lo cogió por el cuello de la camisa con la mano derecha en tanto que le metía la izquierda en el bolsillo del pantalón.

"El otro mestizo se puso en pie y se encogió de hombros como queriendo significar que aquello no le importaba. Pero cuando trató de dirigirse a la parte posterior del jacal, encontró a tres soldados que le interceptaban el paso. Sonrió y no trató de hacer otro movimiento.

"El capitán examinó lo que había sacado del bolsillo del mestizo. Era un portamonedas de cuero fino.

"El capitán rió y los dos mestizos lo imitaron como si todo aquella fuera sólo una broma.

"Vació la bolsa y encontró algunas monedas de oro, otras de plata y morralla, que hacían un total de cuarenta pesos y algunos centavos.

"—¿Es tuyo? —preguntó el capitán.

"—Claro que es mío, jefe.

"—¿Y teniendo tanto dinero llevas la camisa tan rota?

"—Justamente pensaba ir mañana al pueblo y comprarme una nueva, coronel.

"—¿Tienes frecuentemente hemorragias nasales?

"El hombre se miró la camisa y contestó:

"—Sí, jefe.

"—Eso creo —dijo el capitán mirando las otras cosas que había en el bolsillo. Un boleto de ferrocarril a Torreón, de primera.

"Esa clase de mestizos nunca viajan en primera clase. El boleto tenía fecha del día en que el tren fuera asaltado.

"El otro mestizo fué registrado rápidamente. Tenía poco dinero pero llevaba en el bolsillo del reloj un anillo con un diamante y dos aretes de perlas.

"—¿En dónde están sus caballos?

"—En el corral, detrás del jacal —contestaron.

"El capitán envió a dos de sus hombres a que les examinaran las pezuñas a los caballos.

"Cuando regresaron dijeron:

"—Las pezuñas concuerdan, mi capitán.

"Los caballos eran unas pobres bestias con monturas viejas y rotas.

"—¿En donde están las armas?

"Uno de los mestizos contestó:

"—En el corral, con los caballos.

"El capitán fué al corral, escarbó un poco la tierra con los pies y encontró un revólver oxidado, una pistola de modelo antiguo y una escopeta vieja.

"Regresó a donde los mestizos se encontraban rodeados por los soldados. Al mirar sus armas sonrieron y se encogieron de hombros. Sabían que estaban perdidos. Pero ¿qué importaba? San Dimas, su patrón, no quería protegerlos; así, pues ¿para qué luchar en contra de su destino?

"—¿No hay más armas?

"—No, jefe —dijeron, y como si su suerte les importara muy poco, siguieron fumando y mirando los preparativos de los soldados como quien presencia un espectáculo de variedades.

"Sólo una docena de pueblerinos se había reunido en rededor de los soldados, y con ellos, por supuesto, un buen número de chamacos, algunos de los cuales ayudaban a los soldados a cuidar sus caballos. La mayoría de los pueblerinos permanecían en sus jacales, desde donde veían lo que ocurría. Sabían por experiencia que no es conveniente dejarse ver cuando hay soldados y policías por los alrededores. Ninguno de ellos tenía la conciencia enteramente limpia, o al menos así lo creían. Había cientos de órdenes dadas por el gobierno o por otras autoridades, las que podían haber contravenido sin darse cuenta de ello. Así que era mejor no dejarse ver por los soldados. Una vez vistos podían resultar acusados de algo.

"—¿Cómo se llaman? —preguntó el capitán a los mestizos.

"Dieron sus nombres y el capitán los anotó en su libreta.

"—¿En dónde está el cementerio? —preguntó a uno de los muchachos que los rodeaban.

"Los soldados condujeron a los dos hombres al cementerio, guiados por el muchacho y seguidos por cerca de veinte personas mayores y casi todos los chamacos del pueblo. Cuando marchaban, el capitán pidió a dos de los chicos que consiguieran del sepulturero dos palas.

"Llegados al cementerio, entregaron las palas a los dos hombres y los condujeron a un sitio en el que no había tumbas. Ellos no necesitaban que se les dieran más órdenes. Cavaron un hoyo profundo y se tendieron en él para ver si podían colocarse cómodamente durante el ciento de años que habrían de pasar allí. Las probaron tres o cuatro veces hasta que quedaron satisfechos. Entonces tiraron las palas en señal de que habían terminado.

"Hubo una pausa, debían descansar un poco después de tanto cavar bajo el sol ardiente. Se sentaron a la sombra de un árbol grande y empezaron a enrollar sus cigarrillos. Al verlos, el capitán sacó su cajetilla y les ofreció unos. Ellos los miraron y dijeron:

"—Gracias, coronel, pero no somos fumadores afeminados; preferimos de los que fuman los machos.

"—Como quieran —contestó el oficial, y encendió un cigarro para sí.

"Los prisioneros empezaron a conversar con algunos de los soldados y encontraron que tenían amistades en común o que conocían los pueblos en los que aquéllos habían nacido.

"Después de fumar tres cigarrillos, los prisioneros miraron interrogantes al capitán y éste preguntó:

"—¿Listos, muchachos?

"Ambos contestaron, sonriendo:

"—Sí, coronel.

"Sin que se lo ordenaran, se pararon junto a las fosas, teniendo cuidado de hacerlo en la que cada uno había cavado y probado.

"El sargento ordenó que seis soldados se colocaran frente a los prisioneros. Cuando éstos vieron todo listo, murmuraron algunas palabras dirigidas a la Virgen y a los Santos, se persignaron varias veces y miraron al capitán.

"—Listo, mi coronel.

"Treinta segundos más tarde se encontraban cubiertos con la tierra de las fosas que habían cavado un cuarto de hora antes.

"El capitán y los soldados se persignaron, saludaron, volvieron a persignarse, abandonaron el cementerio, montaron a caballo y salieron del pueblo en busca de más bandidos.

"Este juicio por asesinato, incluída la ejecución, cuesta al pueblo pagador de contribuciones tres pesos cincuenta centavos que importan los cartuchos. El resultado final es más efectivo que en países en donde el costo medio de un juicio por asesinato llega a cerca de un cuarto de millón de dólares.

"La captura de los bandidos no siempre resulta tan fácil. Otro destacamento de caballería andaba tras la pista de foragidos. Al llegar a la cúspide de una colina, el oficial descubrió a diez hombres que cabalgaban tres millas delante de ellos. Cuando aquellos hombres se percataron de la presencia de los soldados, pusieron sus caballos al trote y pronto desaparecieron entre los montes. El oficial y sus hombres siguieron las huellas, pero como la vereda era arenosa y las huellas se mezclaban con otras, perdieron la pista y tuvieron que abandonar la persecución.

"Por la tarde, los soldados se aproximaron a una hacienda en donde el oficial había decidido pasar la noche con sus hombres.

"El destacamento penetró en el patio interior y el oficial, después de saludar al hacendado, le preguntó si había visto a aquellos hombres a caballo por allí. El hacendado negó haber visto a alguien en todo el día, diciendo que no había salido de la finca.

"Por alguna razón, el oficial cambió sus planes, pero indicó al hacendado que tenía que registrar la hacienda, a lo que éste repuso que podía hacerlo. No bien se hubieron aproximado a la casa cuando recibieron una lluvia de balas que partía de todos lados. Uno de los soldados cayó muerto y tres heridos cuando trataban de ganar la puerta principal.

"A menudo las haciendas están construídas casi como fortalezas. Todo el edificio se encuentra dentro de un patio principal rodeado por una tapia de piedra coronada a trechos por pequeñas torrecillas.

"Tan pronto como el último soldado hubo salido, la entrada principal fué cerrada desde el interior. Entonces comenzó una verdadera batalla. El oficial podía haber vuelto al cuartel por más hombres y armas, pero era un verdadero soldado incapaz de huir de los bandidos; sus hombres, todavía más soldados que él por su origen indígena, no lo habrían hecho y entonces hubiera perdido toda su autoridad. Tenía que aceptar el combate y luchar hasta agotar su último cartucho.

"Desde los tiempos de la revolución, ambos bandos sabían que el combate no terminaba hasta la destrucción de alguno de ellos y que, por lo tanto, la pelea sería sin cuartel. Los bandidos sabían que nada tendrían que perder, ya que de ser aprehendidos vivos, de todos modos los matarían. Lo mismo ocurriría a los soldados si no ganaban el combate. Si deseaban vivir tenían que ganar la batalla.

"El oficial ordenó que todos los caballos fueran conducidos tras de una colina para que no los mataran, aun cuando los bandidos no desperdiciaban sus balas en los caballos porque sabían que tenían que ahorrar sus municiones y, sobre todo, porque no siendo sus armas semejantes no podían usar sus cartuchos indistintamente. Además, esperaban ganar y habrían hecho un mal cálculo matando a los caballos, que pasarían a ser de su propiedad si ganaban.

"Los soldados encontraron que no se hallaban en muy buena posición. La hacienda estaba colocada en un llano y cada soldado podía ser visto claramente desde ella.

"Primero, y como para entrar en acción, el oficial ordenó un ataque general por los cuatro costados de la hacienda. Los soldados, bien preparados en la moderna táctica guerrera, se repartieron arrastrándose por el campo, dando sólo pequeños saltos hacia adelante sin esperar a oír el silbato de su jefe.

"El oficial se aprovechó del hecho de que la hacienda tuviera dos entradas, dejó que sus soldados avanzaran haciendo sólo los disparos necesarios para tener ocupados a sus contrarios. Algunos soldados alcanzaron las paredes, pero eran demasiado altas y no hubiera sido posible escalarlas sin riesgo de perder la vida.

"Después de pelear dos horas inútilmente, el oficial hizo correr la voz para que se prepararan para el ataque final. Reunió al mayor número enfrente de la puerta principal, y valiéndose de ciertas mañas, hizo creer a los bandidos que el ataque empezaría inmediatamente, con un esfuerzo por romper la puerta. Mientras los bandidos concentraban toda su atención en aquella entrada, un pequeño grupo tomó la posterior, defendida sólo por tres hombres. Mucho menos resistente que la principal, fué abierta fácilmente por un soldado, que a manera de gato pasó a través de una grieta de la pared cercana a ella. En el momento en que los bandidos se vieron atacados por la entrada posterior, se confundieron de tal modo que con todas sus fuerzas trataron de rechazar el ataque, mientras olvidaban la puerta del frente. Habiendo previsto lo que ocurriría a aquella pandilla desorganizada y acéfala, el oficial atacó por la entrada principal, lanzó contra ellos toda su fuerza y, antes de que los bandidos tuvieran tiempo de organizarse para defenderla, los soldados invadieron el patio.

"Entonces la pelea se hizo más enconada. Combatían cuerpo a cuerpo. Ya no era posible usar los rifles, que eran reemplazados por machetes, cuchillos, piedras y puños. Finalmente se combatió en el interior del edificio, en la sala, en las recámaras, en la cocina.

"Tres horas después de que los soldados llegaran a la hacienda, la batalla había terminado a favor de éstos. Cuatro habían resultado muertos, tres gravemente heridos y diez con heridas leves. El oficial había recibido dos balazos, pero aun se hallaba en pie y al mando de sus hombres.

"Los diez bandidos habían sido reforzados por otros tres ocultos en la hacienda antes de su llegada. El hacendado había sido muerto, por lo que no fué posible interrogarle para determinar si era cómplice de los bandidos o si lo habían forzado para que los ayudara. Siete de éstos habían muerto y tres estaban heridos, así como uno de los que se les unieran. Los heridos y los dos que no lo estaban fueron llevados a un muro y fusilados sin palabras y sin perder tiempo. ¿Para qué cometer la estupidez de llevarlos a un hospital para que sanaran y volvieran a sus actividades? Ni el oficial ni los soldados enviados en persecución de los bandoleros para limpiar el país de enemigos públicos la cometerían. Eso queda para los reformadores de prisiones y para las solteronas sensibles. A los lobos, los tigres y las culebras se les suele matar siempre que son hallados cerca de las habitaciones de los hombres, porque éstos no podrían vivir en paz con semejante vecindad.

"Los peones de la hacienda habían ido a esconderse en el momento en que la batalla había comenzado. Terminada ésta, salieron de sus agujeros y fueron a ayudar a los soldados a montar. La familia del hacendado se hallaba de visita en la capital.

"En poder de los bandidos fueron encontradas joyas, gran variedad de carteras, boletos de ferrocarril, billetes, bolsas de señora y otras cosas que denunciaban sus actividades. Así, pues, no quedó duda de que el oficial había acertado nuevamente. Y nuevamente también, los había ejecutado sin ceremonias. Es decir, primero había matado a la rata y después la había examinado para ver si estaba apestada. Afortunadamente, por los alrededores no había ni reporteros ni fotógrafos que llenaran las páginas de los periódicos con cuentos e historias de bandidos heroicos y muy machos que lucharon y murieron valientemente. Del valor de los soldados y de los oficiales no hablan porque eso no interesa a su público.

"De esa manera todos los bandidos eran aprehendidos, tarde o temprano, y ejecutados en el mismo lugar en donde se les sorprendía. En el país había sus brotes esporádicos de bandidaje, pero éste nunca había llegado a ser una institución. Ni siquiera cuando, como ocasionalmente ocurría, un general o un político se valía de hordas de bandoleros para lograr alguno de sus fines."

—Es todo lo que sé de aquel asalto al tren y de la persecución de los bandidos que se llevó a cabo —concluyó Lacaud—. Parte de esto lo supe por don Genaro, quien me leyó los periódicos, y parte lo oí en el pueblo allá abajo —Lacaud permaneció en silencio por un instante, al cabo del cual agregó—: Bueno, ahora que conocéis de lo que estos hombres son capaces, decidme si me creéis espía o cómplice de semejantes asesinos; decidme.

—Nunca hemos dicho que lo seas y menos aun que tengas conexión con esos asesinos de mujeres —contestó Howard—. Bueno, muchachos, yo creo que podemos confiar en nuestro nuevo socio.

—Por mi parte, sí —dijo Dobbs, tendiendo la mano a Lacaud y diciéndole—: Apriétala, socio.

También Curtin le ofreció la suya.

Howard respiró profundamente y dijo:

—¡Por el diablo! Entonces éstos deben ser los que quedan y tras de los que el gobierno anda.

—Estoy seguro —repuso Lacaud—. El periódico decía algo acerca de una pandilla, la peor de todas, a la que aun no se ha podido aprehender, y cuyo jefe anda tocado con un sombrero de palma pintado de oro brillante.

—Si es como dices, Lack, el asunto no es para reírse —dijo Curtin, trepando a la roca y mirando hacia el valle. Al cabo de un rato gritó—: Ya no veo a esos demonios. Deben haber tomado otro camino.

—No creas —contestó Howard—. Deben ir por el recodo y tal vez por eso no los ves, pero si los vuelves a ver, sin duda se dirigen hacia acá. Vamos todos a aquel lado de la roca. Desde allí podremos verlos cuando pasen el recodo y vuelvan al camino recto, al que deberán entrar dentro de diez minutos. Si no los vemos, tal vez hayan renunciado a venir aquí. De no ser así, bueno, tendremos que hacerles frente. No hay otro remedio.

XIII

Todos se hallaban sentados acechando el camino para ver salir a los bandidos del recodo y asegurarse de su proximidad.

—¿Cuántos dices que contaste, Curty? —preguntó Howard.

—Quince o dieciséis.

Howard se dirigió a Lacaud y le dijo:

—De acuerdo con lo que nos contaste no pueden quedar tantos por aquí.

—Ciertamente que no, pero pueden haberse reunido a algún otro grupo aún libre.

—Así parece —dijo Howard—. Bueno, la cosa no es halagüeña; sin duda los campesinos del pueblo, para quitárselos de encima, deben haberles dicho que acá arriba vive un cazador que tiene armas y muchas municiones y seguramente eso es lo que buscan, porque deben necesitarlo con urgencia. Más vale que vayamos pensando en cómo defendernos.

Howard dirigió los preparativos, mientras que Curtin, poseedor de la mejor vista, se quedó apostado en la roca para vigilar a los bandidos.

Los burros fueron traídos de la pradera y metidos entre la espesura de una barranca próxima, en donde se les amarró para evitar que escaparan.

Justamente en la base de la roca desnuda que formaba una especie de pared, se encontraba una grieta angosta y no muy profunda que parecía haber sido formada por las lluvias. Aquella grieta era una trinchera natural. Howard se apresuró a elegirla como base de sus operaciones. Aquella trinchera difícilmente podía ser atacada por detrás, porque la roca era muy alta y no plana, sino redonda, y nadie desde la cumbre podía hacer blanco sobre la trinchera. Sólo con la ayuda de largos cables hubiera alguien podido descender desde la cúspide hasta ella, y durante el combate nunca habría llegado vivo a tierra.

Tampoco era fácil llegar por los flancos, porque las rocas lo impedían. Por un lado, había necesidad de trepar por ellas casi desde el valle, y la pendiente era tal que sólo podría haber sido escalada por alpinistas experimentados y perfectamente equipados. El lado opuesto estaba amurallado en parte por las rocas y era el único paso que habría podido ser perfectamente defendido por un solo hombre.

A los bandidos no les quedaba otra alternativa, si deseaban atacar la trinchera, que atravesar todo el campo abierto, mientras que los defensores de ella sólo tenían que esforzarse por acabar con cuanto bandido les saliera a la vista.

Llenaron de agua las vasijas y las transportaron, junto con la tienda y todas sus provisiones, a la trinchera.

—Debemos alejarlos de la mina —dijo Howard.

—¿De la mina? —preguntó Lacaud muy sorprendido—. Todavía no veo ninguna.

—Ahora ya lo sabes, borrico —dijo Dobbs—. Se descubrió el pastel. ¿Pues qué? ¿Creías que estábamos aquí para contarnos cuentos y cazar ardillas?

—Podemos despistarlos mejor reteniéndolos aquí —explicó Howard—. Bueno, hagámosles creer que este es nuestro único campamento. Además, no tendrán que pasar por la mina si tratan de arrinconarnos por un costado. La mina no queda por el camino que habrán de cruzar, aun cuando escojan diversas posiciones para hacernos salir de este agujero.

—Y nada podrían hacer con ella aun cuando la encontraran —dijo Dobbs mientras sacaba las municiones de un saco.

—No —agregó Howard— tienes razón, nada podrían hacer con ella, es decir nada podrían robar, pero, y ahí estaría lo malo, podrían destruirlo todo. Aunque, pensándolo bien, así nos ahorrarían el trabajo de destruirlo cuando nos vayamos.

—Y que les parecería una retirada —sugirió Lacaud—. Creo que sería más estratégico que nos escondiéramos y los dejáramos marcharse poniendo mala cara.

—Ya había pensado en eso —dijo Howard—, pero en primer lugar no hay más que un camino y de atacarnos no encontraríamos sitio mejor que éste para defendernos. Desde luego que podemos escondernos por aquí, podríamos intentar hasta pasar las rocas, pero correríamos el peligro de rompernos el pescuezo y, lo que es peor, no podríamos llevar nada con nosotros; perderíamos los burros y todo nuestro equipo, que tendríamos que esconder o quemar. ¿Y crees que nos dejarían en paz? Nos seguirían por cualquier vereda y no podríamos despistarlos, porque conocen la sierra perfectamente. En eso ellos son expertos y nosotros novatos. Más vale no pensar en ello.

—Como siempre, tienes razón, viejo —admitió Dobbs, dándole golpecitos en la espalda.

En aquel momento Curtin gritó desde su balcón:

—Ahora salen del recodo y toman el camino que conduce acá.

De un salto se reunió a los demás, quienes finalizaban rápidamente los preparativos de su defensa.

—Tú conoces mejor el camino, Curty. ¿Cuánto tiempo crees que tarden en llegar aquí? —preguntó Howard.

—Como sus caballos están cansados, tardarán por lo menos dos horas; desde luego que si son perezosos querrán descansar; también pueden encontrar dificultades en el camino y entonces harán hasta cuatro horas.

—Muy bien —dijo Howard, saltando a la trinchera—. Digamos dos. Tenemos dos horas a nuestro favor, aprovechémoslas en la mejor forma. Comamos ahora para no perder tiempo cuando la fiesta empiece. Tal vez sea nuestra última comida.

Se sentaron dentro de la trinchera y encendieron el fuego.

Curtin cocinó mientras los otros arreglaban los parapetos y ponían armas y municiones a la mano.

—Si nada tenéis que oponer, tomaré el mando. ¿Os parece, amigos? —preguntó Howard.

—De acuerdo —fué la respuesta.

—Yo tomaré el parapeto central. Tú, Lacaud, el de la derecha. Tú Dobbs te colocarás en el ángulo izquierdo y tú en el derecho. Este último es importante, Curty, porque por esa grieta bien se puede pasar alguno. Así, pues, vigila con cuidado. También Lacaud puede vigilar ese flanco.

Cuando la comida estuvo lista, se sentaron, y mientras comían celebraron consejo de guerra.

Todavía se ocupaban de arreglar sus parapetos con tierra amontonada, a fin de poder cubrirse la cabeza mientras dispararan, cuando los primeros bandidos aparecieron en el claro.

Howard silbó para llamar la atención de los muchachos. Aquel silbido había sido discurrido por el viejo y resultaba bien, porque se confundía con los ruidos corrientes en aquel lugar y sólo era distinguido por quienes lo conocían.

En el angosto pasaje a través de la maleza, había tres hombres. Uno de ellos era el del sombrero dorado. Se detuvieron muy asombrados de encontrar aquel sitio desierto y no hallar trazas de seres humanos. Llamaron a los otros que llegaban al claro. Al parecer habían dejado los caballos en un plano que se encontraba cien o ciento cincuenta metros abajo, en la vereda y en que había un poco de pastura. Como la parte de camino que restaba era la más dura para hacerla con animales, habían decidido dejarlos y habían llegado al campamento antes de lo que los exploradores esperaban.

Minutos después, todos, a excepción de dos que habían quedado al cuidado de los animales, se hallaban en el campamento. Hablaron, pero a los norteamericanos no les fué posible oírlos desde la trinchera, pues los separaba un gran trecho.

Todos los bandidos llevaban pistolas al cinto, pistolas de diferentes tipos y calibres. Cuatro, llevaban escopetas, y dos, rifles. Todos vestían harapos y seguramente no se habían bañado ni rasurado desde hacía semanas, ni cortado el cabello desde hacía meses. La mayoría calzaban huaraches, unos cuantos llevaban botas, todas llenas de agujeros. Algunos vestían pantalones de cuero como los vaqueros. Todos llevaban al hombro un sarape de mala lana.

Dos de ellos se adelantaron un poco y descubrieron las señales dejadas por la tienda y los restos de fuego recientemente extinguido. Siguieron buscando y al no hallar nada más regresaron a reunirse con los otros, que se habían sentado en el suelo, cerca del pasaje.

Desde el sitio en que se encontraban era difícil descubrir la existencia de la grieta en el lado opuesto del campamento.

Fumaban y conversaban. Los americanos, desde la trinchera, podían percatarse por los gestos que hacían los hombres de que no sabían qué hacer. Algunos empezaban a disputar por haber hecho inútilmente aquel viaje tan pesado.

Otros se levantaron y volvieron a buscar las huellas del cazador que esperaban encontrar. Cuando se reunieron al grupo parecieron decidir marcharse, y descender al valle en busca de otras aventuras.

Discutieron largamente sobre ciertos puntos. Algunos de ellos se dirigieron al centro del campamento y allí se sentaron. Necesitaban hablar en voz más alta a fin de que todos los hombres pudieran oírlos y dar su opinión. El jefe parecía tener poca autoridad y la indisciplina reinaba entre ellos. Todos diferían de opinión y pensaban que la propia era la que debía atenderse.

Uno propuso tomar aquel sitio por cuartel general desde donde intentarían sus incursiones a los pueblos del valle.

—¡Maldita sea! Eso sería lo peor que podrían hacer —dijo Dobbs a Curtin en voz baja.

—Sí, pero estate quieto para que podamos escuchar mejor.

—Estoy pensando —dijo Curtin a Lacaud— si no estaría bien que los despacháramos ahora mismo; ninguno escaparía vivo. Díselo al viejo y pregúntale qué piensa.

Howard opinó que debían esperar, porque tal vez cambiarían de planes y decidirían irse.

—Mira este grupo que está cerca de aquí —aconsejó Curtin a Lacaud en voz baja—. Son magníficos, traen colgados al cuello medallas y escapularios de los santos y de la Virgen para que los protejan del demonio. ¡Hay que ver, amigo!

—Ya te dije que los periódicos publicaron que los pasajeros se habían dado cuenta de que todos los bandidos eran devotos católicos.

—La Iglesia Católica ha hecho una gran conquista —dijo Curtin—, los metodistas no han logrado tanto. Pero mira ¿qué están tramando ahora?

Dos hombres encendieron una hoguera en el mismo sitio en donde encontraron las huellas de otra y en que aún quedaban astillas a medio quemar.

—No cabe duda que piensan quedarse aquí por lo menos esta noche —dijo Howard a Dobbs.

—Bueno; ahora sí pasará un buen rato antes de que tengamos fandango.

—Tienen bastantes municiones —dijo Lacaud señalando a algunos hombres que llevaban dos cartucheras cruzadas al pecho y bien cargadas.

Después de prender el fuego, uno de los hombres salió a explorar el terreno en busca de comestibles o de agua, de algún agujero de conejo o de alguna mata de chile verde. Cruzó el campamento en dirección de la trinchera. No reparó en la base de la roca pero miró hacia el pico, pensando en que tal vez podría encontrar algunas huellas del gringo. Quizá habría alguna cueva en la que él podía habitar. No habiendo visto nada se disponía a regresar a la hoguera, cuando miró hacia la base de la roca, en donde distinguió la cabeza de Curtin, nada más. No estando seguro de lo que veía, avanzó un paso para quedar más próximo.

—¡Ay, caramba, maldita sea! —exclamó sorprendido, y volviéndose a su pandilla agregó—: ¡Vengan todos, muchachos, acérquense a gozar del panorama, corran! Nuestro pajarito está en su nido empollando. ¡Quien iba a pensar que ese gringo tal por cual iba a escoger ese agujero por cuartel?

Todos los hombres se levantaron y se aproximaron. Cuando se encontraban a medio camino, Curtin gritó:

—¡Párense o disparo!

Los bandidos se detuvieron inmediatamente y el hombre que había descubierto a Curtin y que se hallaba sólo a cinco metros de distancia de la trinchera levantó los brazos y dijo:

—Bueno, bueno; no se enoje, ya me voy —y diciendo eso, se retiró caminando hacia atrás, sin intentar hacer uso de su escopeta.

Los bandidos se hallaban tan sorprendidos que por algunos momentos no pudieron hablar y volvieron lentamente hacia el claro que desembocaba en la espesura.

Empezaron a hablar con rapidez. Ninguno de los que se hallaban en la trinchera podía escuchar lo que hablaban.

Algunos momentos después, el jefe del sombrero dorado se encaminó hasta la mitad del campamento. Puso los dedos pulgares sobre el cinturón indicando con ello que no tiraría en tanto que el otro no lo hiciera.

—Oiga, señor; nosotros no somos bandidos, usted se equivoca, somos de la policía montada en busca de bandidos; ya sabrá usted que asaltaron el tren.

—Muy bien —contestó Curtin—; si ustedes son de la policía ¿dónde están sus placas? Déjenmelas ver.

—¿Placas? ¡Al diablo con las placas! Nosotros no tenemos, ni necesitamos, placas. No necesitamos mostrarle ninguna placa apestosa a ningún cabrón. ¡Salga de ese agujero, que necesito hablarle!

—Yo nada tengo que decirles y si ustedes quieren decir algo lo pueden hacer desde ahí, y más vale que no se acerquen si quieren seguir viviendo.

—Lo arrestaremos por orden del gobernador, lo arrestaremos por cazar sin licencia. Tenemos órdenes de confiscar sus armas y sus municiones. ¿Entiende?, son órdenes superiores.

—¿En dónde están sus placas de identificación? —volvió a preguntar Curtin—. Déjenmelas ver y entonces hablaremos.

—Sea razonable; no lo arrestaremos, sólo queremos que nos entregue su escopeta y sus cartuchos. Con la pistola puede quedarse, para que vea que no somos tan malos.

Avanzó dos pasos más hacia la trinchera. Cuatro o cinco lo siguieron.

—Otro paso —gritó Curtin— y disparo.

—No sea malo, hombre. ¡Si no queremos hacerle daño, ningún daño! ¿Por qué no es usted un poco más cortés? ¿O, por lo menos, más sociable? En verdad, denos su escopeta y lo dejaremos en paz; seguro que lo haremos.

—Necesito mi escopeta para mí y no la entregaré.

—Tira ese fierro viejo, nosotros lo recogeremos y nos marcharemos.

—Nada de eso. Más vale que se marchen sin mi escopeta y pronto. Podría ponerme de mal humor al escuchar sus sandeces —dijo Curtin agitando el arma sobre la trinchera.

El hombre volvió a retirarse y nuevamente entró en consejo con sus compañeros. Era preciso admitir que Curtin tenía la mejor posición. Hubieran tenido que sacrificar por lo menos a tres de ellos si hubieran tratado de forzarlo atacándolo, y ninguno deseaba ser la víctima. El precio de la escopeta resultaba muy alto.

Los bandidos se sentaron en rededor del fuego y cocinaron su escasa comida, consistente en tortillas, frijoles negros, chile verde, carne seca y té limón.

Estaban enteramente convencidos de que pronto tendrían en su poder la escopeta del gringo, era cuestión de unas cuantas horas. Él no tenía escape. Necesitaba dormir.

No hablaron mucho mientras comían. Más tarde, después de dormir la siesta, empezaron a discurrir sobre la manera de divertirse y pensaron en el gringo, en la forma de conseguirlo vivo para después hacerlo objeto de su diversión. Pensaban en ponerle pequeñas astillas ardientes en la boca para ver las muecas que haría. Después de eso había todavía muchos métodos más refinados para divertirse durante veinticuatro horas. Generalmente esta diversión no gustaba a la víctima y podía morir demasiado pronto, por ello había que tomar toda clase de precauciones para que durara lo más posible.

Esos hombres saben bien cuándo y cómo hay que obrar. Desde la niñez reciben un buen entrenamiento en la iglesia. Sus iglesias están llenas de pinturas y esculturas que representan todas las torturas que los hombres blancos, cristianos, inquisidores y obispos pudieron discurrir.

Son esos los cuadros y esculturas apropiadas para las capillas en un país en el cual la Iglesia más poderosa de la tierra tuvo esclavizados a los hombres durante siglos, con el propósito de aumentar el esplendor y las riquezas de sus dirigentes. ¿Qué valor tiene el alma humana para esa importante rama de la gran Iglesia? Ningún fiel, en los países civilizados, se ha preocupado por determinar el origen de su grandeza o los medios de que se ha valido para enriquecerse. Así, pues, no hay que culpar a los bandidos. Ellos pensaban y obraban en la forma en que los habían enseñado. En vez de enseñarles la belleza de la religión, sólo se han preocupado de mostrarles la parte más cruel, sanguinaria y repulsiva de ella. Estos horrendos aspectos eran presentados como lo más importante, para hacer que se le temiera y respetara no a través de la fe y del amor, sino a través del terror más profundo y de las más abominables supersticiones. Por eso aquellos bandidos llevaban pendiente del pecho un escapulario de la Virgen o de San José y por ello también acostumbraban arrodillarse ante San Dimas durante media hora antes y después de cometer un robo, un asalto o un asesinato en masa, rogándole les ayudara a cometer su crimen y los protegiera de las autoridades.

Por el momento los bandidos no tenían de qué ocuparse y planearon coger al gringo y divertirse con él.

Curtin y los otros socios habían entendido lo que los bandidos discutían, y sabían que pronto los atacarían; de ello no cabía duda.

Un hombre se levantó y escondió la pistola dentro de su saco de cuero, de modo que el gringo no pudiera darse cuenta desde la trinchera de que estaba listo a disparar, pero Curtin, que sabía de las triquiñuelas de los *gangsters,* se había percatado del movimiento.

El hombre se aproximó. Todos los otros se levantaron y caminaron lentamente hasta la mitad del campamento.

—¡Oyeme! —gritó el jefe del sombrero dorado, dirigiéndose a Curtin—: Oye, más vale que lleguemos cuanto antes a un acuerdo. Queremos marcharnos porque ya se nos acabaron las provisiones y deseamos ir a la plaza por la mañana temprano. Danos tu escopeta y tus municiones. No quiero que me las regales, quiero comprártelas. Aquí tengo un reloj de oro puro con su cadena de oro también, fabricado allá en tu país. El reloj y la cadena valen por lo menos doscientos pesos, te los cambio por tu escopeta. Es un buen negocio para ti, más vale que lo aceptes.

—Guárdate tu reloj, que yo me guardaré mi escopeta —contestó Curtin—. A mí no me importa que tengas que ir al mercado o no. Pero mi escopeta no la tendrás, de eso estoy seguro.

—¿Ah, sí? ¿Conque no te la quitaremos? ¡Ya te enseñaremos, tal por cual! —dijo el hombre que se hallaba próximo a la trinchera, apuntando, con la pistola que llevaba bajo el saco, en la dirección en que Curtin estaba.

Se escuchó una detonación y al mismo tiempo un grito y el hombre agitó la mano en que tenía la pistola.

—¡Virgen Santísima, estoy herido!

Los bandidos miraron hacia el sitio de donde había partido el balazo. Curtin no había disparado, el tiro había salido del extremo opuesto de la trinchera, en donde aún podía verse una débil nubecilla de humo azul.

Los bandidos se vieron tan sorprendidos que no tuvieron palabras con qué expresar su asombro. Retrocediendo volvieron a la maleza, en donde se sentaron y empezaron a hablar. Parecían muy confundidos. La información que les dieron en el pueblo debía ser falsa. Esperaban encontrar solamente a un hombre en el campamento, pero empezaban a sospechar que la policía se hallaba allí, o tal vez eran soldados. Era poco probable que los soldados se encontraran en compañía de un gringo, pero bien podía ser que lo hubieran utilizado como cebo.

Uno de los guardianes de los caballos, al escuchar el tiro, corrió a preguntar qué pasaba. Cuando se hubo informado, regresó nuevamente a su puesto; se le había ordenado que tuviera los caballos listos para cualquier emergencia.

Después de discutir durante una media hora, los bandidos rieron y se levantaron.

Se dirigieron nuevamente al centro del campamento y uno gritó:

—¡Oiga, no crea que nos puede tantear! Somos lo bastante listos, sabemos que colocó el rifle en aquel rincón y que valiéndose de un cordón lo disparó. Conocemos esta treta. Nosotros hacemos lo mismo cuando cazamos patos en el lago.

Con un movimiento rápido todos los hombres apuntaron sus armas en dirección de Curtin.

—¡Ahora, sal de tu cochino agujero! Deja de esconderte, vamos; sal de ahí si no quieres que te saquemos de las orejas como a un conejo. ¡Cabrón!

—¡No saldré, desgraciados, y si dan un paso más se mueren! Guarden su distancia, háganse para atrás. ¡Caminen pronto!

—Bueno, como quieras; ahora tendremos que hacer uso de la fuerza y te rasgaremos la boca hasta las orejas por habernos llamado desgraciados e hijos de... ¡gringo apestoso, pendejo!

Todos los hombres se dejaron caer por tierra y arrastrándose con las armas en las manos llegaron hasta la trinchera, teniendo cuidado de no exponer los cuerpos a las balas del gringo, que parecía ser muy buen tirador.

Apenas habían avanzado seis pies cuando escucharon cuatro disparos que partían de diferentes puntos. Dos de los bandidos gritaron al sentirse heridos. Todos los hombres se volvieron sin ponerse en pie y se arrastraron hasta la maleza.

Ya no les quedaba duda de que la trinchera estaba ocupada por soldados; tal vez sólo por unos cuantos, pero debían ser soldados. Probablemente algún destacamento numeroso estaba ya en camino para atacarlos por la retaguardia.

Uno de los hombres fué enviado al sitio en donde dos se hallaban cuidando los caballos, para preguntarles si habían visto soldados marchando por el valle. Los hombres contestaron no haber visto ninguno y ser difícil que hubieran pasado sin que ellos se dieran cuenta.

Cuando los hombres se enteraron de aquello se sintieron mejor. Después de una larga discusión decidieron atacar y tomar la trinchera inmediatamente. Era de mucha importancia y realmente el factor decisivo el hecho de que una vez ganada la trinchera podrían contar con más armas, municiones, provisiones y ropas de las que habían supuesto encontrar allí. Y por aquellos tesoros sí estaban dispuestos a sacrificar a algunos de sus hombres, porque eso sí valía la pena.

Todos estuvieron de acuerdo con la decisión.

Los socios que se hallaban en la trinchera supieron que habían ganado sólo un instante para respirar, puesto que los bandidos no se habían asustado y ya discutían un nuevo plan de ataque.

—Si pudiera adivinar lo que piensan hacer —dijo Curtin.

—Poco nos ayudaría saberlo —arguyó Howard—, sólo podremos actuar de acuerdo con sus planes y éstos nos los muestran sólo con sus movimientos. Lo que tenemos que hacer es estar bien despiertos. Pienso que volverán por la mañana muy temprano, esperando hallarnos dormidos. Raramente los mestizos y los indios pelean de noche si pueden evitarlo.

—Yo propongo que los ataquemos en lugar de esperar a que ellos lo hagan —aconsejó Dobbs.

Lacaud replicó:

—No lo creo prudente. Hasta ahora ellos no saben cuantos somos, pueden suponer que somos diez, lo que sería una gran ventaja para nosotros; en cambio, si los atacamos, sabrán cuantos somos. Creo que aquí en la trinchera estamos bien resguardados. Además también ignoran con qué armas contamos, y si decidimos rodearlos para atacarlos por la retaguardia.

—Quisiera saber —dijo Curtin— cuánto podremos resistir antes de rendirnos.

—Viviendo con mucha economía podríamos permanecer aquí dos semanas. La única cosa que podría faltarnos es el agua. Desde luego que en las mañanas siempre hay rocío y por la roca corre un poco que cae exactamente en el lugar en que se encuentran nuestras vasijas. Además, pronto tendremos lluvia —respondió Howard, que al parecer había pensado cuidadosamente en todos los detalles.

Los burros rebuznaron. Los bandidos los oyeron pero parecieron no prestar a ello una particular atención. No necesitaban burros, y además éstos parecían encontrarse muy lejos, tal vez pertenecían a los pueblerinos. Para llegar a donde se encontraban los animales, los bandidos habrían necesitado llegar primero a la trinchera. En cambio, si hubieran escuchado relinchos de caballos, se habrían impresionado mucho, pues aquello hubiera sido una evidencia de que en la trinchera había soldados, y entonces se habrían visto obligados a marcharse en vez de presentar batalla.

Howard agregó:

—Tal vez si hubiéramos implorado ayuda del Señor, las cosas no habrían resultado tan bien. Tenemos luna llena, que nos alumbrará toda la noche, y con su excelente luz podremos distinguir cuanto ocurra en el campo, en tanto que esos sinvergüenzas no podrán ver nada de lo que nosotros hacemos. Con la sombra proyectada por la roca que queda a nuestra espalda, ni siquiera nos verán las cabezas.

—Tienes razón, viejo —admitió Curtin— realmente no estamos tan mal como me parecía hace algunas horas.

—Durante la noche no ocuparemos los mismos sitios que ocupamos. Nos dividiremos en dos grupos. Dobbs y yo tomaremos el ángulo izquierdo y tú, Curty, con Lacky tomaréis el derecho. Mientras no haya movimiento, uno dormitará en tanto que el otro vela. En cuanto el ruido comience bastará picar las costillas del dormido para hacerle que se ponga en pie. Creo que lo mejor será que dos de nosotros nos tumbemos ahora mismo. Estoy seguro de que del otro lado no habrá ruido por lo menos en seis horas. Las cosas variarán cuando se aproxime el alba. Bueno, Dobbs y Lacaud, podéis echar un dulce sueñecito.

Eran las cuatro y media de la mañana cuando Dobbs despertó a Howard y Lacaud a Curtin.

—Creo que se aproximan —dijo Dobbs a Howard en voz baja—. Los he visto moverse.

Howard y Curtin se levantaron como perdices sorprendidas por alguna zorra.

El campo se hallaba plenamente iluminado por la luz de la luna, en forma tal, que hasta un gato que hubiera cruzado por él habría sido visto.

Howard se dirigió rápidamente hacia el lado derecho para asegurarse de que Curtin y Lacaud se hallaban despiertos y en sus puestos. Les dió orden de disparar en cuanto los hombres se aproximaran.

—Tiren a matar —dijo—, no queda otro remedio, o ellos o nosotros. Esos hombres no conocen la piedad.

Los bandidos parecían estar seguros de que los sitiados dormían, así que no se cuidaron mucho de la forma en que hacían el ataque. Apenas habían llegado al centro, cuatro tiros silbaron simultáneamente cruzando el

espacio, y dos hombres juraron y gritaron por todos los
santos porque las balas los habían alcanzado. De cualquier modo, aquello no pareció preocuparles. No sólo
sabían enviar balas, sino también recibirlas como buenos bandidos.

En alguna forma pensaban que Curtin trataba de
engañarlos y esperaban que al abordar la trinchera encontrarían a un solo hombre. Todos yacían por tierra
y se arrastraban hacia Curtin. Pensaban correr cuando
estuvieran sólo a una tercera parte del camino, haciendo imposible que aquél pudiera tirar más de una o dos
veces. Algunos parecían carecer de la paciencia necesaria para acercarse con lentitud, ya que el primero que
echara mano al gringo tendría derecho para elegir la
mejor de las armas de la víctima. De un salto se pusieron en pie y comenzaron a correr. Acababan de levantarse cuando sonaron cuatro tiros y tres hombres, al
parecer, fueron heridos. Sin embargo, ninguno había
muerto. En cualquier forma, la lección les hizo obrar
con mayor cautela. Aquellos cuatro tiros habían sido
disparados dos veces y bien apuntados, y el hecho tras-
tornaba sus planes. Ninguno sabía qué pensar de la
situación. Podría haber dos docenas de soldados tras
la trinchera. Pero cuando volvieron a replegarse a la
maleza y discutieron nuevamente; llegaron a la conclusión de que si en realidad hubiera dos docenas de hombres escondidos en la trinchera, antes de que pudieran
llegar al campamento, les habrían tendido una celada,
de la que no hubieran podido defenderse.

La mañana llegó rápidamente.

Los bandidos prepararon su desayuno. Los heridos
empezaron a curarse en una forma capaz de poner en
estado de coma a los pacientes de cualquier hospital.
Se introducían en las heridas una mezcla de tierra y

hojas cortadas de la maleza para detener la hemorragia, y se las vendaban con tiras sacadas de sus inmundas camisas.

También los socios prepararon su desayuno en la trinchera.

Es una regla establecida entre bandidos y soldados mexicanos que combaten con bandidos o revolucionarios, que el ataque cesará por ambos lados durante la hora de las comidas. Hacer lo contrario hubiera representado una falta de ética o de hidalguía, un acto semejante a disparar sobre los camiones de la cruz roja o contra los portadores de bandera blanca, entre naciones avanzadas, en época de guerra.

—Ahora hay que andar con cuidado —dijo Howard cuando oyó que Curtin decía que a partir de entonces los dejarían en paz—. No los conoces si crees eso. Volverán más tarde. Necesitan nuestras armas y municiones más de lo que pueden necesitar pan. Mientras más disparemos más creerán que poseemos un gran armamento por el que vale la pena luchar. Y si no me equivoco respecto a estos matones, no repetirán su ataque en la misma forma. Buscarán otra manera de echarnos mano. No desearán que desperdiciemos las municiones que ya consideran suyas. Es decir, tratarán de evitar en cualquier forma que sigamos disparando.

—Quisiera saber cómo piensan echarnos mano sin que les disparemos —dijo Lacaud.

—Hay que esperar, ya veremos. No hay que olvidar que estos hombres fueron soldados durante la última revolución, y si no soldados, combatientes. Están entrenados y tienen mucha experiencia.

El viejo se acomodó en el campo y Lacaud lo imitó. Curtin y Dobbs vigilaban con desgana.

Los bandidos se fueron por la vereda a excepción de dos, a quienes dejaron encargados de vigilar, pero al cabo de un rato éstos empezaron a cabecear y por fin se quedaron dormidos.

A la mitad de la tarde, Curtin llamó a Dobbs y le dijo:

—¿Ves lo que yo veo?

—¡Ah, desgraciados! ¡Qué ganas me dan de poderlos mandar al diablo a todos! —contestó Dobbs haciendo que Howard y Lacaud se levantaran.

—¿Qué ocurre? —preguntó Howard—. ¿Vienen otra vez?

—Echa un vistazo, no necesitas ir al cine esta tarde para aprender nuevas mañas —dijo Dobbs excitado, haciendo silbar las palabras.

Howard observó a los bandidos.

—Creo que ahora sí van a atraparnos. Tenemos que darnos prisa para pensar en la forma de contrarrestar su endemoniado invento indígena. ¡Mal rayo! ¡si siquiera una idea acudiera a mi cerebro! Pero no se me ocurre nada. Y si vosotros no discurrís algo rápidamente, más vale que vayamos diciendo las oraciones que aun recordemos.

Los bandidos se hallaban ocupados cortando ramas, bejucos y varas con las que construían barricadas móviles al estilo indio. Una vez que estuvieran listas las irían empujando enfrente de ellos a manera de escudo. Todos los disparos tendrían que hacerse contra el espeso entretejido de ramas y follaje que escondería al hombre que detrás de él se arrastraba. La posibilidad de ser muerto o herido quedaba casi descartada, sobre todo si se formaban dos líneas, una bastante próxima a la otra.

—Si emplean esa táctica durante la noche o por la mañana temprano antes de que salga el sol, nos quedarán menos esperanzas que a un bolchevique encar-

celado en España. Seremos muertos como ratas. Daría
mi mina de oro por una docena de granadas de mano
o por un Jack Johnson. Bueno muchachos, hablándoos
con la verdad de la Biblia, ha llegado nuestra hora.
Si mi madre viviera aún, le pediría perdón persignándo-
me, por la mermelada que le robé.

—Me parece —dijo Dobbs— que lo único que podemos hacer es vender el pellejo lo más caro posible
mandando al infierno al mayor número que podamos
de esas fieras en cuanto salten sobre nosotros.

—Pero no olvides guardar una bala para volarte la
tapa de los sesos —sugirió Howard—. Yo imploro a todos los dioses del cielo que no me dejen caer vivo en
sus manos. Si no es posible que te des un tiro, procura
apuñalarte hasta morir. Aun eso será más dulce que ser
despellejado vivo por ellos. ¡Y que el infierno no permita que aquellos a quienes heriste te echen mano!

Al oír aquello, Curtin tuvo una idea:

—Tal vez si les ofrecemos nuestras armas y nuestras provisiones, nos dejen.

—No, precioso; sigues juzgándolos mal —dijo Howard—. Esta raza ha vivido durante cuatrocientos años
en condiciones bajo las cuales no se puede confiar en
nadie, ni construir una buena casa, ni ahorrar un poco
de dinero en el banco, ni invertirlo en alguna buena
empresa. No puede esperarse de ellos compasión, debido a la forma en que han sido tratados por la Iglesia,
por las autoridades españolas y por las propias. Si les
ofreces tu oro y tus armas, las tomarán y te prometerán
la libertad, pero no te dejarán ir. Te torturarán y te
matarán para evitar que los denuncies. Ellos ignoran
el significado de la justicia. Nadie les ha enseñado a ser
leales ¿cómo podrían serlo contigo? Jamás les han cum-
plido lo que les prometieron; así, pues, èllos también
prometen para no cumplir. Rezan un Ave María antes

de matarte y se persignan y te persignan después de haberte tendido empleando para ello la forma más cruel. Nosotros no seríamos diferentes a ellos si hubiéramos tenido que vivir durante cuatrocientos años bajo toda clase de tiranías, supersticiones, despotismos, corrupciones y religiones pervertidas.

—Quisiera saber —interrumpió Curtin—, por qué no se les ocurrió antes hacer eso.

—Oh, chucks; son más perezosos que una mula vieja —dijo Dobbs sonriendo—. Demasiado golfos para eso; trataron de atraparnos sin que les costara mucho trabajo y sólo cuando encontraron que su único recurso estaba en construir esos supermodernos tanques se decidieron a hacerlo, pero podía apostar que ahora juran como condenados por tener que tomarse tanto trabajo para atraparnos.

Curtin lanzó una mirada a la empinada roca. Howard se le quedó mirando.

—Sí, muchachito; también yo he pensado varias veces en ella, la idea no me ha dejado dormir en toda la noche. Me he pasado casi todo el tiempo con los ojos puestos en esa roca, pensando y pensando en si podría darnos alguna solución, pero no es posible. Ni por ella ni por lado alguno, ni siquiera amparados por las sombras de una noche oscura en la que una atmósfera tormentosa viniera a ayudarnos; ni así podríamos escapar de aquí sin ir a caer entre sus brazos.

Los socios vigilaban a los bandoleros que en aquel momento comenzaban a cocinar otra vez, como si por el solo hecho de no perderlos de vista pudieran encontrar alguna idea que los sacara de la tumba en la que ya se sentían colocados.

Cortando el silencio llegó a ellos un grito:

—Compadre, compadre. ¡Pronto, venga pronto!

—¿Qué diablos ocurre?

Uno de los hombres que habían quedado al cuidado de los caballos, y quien desde su puesto podía ver el camino que conducía al campo, llegó llamando al jefe.

Todos los hombres se reunieron y los socios pudieron oírles hablar con excitación y todos a un tiempo, pero les era difícil saber de qué se trataba. Inmediatamente recogieron todas sus cosas y se dirigieron al camino.

Curtin estaba a punto de saltar de la trinchera para ver más de cerca, pero Lacaud lo detuvo diciéndole:

—Espera, hombre; eso puede ser sólo una treta para obligarnos a salir de aquí sin tener necesidad siquiera de hacer uso de sus tanques.

—No lo creo —dijo Howard—. Necesitarían ser unos excelentes artistas de cine para representar semejante escena. ¿Viste al hombre que llegó corriendo como un salvaje para traerles la noticia? Algo debe haber detrás de eso. ¿Qué será?

Curtin, sin hacer caso de la advertencia de Lacaud, salió de la trinchera y se alejó hacia la izquierda, trepó a la roca desde donde podía ser visto el valle, y allí permaneció mirando al parecer algo importante.

Al cabo de un rato dió voces:

—¡Ea, compañeros! Suban, suban todos; vengan a contemplar algo maravilloso.

Los socios, olvidando sus tribulaciones, subieron al lado de Curtin.

—¿Podré confiar en mis ojos? —dijo Howard—. ¿Será cierto lo que veo? ¡Great Scot, esto es magnífico, a esto le llamo yo alivio!

La vista de un escuadrón de caballería en marcha llenó de gozo a los socios.

No cabía la menor duda acerca de lo que los soldados buscaban. Sin duda los habitantes del pueblo habían dado aviso de lo que los bandidos se proponían hacer al dirigirse a aquel lugar en busca del gringo para robarle sus armas y provisiones, y por ello había sido enviado aquel escuadrón.

—No comprendo por qué los bandidos huyeron en vez de esperar aquí a los soldados —dijo Dobbs.

Howard rió y su risa fué más abierta de lo que él mismo esperaba, pues con ella daba salida a toda la ansiedad de la que deseaba desembarazarse.

—No debes juzgarlos más estúpidos de lo que son; no serán tan inteligentes como tú, Dobby querido, pero algo tienen dentro de la cabeza. ¿No te dije que eran viejos combatientes, medianamente entrenados en asuntos guerreros? Si esperaran aquí, estarían perdidos. En primer lugar, nos tendrían a la espalda, en tanto que el escuadrón bloquearía la única salida por la que pueden escapar. Aun cuando pudieran deshacerse de nosotros —y eso es lo que discutían acaloradamente—, no podrían resistir por mucho tiempo en la trinchera. Los soldados los atacarían inmediatamente, y tal vez hasta usando los mismos escudos que esos lobos hicieron para atraparnos. La única forma posible de ponerse a salvo, o por lo menos de prolongar su vida por unos días más, era salir de aquí antes de que los soldados llegaran. Es por eso por lo que han emprendido esa carrera endemoniada. Te aseguro que llevan los pantalones más mojados de lo que nosotros los teníamos hace una hora.

El chiste no fué muy bueno, pero todos rieron de él como hacía muchas semanas no lo hacían.

Dobbs dijo:

—Por la primera vez en mi vida celebro que aun haya soldados en el mundo. ¡Por Cristo que llegaron a tiempo! Les besaría lo que ellos quisieran. ¡Benditos hijos del Sol! Y para deciros la verdad, compañeros, todavía llevo tierra entre los dientes, pero ya puedo respirar feliz.

—Yo también —dijo Lacaud, que había recobrado el color y el habla.

Howard volvió a reír.

—Y lo que es mejor, estos bandidos nos han hecho otro favor huyendo con tanta rapidez, pues de haberse quedado en espera de los soldados, bueno, muchachos, no me hubiera gustado tenerlos por aquí. Ellos suelen ser buenos, pero pueden convertirse en una verdadera joroba. Podrían por simple curiosidad tratar de investigar nuestras actividades y meter la nariz donde no deben. Y eso, la verdad, no me habría gustado mucho, ni creo que a vosotros os agradara.

—Creo que está mejor así —admitió Dobbs.

—Veamos como se desarrolla la segunda parte de la película —dijo Curtin atisbando con curiosidad.

Los soldados subían por el atajo, de ello no cabía la menor duda, y cuando aún se hallaban media milla alejados de la base de la montaña, se dividieron en tres secciones, formando un círculo muy amplio. No sabían exactamente en que parte del valle desembocaba el atajo de la montaña, y esa era una ventaja para los bandidos, porque cuando llegaron finalmente al valle, los soldados no se hallaban cerca y ellos pudieron correr entre la maleza, cerca de la base de la montaña, logrando sacar una buena delantera a aquéllos.

Durante dos horas sólo de vez en cuando se veía algún soldado, porque todos se habían replegado a la base. Después empezaron a oírse disparos en el valle cuando un grupo de soldados descubrió a los bandidos y empezó a disparar para que el resto se les reuniera.

Una cacería llena de animación tuvo lugar en el valle. Los soldados perseguían a los bandidos, quienes se dispersaron y trataron de escapar cada uno por su lado. Era esa la táctica usual que hacía muy difícil para los soldados la captura de todos los bandidos. Siempre lograban escapar algunos, éstos se reunían a otro grupo de escapados y formaban una nueva banda no menos feroz que las anteriores. La tarea para la policía y los soldados estaba muy lejos de ser agradable. Muchos de ellos perdían la vida en estas batallas, muchos regresaban heridos y algunos lisiados para el resto de sus días.

Cada vez era más difícil para los socios precisar lo que ocurría en aquella pelea entre la civilización y la barbarie que se llevaba a cabo en el valle. Se veía correr a los bandidos en todas direcciones, perseguidos por los soldados, y al alejarse del valle, el ruido de los disparos se oía cada vez más débilmente.

—Propongo —dijo Dobbs— que ahora, por la primera vez en dos días, preparemos una comida decente y nos sentemos a saborearla y a conversar amigablemente sobre los acontecimientos.

—No es mala la idea: pongámosla en práctica en seguida —dijo Howard riendo.

—Me parece excelente —confesó Curtin—. ¿Y a ti que te parece, Laky-Shaky?

Lacaud hizo un verdadero esfuerzo por sonreír, esperando que Curtin tomara aquella sonrisa por respuesta.

XIV

Volvieron a instalar el campamento. Después de comer se dedicaron a vagar. Faltaba mucho tiempo para que el sol se ocultara, pero ninguno de ellos mostraba deseos de trabajar. Sacaron a los burros de su escondite y después de hacerles beber agua, los dejaron que pastaran libremente.

Cuando la noche cayó y se sentaron en rededor del fuego a comentar los acontecimientos de las últimas cuarenta y ocho horas, encontraron que éstos los habían agotado de tal manera que habían perdido el interés que los ayudara a sobrellevar todas las durezas y privaciones a las que por tantos meses habían tenido que someterse. Sentían como si hubieran envejecido.

Curtin tradujo en palabras aquella sensación, diciendo:

—Creo que Howard tenía razón en lo que nos expresó anteayer. Esto es, que lo mejor que podemos hacer es cerrar la mina, empacar nuestras cosas y marcharnos. Sólo el diablo sabe cuanto tiempo habrá de pasar antes de que los soldados vuelvan por aquí. Podríamos obtener bastante quedándonos aún dos o tres semanas. Pero yo opino que debemos estar conformes con lo que tenemos y no esperar más para volver a casa.

Durante unos cuantos minutos nadie habló. Al cabo, Dobbs dijo:

—Yo habría preferido permanecer aquí algunas semanas más, ya antes lo dije. Pero pensándolo bien, estoy de acuerdo en partir. Destruyamos la mina y preparémonos para marchar. De hecho ya no tengo ni la menor ambición que me detenga aquí.

Howard asintió sin decir palabra.

Lacaud fumaba. Ni siquiera les recordó que habían hecho un trato con él para permanecer allí por lo menos una semana más a fin de ayudarle a poner en práctica su proyecto. Parecía más preocupado en que la hoguera se mantuviera encendida que en cualquier otra cosa.

Finalmente, Howard lo miró y le preguntó:

—¿Estás nervioso? ¿Por qué? Parece que todo ha terminado.

—Oh, no estoy nervioso, no exactamente: no sé por qué habría de estarlo.

Volvió a guardar silencio. Tal vez pensaba en la forma de despertar nuevamente su interés para lograr que se quedaran y que le ayudaran algunos días. No deseaba abordar directamente el punto y trataba de encontrar otro camino.

—¿Han oído alguna vez la historia de la vieja mina de Ciniega? —preguntó de pronto, tal vez con demasiada precipitación, pues los socios parecieron percatarse de que andaba con rodeos.

Un poco molesto, Howard contestó con calma:

—Sabemos tantos cuentos acerca de minas viejas, que ya nos tienen hasta la coronilla.

Lo había interrumpido en sus proyectos respecto a la forma de utilizar el dinero que había ganado y que pensaba dedicar a vivir tranquilamente en algún pueblecito, ocupándose sólo de su salud, de comer bien, de sentarse en el pórtico de su casa a leer las páginas cómicas de los periódicos y algunas historias de aventuras, y de reservar el dinero suficiente para tomar una borrachera al mes.

Miró a Lacaud como si acabara de despertar y le dijo:

—La verdad es que me había olvidado completamente de ti, Lacky.

Curtin, riendo, agregó:

—Mira, Lacky, nosotros tenemos nuestros proyectos y tú no entras en ellos. Nos hemos acostumbrado tanto a hablar sólo entre nosotros, que muchas veces nos olvidamos de tu presencia.

Dobbs intervino.

—Eso es sólo para que te des cuenta de la poca importancia que tienes. Hemos comido juntos, peleado juntos, hasta hemos estado a punto de partir juntos al infierno y, sin embargo, sigues siendo extraño a la comunidad. Tal vez podríamos haber llegado a simpatizar, pero ahora es demasiado tarde.

—Te entiendo, Dobbs.

—Eso me recuerda . . . —dijo Curtin, dirigiéndose a él—. ¿No hablaste algo acerca de un plan?

—Sí, tu plan —intervino Dobbs—. Ese plan tuyo puedes guardarlo como de tu exclusiva propiedad, no me interesa absolutamente nada. Tengo la misma idea que Curtin. Para ser más exacto, quiero estar con una muchacha y saber como se ve boca arriba ¿sabes? Y además, deseo sentarme nuevamente ante la mesa de un restaurante, con algunos buenos guisos frente a mí, y platos y tazas y cubiertos bien lavados, porque aunque no lo creas, pertenezco a la humanidad civilizada.

—¿Pero no os dais cuenta de que aquí hay decenas de cientos de dólares esperando sólo que los recojamos?

Curtin bostezó.

—Muy bien, precioso: recógelos y sé feliz. No los dejes por aquí, no sea que alguien venga y se los lleve.

Bueno, muchachos ¿queréis saber cómo me siento ahora?... Me tumbaré a dormir como un lirón. Buenas noches.

Howard y Dobbs se levantaron también, estiraron los miembros, bostezaron abriendo la boca desmesuradamente y se encaminaron a la tienda.

Curtin, ya en la puerta, dijo:

—Ey, Lacky: si quieres tumbarte con nosotros puedes hacerlo; el apartamiento es lo bastante amplio para albergarte también. Vente y cuidado con dar un portazo.

—Si no te importa, preferiría dormir junto al fuego. Necesito pensar en mis proyectos y prefiero hacerlo aquí, bajo las estrellas. De todos modos os lo agradezco. —Llevó sus cobijas cerca del fuego y agregó—: Sólo quisiera guardar mis bultos en la tienda, por si llueve.

—Tráelos —dijo Howard—, hay espacio suficiente para ellos, y no te cobraremos almacenaje.

Cuando los tres socios quedaron solos en la tienda, Curtin dijo:

—Todavía no doy con lo que hay de extraño en ese tipo. Algunas veces me parece bien, pero de repente se me figura que está chiflado.

—Es un pobre diablo —intervino Howard—, parece tener flojos los tornillos; creo que es un eterno.

—¿Un eterno? ¿Qué quieres decir? —Curtin era curioso.

—Un eterno explorador, capaz de permanecer durante diez años en un mismo lugar cavando y cavando, convencido de que se halla en el sitio preciso, que no puede haberse equivocado y que todo cuanto necesita es paciencia. Está seguro de que algún día dará el gran golpe. Pertenece a la misma especie de aquellos hombres que existieron hace siglos y quienes dedicaban su vida entera y todo cuanto poseían a buscar la fórmula

para producir oro por medio de la mezcla de otros metales y sustancias químicas que fundían, hervían y expe-
rimentaban hasta volverse locos. Este es el modelo más
moderno. Trabaja día y noche planeando como lo hacen
los jugadores que buscan combinaciones para hacer saltar la banca en algún juego.

—Mañana verá nuestra mina —dijo Dobbs.

—Déjalo. Nosotros la cerraremos convenientemente
y si él la abre es asunto suyo, no nuestro. En verdad
que me da lástima ese tipo —admitió Howard—. Verdadera lástima, pero es imposible curarlos de su manía
y supongo que si alguien lo intentara ello no habría de
gustarles. Prefieren permanecer como son, pues en ello
se apoyan para seguir viviendo.

Dobbs no estaba muy convencido, y dijo:

—No estoy seguro de que ese zorrito no se traiga
algo entre ceja y ceja. No parece estar del todo chiflado.

Howard agitó una mano y dijo:

—Piensa lo que quieras, yo conozco a los de su
clase. Buenas noches.

XV

Los tres socios trabajaron una semana más. Lavaron los montones de tierras y roca que tenían preparados por considerar que valía la pena extraer lo que contenían.

Pero firmes en su decisión de marchar, empezaron a destruir la mina.

Mientras lo hacían, Dobbs se cortó una mano y gritó enojado:

—¿Por qué maldita razón hemos de trabajar como burros de noria para arreglar el campo? Dime, viejo.

—Todos acordamos hacerlo el día que empezamos a trabajar aquí —contestó Howard—, ¿o no fué así?

—Sí, pero me parece una pérdida de tiempo.

—También el Señor pudo haber considerado como pérdida de tiempo la creación del mundo, si es que fué Él quien realmente lo hizo. Creo que debiéramos estar agradecidos a la montaña que ha sabido compensar generosamente nuestro trabajo. Así, pues, pienso que no debemos dejar este lugar en las condiciones en que suelen dejar el campo algunos excursionistas sucios y descuidados. Hemos herido a esta montaña y estamos en la obligación de cerrar sus heridas. La belleza silenciosa de este lugar merece nuestro respeto. Además, quiero recordarlo en la forma en que lo encontramos y no en el estado en que lo hemos puesto para arrancar de él el tesoro que esta montaña ha guardado por millones de años. No dormiría tranquilo pensando que la dejamos como un chiquero y sólo lamento no poder restaurarla a la perfección; pero, por lo menos, debemos poner de manifiesto nuestras buenas intenciones y nuestra gratitud. Si vosotros no queréis ayudarme, lo haré yo solo de cualquier modo.

Curtin rió:

—La forma en que te expresas sobre esta montaña, concediéndole personalidad, es curiosa. Pero cuenta conmigo. Podría asegurar que después de dormir una noche en una cabaña, te sientes en la obligación de asearla; ya sabes que yo soy materia dispuesta; prosigamos.

—Tengo otra razón más —explicó Howard—, una razón menos sentimental y que quizás te convenza, Dobbs, y es ésta: Supón que cuando nos marchemos llega alguien, mira y da con la cerradura. ¿Entonces qué? Tendríamos dos horas después alguna partida de bandidos en pos de lo que hemos obtenido y de nuestras vidas; así pues, más vale poner esto en orden. Arreglémoslo para que quede como un jardín sin pensar en la recompensa; de todos modos valdrá la pena.

—Bueno, haré lo que pueda, pero no me molestéis, que no soy jardinero. —Dobbs había quedado convencido pero no quería ponerlo de manifiesto para que Curtin no se burlara de él.

Almorzaron como de costumbre: un jarro de té, un bizcocho duro como cuero y un pedazo de carne seca que había necesidad de masticar repetidas veces. Después del almuerzo fumaron una o dos pipas antes de volver al trabajo.

Debía aprovecharse la luz del sol desde el primero hasta el último rayo. Los días en el trópico, aun en mitad del verano, no son largos. Había necesidad de terminar el desayuno antes que los primeros rayos del sol se elevaran en el horizonte y no se abandonaba la mina hasta que la oscuridad la cubría totalmente. Sólo en esa forma podían los socios lograr un trabajo efectivo, aun cuando a menudo eran interrumpidos por aguaceros torrenciales que inundaban completamente el llano, convirtiéndolo en un lago.

—Sin duda este es el trabajo más duro que yo he hecho en mi vida —dijo Curtin cuando se sentaron cerca del fuego a fumar y a conversar acerca de su vida en los últimos meses.

—Desde luego que ha sido un trabajo muy pesado —admitió Howard—, pero tengo la seguridad de que ninguno de nosotros, en toda su vida, percibió tan buenos salarios como los que hemos obtenido aquí.

—Tal vez —repuso Dobbs—. Tal vez. Sólo que pienso que podrían haber sido mejores.

—¿Mejores? —preguntó Curtin, asaltado por el temor de que Dobbs volviera a proponer que se quedaran algunos meses más.

—Oh, nada; olvídalo —contestó éste, tratando de quitarse de la cabeza algún pensamiento molesto.

—Bueno, hemos sacado nuestra paga —agregó Howard, como si no hubiera escuchado lo que los otros habían dicho entre sí—. Tenemos el dinero, pero pienso que hasta no asegurarlo en un banco o por lo menos en una ciudad, difícilmente podremos llamarlo nuestro. Todavía nos queda un endemoniado camino que recorrer y trabajo muy duro para poner a salvo lo nuestro. Ello me preocupa mucho.

Ni Dobbs ni Curtin hablaron. Sacudieron sus pipas y volvieron al trabajo.

Las grúas, los depósitos y las ruedas quedaron destruídas y quemadas, para no dejar huellas de su existencia. Después, sus cenizas fueron cubiertas con tierra sobre la que se sembraron algunas yerbas.

Howard tenía buenas razones para obrar con tanto cuidado.

—Supongamos que alguno de vosotros juega y pierde lo que tiene; en ese caso, podría regresar y sacar todavía de aquí algo para vivir. Así, pues, escondamos el lugar tan bien como sea posible para reservárselo a aquel de nosotros que pueda necesitarlo.

En menos de dos semanas los socios habían transformado el lugar de tal manera que, algún tiempo más tarde, sería difícil descubrir que aquél había sido un sitio de trabajo.

Lacaud salía todos aquellos días y regresaba al campamento por la noche. No preguntaba en donde habían estado trabajando los socios ni en donde estaba la mina. No le interesaba conocer su localización. Tenía la idea de que, dondequiera que se encontrara, no conducía al verdadero filón y, por lo tanto, no valía la pena explorarla.

Era evidente que si los socios no habían podido encontrarlo allí después de tantos días de duro trabajo, sería una pérdida de tiempo para él intentarlo y por lo tanto no lo haría, aún cuando diera con la mina. Ni siquiera perdería su tiempo y sus energías explorando los alrededores.

—¿Encontraste tu filón? —le preguntaba Dobbs cuando regresaba al campo.

—Todavía no —contestaba Lacaud—. Pero en cualquier forma, presiento que nunca me sentí tan cerca de él como esta tarde.

—Cuenta con mis bendiciones y no abandones la tarea hasta que lo encuentres.

—No te preocupes, que así lo haré. —Era difícil hacer que Lacaud perdiera la confianza,

—Te invitamos a cenar, Lacky —dijo Howard en tono amistoso—. No cocines, que después necesitarás tus provisiones.

—Gracias, viejo.

Aquella noche los socios se sentían como trabajadores fabriles en tarde de sábado. Al día siguiente sembrarían más yerbas y arbustos y destruirían el senderito que conducía a la mina, para que las plantas tuvieran tiempo de enraizar y crecer, con lo que devolverían al llano la apariencia de lugar virgen que tenía antes de que ellos lo exploraran. En aquel trabajo emplearían todo el día siguiente, y sería un día agradable como dedicado a trabajar en el jardín de su casa.

Descansarían cómodamente, después empacarían todas sus cosas y dos días más tarde partirían.

Pasaron una noche muy agradable y por primera vez sintieron que los ligaban lazos de amistad. Antes nunca habían sido amigos, sino solamente socios con el interés común de su trabajo.

Durante aquellos largos meses no habían tenido ni periódicos ni libros que enriquecieran sus pensamientos y sus palabras. Siempre demasiado cansados, habían ahorrado los vocablos a tal grado que muchas veces Lacaud no comprendía de qué hablaban aquellos tres. Para referirse a las hachas, palas, tierra, agua, rocas, burros, comida, oro, vestidos, a las piezas de su herramienta y su maquinaria primitiva y a todos los detalles de su trabajo, se valían sólo de señas o de unas letras que únicamente ellos comprendían. Podían hablar entre sí durante toda una hora sin que un extraño entendiera lo que decían. Ellos no se percataban de que sus expresiones se habían tornado primitivas, porque únicamente viviendo en grandes grupos puede el hombre comparar su lenguaje con el de los demás.

Sólo cuando Lacaud no entendía lo que conversaban y tenía que preguntarles varias veces, se daban cuenta de que habían creado un dialecto de su propiedad, incomprensible para los extraños.

Arreglaron la mina a satisfacción de Howard. Quien hubiera llegado a ella en aquellos momentos, no habría podido pensar ni por casualidad que allí se había trabajado recientemente.

—Decid, muchachos; ¿no os place verdaderamente ver como ha quedado esto? —preguntó Howard con orgullo.

—Bueno —contestó Dobbs— a ti te gusta y con eso basta, pero por San Miguel, déjanos en paz y no nos jorobes más con tus escrúpulos para herir las montañas. Algunas veces pienso que debías haber sido predicador; lo único que no acierto a comprender es para el culto de quien tratas de conquistar las almas.

Aquella noche Howard les dijo:

—Me preocupa algo muy importante; he estado reflexionando y he concluído que no nos será tan fácil llegar a Durango con nuestra carga.

—¿Qué quieres decir? —preguntó Curtin.

—El viaje presenta sus peligros.

—Eso ya lo sabemos —dijo Dobbs impacientemente al escuchar cuentos que para él eran viejos.

—No te pongas nervioso. Dobbs; créeme, este viaje será diferente del que hicimos para venir acá; tal vez sea el más difícil que hayas emprendido en tu vida. Puede haber bandidos y pueden ocurrirnos toda clase de accidentes al transitar los horribles atajos y veredas de esta Sierra. La policía puede cruzarse con nosotros en el camino y sentir curiosidad por saber qué es lo que llevamos en nuestros bultos. Hemos trabajado muy duro, tan duro como quien más y os repito que mientras no veamos la canela bien guardada en la buena caja fuerte de un banco, no la podemos considerar nuestra. Os recuerdo esto para que no os sintáis ricos todavía.

Lacaud se aproximó al fuego y por un rato lo contempló en silencio. Después, como despertando de un largo sueño, dijo:

—Estoy seguro de que se halla en alguna parte de aquí.

—Sin duda —intervino Howard sonriendo—. Deja tus preocupaciones para otro día, y ahora, saborea la buena cena que te está esperando. —Y luego, dirigiéndose a Dobbs—: ¡Ey, cocinero! ¿Qué pasa con el café?

—Ya voy, patrona —contestó aquél, tendiendo la cafetera al viejo.

XVI

—Como os he dicho varias veces, chiquitines, el llegar sanos y salvos a Durango con lo nuestro y acreditarlo en la cuenta de un banco es tan fácil como ensartar chaquira. —Howard abordaba el problema nuevamente. Parecía que no le era posible pensar en nada más, y que la preocupación se había hecho más honda desde que decidieron cerrar la mina y dirigirse al puerto. Le era imposible desechar de su mente el pensamiento de las dificultades que tendrían que vencer durante la marcha. Y prosiguió:

—¿No habéis escuchado nunca la historia de la mujer cargada de tesoros? ¿de la muy honorable y distinguida doña Catalina María de Rodríguez? Estoy seguro que no, porque habemos muy pocas personas en el mundo que la conozcamos. Digo, la historia verdadera. Para aquella persona el problema no era sacar el oro y la plata, sino transportarlos a su casa, en donde podría haberlos empleado de la mejor manera. Repito una vez más: El oro no tiene valor alguno si no se encuentra en donde se necesita.

—Parece que en la Villa de Guadalupe —continuó— hay una imagen de Nuestra Señora de este nombre, Santa Patrona de México y de todos los mexicanos. El pueblecito es un suburbio de la ciudad de México al que puede llegarse en tren eléctrico. Para los mestizos e indios mexicanos, esta imagen tiene gran importancia, porque quienquiera que se halla en dificultades, emprende una peregrinación hasta su altar con la seguridad de que la Santísima Virgen le ayudará a vencerlas, sean ellas cuales fueren. Nuestra Señora de Guadalupe tiene un gran corazón y conoce profundamente el alma humana. Se le supone capaz hasta de ayudar a un campesino a quedarse con un pedazo de tierra perteneciente a su vecino, y de auxiliar a una muchacha evitándole las consecuencias naturales de un mal paso. En cualquier forma, los mexicanos saben aprovechar sus facultades en beneficio propio, y lo mismo hacen las santas personas que están al cuidado de Nuestra Señora y que se encargan de todo lo referente a ella, hasta del cobro de las limosnas.

—Eso es sólo una superstición. ¡Al diablo con la gente que explota la superstición de los ignorantes! —interrumpió Curtin.

—Tal vez —dijo Howard—. Es necesario creer para sentir alivio. Lo mismo ocurre con el Señor: si crees en Él, existe; si no, Dios no existirá para ti, a nadie le atribuirás la existencia de la luz de las estrellas ni la dirección del tránsito celeste. Pero no discutamos sobre esos detalles, vayamos al punto. Os contaré la historia de acuerdo con los hechos:

"Por la época en que tuvo lugar la revolución americana, vivía en la vecindad de Huacal, en la región septentrional de la República, un campesino rico, quien de hecho era jefe de los indios Chiricahua. Estos indios eran pacíficos y se establecieron en ese lugar muchos siglos antes, porque encontraron más placer y riqueza en el cultivo de los campos que en el pillaje acostumbrado por sus vecinos.

"El jefe, al parecer colmado de bendiciones, tenía una gran pena que ensombrecía su vida. Su único hijo y heredero era ciego. En tiempos más remotos el niño habría sido suprimido al nacer, pero bajo la influencia de la nueva religión, los indios se habían vuelto más generosos en algunas cosas, y como la criatura viniera al mundo normal en lo demás, se le permitió vivir. Era fuerte y saludable, hermoso y bien formado. Crecía no sólo en tamaño sino en inteligencia. Y mientras más aspecto de hombre tenía mayor era la tristeza de su padre.

"Un día acertó a pasar por allí un monje, una de esas santas personas que saben cómo vivir a expensas de los indios sin darles en cambio más que el relato de algunos hechos ocurridos hace dos o tres mil años a gentes enteramente diferentes a ellos. Aquél llegó a la conclusión de que debía valerse de alguna maña si quería seguir viviendo sin arar ni segar y si quería conseguir el dinero en efectivo que necesitaba para algunas cosas. Así, pues, empezó a rondar al jefe y a decirle que, por cierta especial consideración, él podría aconsejarlo para que ganara la gracia de la Santísima Virgen, la que podía hacer lo que muchos doctores no habían logrado: volver la luz a los ojos de su hijo. El monje era listo para dar buenos consejos a los afligidos, lo habían entrenado para ello.

"—Desde luego —explicó al jefe—, la gracia celestial de Nuestra Señora de Guadalupe no se gana tan fácilmente; es una gran dama a la que no se le puede tratar como a cualquiera. Así pues, no ahorres los ricos presentes, pues tanto ella como sus sagrados servidores siempre se hallan en la mejor disposición de recibir dinero y joyas.

"El monje esperaba su inmediata recompensa por el consejo, como suele ocurrir, no obstante su grado de santidad, con quienes esperan vivir del maná que una vez lloviera pero que jamás volverá. Una vez que el monje recibió su paga, bendijo al jefe, a su mujer y a su hijo y se encaminó hacia otro pueblo en donde se le quisiera sostener a cambio del relato de algunas historias milagrosas.

"El jefe dejó a su tío encargado de todas sus posesiones, juntó el dinero y las joyas que poseía y emprendió su larga peregrinación hacia la Villa de Guadalupe. No podía hacer uso de burros ni caballos en su largo y penoso viaje. Acompañado de su esposa, su hijo y tres criados hizo a pie el recorrido de mil cuatrocientas millas. En cada iglesia que encontrara en el camino tenía que arrodillarse y rezar cierto número de avemarías, ofrecer determinada cantidad de cera, un ojo de plata y dinero. El monje debe haber tenido sus buenas razones como cristiano para hacer que aquel viaje se prolongara por el mayor tiempo posible.

"El jefe llegó por fin a la ciudad de México. Después de hacer sus ofrendas en la catedral, de confesarse y orar durante todo un día y de recibir las bendiciones de los curas, emprendió la parte final de su gran peregrinación.

"De la catedral a la Villa de Guadalupe hay más o menos tres millas, que él, su mujer, su hijo y los criados, debían recorrer de rodillas llevando una vela encendida en la mano, la que debía impedirse a todo trance que dejara de arder, sin tomar en cuenta los cambios atmosféricos. Cuando una se consumía, inmediatamente se reemplazaba por otra. Como las velas habían sido bendecidas en la catedral, su costo era bastante elevado. Además, siempre que se encendía una nueva era necesario rezar cien avemarías, y debo agregar que el avemaría era casi la única oración que el jefe y su familia conocían.

"Así, pues, recorrieron el camino cantando, orando y recibiendo las bendiciones de los creyentes con quienes se cruzaban.

"Para hacer el recorrido de rodillas se necesitaba muchísimo tiempo. Ellos emplearon la tarde y toda la noche. El niño se quedaba dormido a cada instante, pero una y otra vez era despertado. Lloriqueaba y pedía agua y una tortilla, pero le estaba prohibido comer y beber durante la peregrinación.

"No todos los que pasaban los bendecían; algunas personas se estremecían de horror, pensando en los terribles pecados que aquel grupo debía haber cometido para que la Iglesia le ordenara semejante penitencia.

"Completamente agotados llegaron al pie del Cerrito del Tepeyac. Fué en aquel lugar donde en el año de Nuestro Señor, 1531, la Virgen Santísima en persona se apareció a Juan Diego, un indio guauhtlatohua, en cuyo ayate quedó grabada la santa imagen. Nadie se enteró de la aparición cuando ocurrió, y hasta cien años después no se hizo del conocimiento de los fieles el hecho, señalando como día preciso el 12 de diciembre de 1531. Y allí está la imagen encuadrada en un costoso marco de oro y expuesta a la contemplación de los fieles, habiendo producido y produciendo a la Iglesia más dinero del que cualquier comedia con éxito en Broadway puede dar a sus productores.

"La historia de la imagen, real o no, carecía de importancia para el jefe, embargado por el dolor, y nunca había parecido trascendental a quienes con fe se acercaban al altar implorando la ayuda de la Virgen.

"Durante tres días y tres noches, el jefe, su familia y sus criados oraron arrodillados ante el altar. No bebían, no comían, no dormían y ponían en juego toda su energía para no caer de sueño. Sin embargo, nada ocurrió.

"El jefe había ofrecido a la Iglesia todo su ganado y la cosecha de un año si Nuestra Señora volvía la luz a los ojos de su amado hijo.

"Al séptimo día, y como la Virgen se negara aún a hacer el milagro que esperaban y por el que habían pagado adelantado, el jefe, acuciado por el cura encargado, ofreció todos sus bienes terrenales, incluyendo su gran rancho, a la Virgen a cambio de la vista de su niño.

"Pero viendo que el milagro no se realizaba, el jefe empezó a dudar seriamente del poder de la Virgen. Los dioses de su raza habrían hecho más en las mismas circunstancias.

"El niño se había debilitado de tal manera con los rezos constantes, las abstinencias y el sufrimiento que sus padres le causaban no dejándolo dormir, que finalmente la madre se decidió a sacarlo de la iglesia con o sin el consentimiento de la Virgen, y se dedicó a atenderlo, pues dijo que prefería a su niño vivo, aun cuando fuera ciego, que muerto.

"El jefe, desesperado, dijo abiertamente a los curas que no creía en la Virgen, y que prefería volver al hogar y requerir los servicios de los curanderos de su tribu para que trataran nuevamente de sanar a su hijo. Los curas lo acusaron de blasfemia y le dijeron que de no ser un indio ignorante lo llevarían ante la Santa Inquisición para que lo torturaran y le hicieran renegar de sus falsos dioses y lo despojaran de cuanto él y su familia poseyeran, y que debía sentirse agradecido de que le ahorraran el destino de otros muchos infieles, quienes habían sido quemados vivos en la Alameda.

"Deseosos los curas de no perder a toda la tribu de la que aquel indio era jefe, trataron de explicarle por qué la Virgen Santísima le había negado su ayuda. Tal vez no había rezado las trescientas avemarías en cada una de las iglesias que hallara en su camino; tal vez en algunos sitios diría sólo doscientas ochenta y hasta podía haber pasado por alto algunos templos en su prisa por llegar al altar. La Virgen se había enterado de eso porque a ella no se le podía engañar como a otros dioses incapaces de ver más allá de la cumbre de la más cercana montaña. También podía haber ocurrido que bebiera agua en la mañana antes de persignarse y orar. O tal vez no cumpliría bien con el requisito de las velas en la última etapa de su peregrinación.

"El jefe tuvo que admitir que posiblemente se había equivocado en el número de avemarías. Pero él no tenía la culpa porque no estaba acostumbrado a contar cantidades tan altas y podía haber olvidado algunas. Luego recordó haber bebido agua ansiosamente antes de persignarse, porque hacía mucho calor y su sed era intensa, y una vez que había terminado de beber el agua, había brindado jícaras llenas a su mujer y a su hijo, quienes morían con el calor. Los padres le dijeron que en esas circunstancias él no debía culpar a la Virgen inmaculada, sino culparse a sí mismo, ya que era un gran pecador y no un asceta del cristianismo, y que más le valía regresar a casa y repetir la peregrinación seis meses después. Que entonces con toda seguridad la Virgen le concedería lo que pidiera con fe y como buen creyente.

"El jefe, sin embargo, había perdido su fe en el poder de la Virgen, porque como indio perteneciente a una tribu que siempre recibía la lluvia debido a las oraciones y canciones de sus sacerdotes, consideraba que una diosa que no podía ayudar al hombre en caso de necesidad no convenía a los indios.

"En compañía de su familia regresó a la ciudad de México, en donde comieron y bebieron abundantemente, y volvió a sentirse feliz. Hasta volvió a tomar a su esposa entre sus brazos, cosa de la que había prescindido desde que abandonaran su hogar, porque el monje le había dicho que si cometía semejante pecado perdería la gracia de la Virgen Santísima.

"Durante su estancia en la ciudad, se dió a buscar a algún médico a quien pudiera consultar y le fué recomendado don Manuel Rodríguez, doctor español famoso por haber curado la vista a la esposa del prefecto de la ciudad. Antes de su éxito en aquella operación sólo se le había considerado como un médico de mediana habilidad. Después de examinar cuidadosamente al chico, dijo que él estaba seguro de curarlo, de hacer que el niño recobrara totalmente la vista. "La cuestión principal", agregó, "es cuánto podrás pagarme."

"El jefe, astuto como todos los de su raza, no aparentó poder pagar tanto como el prefecto. Dijo que poseía un buen rancho y ganado. "Ese no es dinero efectivo", contestó don Manuel secamente, "lo que quiero y necesito es dinero, ¿sabes?; montones de duros. Quiero regresar a España, a un país civilizado; ya no puedo permanecer por más tiempo en esta tierra olvidada de Dios, y quiero regresar rico, muy rico. Tu rancho y tu dinero no me interesan, quiero algo bien pesado. Oro, por ejemplo."

"A ello el jefe contestó que podía hacer de don Manuel el hombre más rico de la Nueva España, si lograba que su hijo viera como cualquier ser humano. "¿Cómo podría hacer aquéllo?", preguntó el doctor. El jefe contestó que conocía una mina de oro y plata riquísima y que se la enseñaría el día que llegara a su hogar y el niño hubiera recuperado la vista.

"No fué fácil convencer a don Manuel, quien lo obligó a que hicieran un contrato durísimo en el que se estipulaba que el médico tendría derecho a cegar nuevamente al niño, sin que se le persiguiera por ello, si la mina que debía dársele no existía, pertenecía a otro o estaba agotada.

"Don Manuel trabajó tan afanosamente como nunca lo había hecho. Operó al niño y lo trató durante dos meses con tanto cuidado y atención que olvidó a sus otros pacientes, incluyendo a altos personajes. El hecho fué que llegó a interesarse profesionalmente en el caso, aun cuando sin olvidar ni por una hora la recompensa que por su trabajo esperaba. Al cabo de diez semanas, don Manuel llamó al jefe y le dijo que podía llevarse al niño. La alegría del padre no tuvo límites cuando se enteró de que su hijo veía tan bien como un aguilucho y de que la cura sería permanente, cosa que el tiempo demostró.

"Con la gratitud de la que sólo un indio es capaz, el jefe dijo a don Manuel: "Ahora le probaré a usted cómo mi palabra es tan buena como la suya. La mina que le voy a mostrar y que ahora le pertenece fué propiedad de mi familia. Cuando llegaron los españoles a nuestra región, mis antepasados la destruyeron. Ellos los odiaban a causa de los crímenes y crueldades que cometían contra nuestra raza en este país que nuestros dioses nos dieron. Los blancos amaban el oro y la plata más que a su propio Dios. Los españoles, torturando a muchos hombres de nuestra tribu, se enteraron de la existencia de la mina. Llegaron y arrancaron la lengua de todos los miembros de mi familia a quienes pudieron capturar y después los fueron quemando vivos poco a poco tratando de hacerles revelar el lugar donde la mina se hallaba. Pero mis antepasados se rieron de ellos en su cara, aun en los momentos en que sufrían las penas más severas. No había tortura lo suficientemente cruel para hacer que nuestros hombres revelaran el lugar en que la mina se encontraba. Mientras mayores torturas les infligían los conquistadores, mayor era el odio de mis antepasados para ellos, y fué ese odio el que los indujo a soportar cualquier crueldad antes que hablar. El mandato de mis abuelos, que pasando de generación en generación ha llegado hasta nosotros, es el siguiente: Si nuestra familia o nuestra tribu recibe algún beneficio que ni nuestro dios coronado de plumas ni el extraño dios coronado de sangre y espinas hayan sido capaces de concedernos o nos hayan negado, el tesoro de la mina será entregado al hombre a quien sea debido el beneficio. Y ahora, don Manuel, el mandato se cumple. Usted ha devuelto la vista a mi hijo y heredero, quien me sucederá como jefe de la tribu. Usted ha hecho lo que la madre del Dios de los blancos no pudo o no quiso hacer no obstante mis sufrimientos, plegarias y humillaciones. La mina le pertenece por derecho. Dentro de tres meses, sígame por el camino que le describiré, pero no le hable a nadie de lo que voy a entregarle y, como se lo prometí, lo haré el hombre más rico de la Nueva España.

"Don Manuel liquidó sus asuntos en la ciudad de México y tres meses después emprendió su largo y difícil viaje a Huacal para tomar posesión de su propiedad. Llevó consigo a doña María, su esposa, que se había negado a vivir en la ciudad quietamente mientras su marido llevaba a cabo aquel arriesgado viaje. Las mujeres de los colonizadores españoles no eran menos valerosas y decididas que las de los norteamericanos.

"Don Manuel encontró al jefe, quien lo recibió con la cordialidad con que hubiera recibido a su propio hermano. No sólo la familia de éste, sino toda la tribu mostró su admiración y gratitud por el doctor, a quien se trató como a huésped de honor.

"—Cuando me dirigía hacia acá —dijo don Manuel al jefe— reflexioné en lo extraño del hecho de

que tú, Aguila Brava, no explotes la mina. Bien podías
haber sacado cien mil florines con los que hubieras podido pagar mi trabajo, y con tal suma yo habría quedado
satisfecho.

"El jefe sonrió.

"—No deseo oro ni necesito plata. Siempre me
sobra qué comer. Tengo una mujer joven y bonita a
quien amo profundamente y quien me ama y honra.
Tengo, además, un hijo fuerte y muy sano, que ahora, gracias a la habilidad de usted, puede ver, y se
encuentra, por lo tanto, en inmejorables condiciones.
Poseo campos y ganado, soy jefe, juez y podría decir
amigo verdadero y honesto de mi tribu, la que respeta
y obedece mis órdenes, pues sabe que son dictadas
para su bien. El suelo nos produce ricos frutos cada
año. El ganado se multiplica. Sobre nosotros brilla un
sol de oro y por las noches una luna de plata, y en
nuestra tierra reina la paz. Así, pues, ¿qué puede significar el oro para mí? El oro y la plata no traen
consigo bendiciones. ¿Las trae para ustedes? Ustedes,
los blancos, matan, roban, engañan y traicionan por
él. Se odian entre sí a causa del oro. Jamás podrán
comprar amor con él. Sólo les acarreará discordia y
envidia. Ustedes, los blancos, suelen estropear la belleza de la vida en su deseo de poseerlo. El oro es
hermoso y se conserva bello, por eso lo empleamos para
adornar a nuestros dioses y a nuestras mujeres. Es
una fiesta para los ojos la vista de brazaletes, anillos
y collares hechos con él. Pero siempre hemos sido amos
de nuestro oro, no esclavos suyos. Lo vemos y gozamos,
pero considerando que no es comestible, carece para
nosotros de un valor real. Nuestro pueblo ha combati-
do, pero nunca por la posesión del oro. Peleamos por
tierras, por ríos, por los depósitos de sal, por los lagos
y sobre todo para defendernos de las tribus salvajes

que trataron, y de vez en cuando tratan todavía, de robar nuestras tierras y sus productos. Si yo o mi mujer tenemos hambre ¿en qué puede ayudarnos el oro si carecemos de maíz y de agua? Yo no puedo tragar el oro para satisfacer mi hambre. El oro es hermoso como una flor y poético como las voces dulces de los pájaros en los bosques. Pero la flor perderá su hermosura si me la como y no podré gozar más de la canción de un pájaro si lo pongo en una sartén.

"—Quizá la cosa sea así como tú la interpretas —dijo don Manuel, bromeando—. Mas yo no quiero echarme el pájaro al coleto, te lo aseguro, Aguila Brava; ya sabré cómo aprovechar el oro, no te preocupes.

"—Supongo que usted lo sabe, que usted debe saberlo mejor que yo. No quiero aconsejarle lo que debe hacer. Yo trabajaré mis campos, no trataré de extraer oro porque entonces no tendría maíz que comer y mi esposa, mi hijo, mi padre y mis criados, todos los que dependen de mí, sufrirían hambre, y eso yo no podría soportarlo. De cualquier modo, mi amigo, creo que usted no entiende lo que hablo y lo que quiero significar con ello, y por mi parte creo no entender lo que usted dice. Nuestros corazones son distintos y su alma no es como la mía. Dios nos ha hecho así. Sin embargo, no importa lo que puede ocurrir, yo siempre seré su amigo.

"Seis días emplearon el jefe, el doctor y dos lugartenientes del jefe buscando la mina a través de la maleza. Cavaron por uno y por otro lado. Don Manuel empezaba a dudar del indio. Pensó que trataba de evadir el cumplimiento de su trato en una u otra forma y que en realidad la mina era un mito. Sin embargo, cuando vió el cuidado y la lógica empleada por el jefe y sus ayudantes en la búsqueda, siguiendo una línea determinada, buscando las sombras que se producían por las diversas posiciones del sol y comparándolas con picos y rocas, se convenció de que sabía lo que hacía y de que tenía la seguridad de encontrar lo que buscaba.

"—No es tan fácil como usted cree —explicó el jefe a don Manuel una noche en que se hallaban alrededor del fuego en el campamento—. Debe usted comprender que ha habido terremotos, deslaves, lluvias torrenciales, cambios en el curso de los ríos; algunos arroyos han desaparecido y otros se han formado, los arbustos se han convertido en árboles gigantes y los gigantes han caducado. Todas esas señales que hacían posible la localización de la mina ya no existen. Por eso tengo que guiarme por indicios y todavía puede transcurrir una semana más antes de que la encontremos. Pero tenga paciencia, amigo, ella no puede haber huído como un ciervo espantado.

"La búsqueda duró más de una semana. Por fin una noche el jefe dijo:

"—Mañana, amigo, le entregaré la mina, porque mañana mis ojos la habrán visto.

"Don Manuel quiso saber por qué no podían llegar al lugar inmediatamente para asegurarse. Estaba impaciente.

"—Podríamos ir ahora mismo, amigo —contestó el jefe—, pero ello no nos sería muy útil. Habrá usted visto que durante todos estos días la posición del sol no ha producido las sombras necesarias. Mañana el sol apuntará directamente al sitio señalado. Hace días que tengo indentificados los alrededores y mañana encontraré la mina.

"Y así fué. A la mañana siguiente la localizaron en un barranco.

"—Vea usted —explicó el jefe—, allí se desprendió una roca y cubrió todo el terreno cercano. Por eso me fué tan difícil precisar el sitio. Muchos cambios han ocurrido durante los últimos doscientos años. Allí está la mina que le pertenece. Ahora le ruego que abandone mi casa y mi tierra.

"—¿Por qué? —preguntó don Manuel.

"—Mi casa dejará de ser amable para usted. Ahora posee la rica mina, y la felicidad no volverá a ser suya.

Y dicho esto, el jefe le tendió la mano para que se la estrechara.

"—Espera —dijo don Manuel—, quiero preguntarte algo.

"—Diga, amigo.

"—Si yo te hubiera pedido doscientos mil florines por la curación de tu hijo, ¿habrías abierto la mina para obtenerlos?

"—Sin duda, pues deseaba que mi hijo viera y no lo habría dejado ciego si podía evitarlo. Pero después de haber tomado el oro necesario, la habría cerrado nuevamente, porque el oro no hace feliz a nadie. Además podía haber ocurrido que los gobernantes —me refiero a los españoles— se hubieran enterado de su existencia y para apoderarse de ella nos hubieran asesinado a mí y a todos los míos. Desde cualquier punto que se le mire, con ella no hay felicidad posible y la felicidad es lo único que cuenta. ¿Para qué vivimos? Oiga mi consejo, amigo, cuídese de que no lo asesinen en cuanto su propia gente se entere de que posee usted la mina. Si los hombres saben que usted no posee más que su pan, tortillas y frijoles, nadie lo asesinará. Y ahora, me voy. Seguiré siendo su amigo mientras viva, pero tengo que dejarlo.

"Aguila Brava regresó a su hogar, que se hallaba a un día de distancia de la mina, y don Manuel se apresuró a establecer su campamento.

"Antes de dejar la capital había arreglado con las autoridades lo necesario para que se le permitiera explorar y se le reconociera como propietario de las minas que descubriera, conviniendo en pagar contribuciones sobre cada embarque que hiciera.

"Volvió al pueblo en el que había dejado a su esposa y compró herramientas, alguna maquinaria y pólvora. Contrató a algunos jornaleros y compró bestias de carga. Acompañado de su esposa, regresó a la mina y comenzó a abrirla.

"Resultó tan rica en plata que su producción sobrepasaba a la de todas sus semejantes. Producía especialmente ese metal, pero también una buena cantidad de oro.

"La experiencia de otros poseedores de minas le había enseñado a hablar poco de su hallazgo. Los bandidos resultaban menos temibles que los gobernantes y altos dignatarios de la Iglesia. Esas encumbradas personas sabían bien cómo privar a un individuo de sus propiedades cuando éstas valían la pena. El propietario solía desaparecer repentinamente sin que nadie volviera a saber de él. Nunca se encontraba testamento y sus bienes eran declarados propiedad de la Iglesia o de la corona. Además en la América hispana, donde la Inquisición oficiaba con sin igual crueldad, el Santo Oficio actuó por más tiempo que en España.

"Los de la Nueva España eran súbditos de S. M. el rey de España. Contra tal poder ¿qué podía un pobre burgués? Bastaba que un cardenal o un obispo se enterara de que alguien poseía una rica mina para que se presentaran testigos a jurar que el propietario dudaba de la pureza y de la virginidad de la madre del Señor o que ponía en duda los milagros de Nuestra Señora de Guadalupe o que acostumbraba blasfemar o asegurar que Lutero tenía tanta razón como el Papa. Si negaba el cargo, era torturado no sólo hasta que admitía que los testigos estaban en lo cierto, sino hasta que al dicho de aquéllos agregaba algo más. Se le condenaba y podía considerarse feliz si se le concedía la merced de ser ahorcado antes de ser quemado, pues a menudo se les condenaba a morir a fuego lento. De acuerdo con las leyes de la Santa Inquisición, todas las propiedades de un hombre condenado por ella, así como las propiedades de su esposa, hijos, socios y de muchos de sus parientes, les eran confiscadas por la Iglesia. De acuerdo con las mismas reglas, un pequeño porcentaje era entregado a los delatores y a los testigos que en aquellos tiempos, como hoy, jamás trabajaban únicamente por el amor de Dios.

"Don Manuel era muy listo para dejarse coger fácilmente. Los cargamentos que había enviado a México erán pocos y pobres, tanto que movían a compasión al que los veía y se enteraba de lo duramente que tenía que trabajar para obtener tan escasas ganancias. Embarcaba solamente aquello que podía proporcionarle mejores herramientas, provisiones y dinero para los salarios.

"Fué en la mina en donde empezó a acumular sus ricos beneficios, escondiéndolos y esperando la oportunidad de hacer un solo y gran cargamento para dejar la mina a quien quisiera explotarla.

"Aun cuando su explotación le produjo grandes riquezas, trataba a sus trabajadores peor que a esclavos. Difícilmente les pagaba lo necesario para vivir y los hacía trabajar tan duramente que a menudo perecían. Hacía uso del látigo o de la escopeta cuando lo juzgaba necesario. Los indios, particularmente los del norte, no pueden ser tratados por mucho tiempo en esa forma, por lo tanto, nada raro resultó el hecho de que un día se rebelaran en la mina de don Manuel. La esposa pudo escapar, pero él fué asesinado y la mina semidestruída, después de lo cual los trabajadores huyeron.

"Doña María tuvo noticia de que la mina había sido abandonada por los indígenas y que todo parecía haber vuelto a la calma. Regresó y se encontró con el tesoro intacto y escondido en los mismos lugares en que lo habían dejado. Enterró a su esposo y pensó en seguir explotando la mina.

"Debía haberse sentido satisfecha por el resto de su vida con el oro y la plata amontonados durante los últimos años, bajo la dirección de don Manuel, pero al contemplar toda aquella riqueza ante ella, se vió asaltada por una manía de grandeza. Miembro de una humilde familia provinciana española, imaginó el retorno a su país en calidad de la mujer más rica del mundo. Aun era joven y tenía buena presencia, y cuando llegara a España disponiendo de riquezas incontables, compraría el más antiguo y bello de los castillos y elegiría por esposo a algún noble, tal vez hasta un duque, convirtiéndose en miembro de la corte del poderoso rey de España y tal vez hasta en dama de su majestad la reina. Demostraría a sus parientes y amigos la forma en que una pobre muchacha puede, si es inteligente, alcanzar éxito en la vida. ¿Por qué si hijos de grandes de España habían casado con princesas aztecas, tarascas e incas no había de casar ella, española de pura sangre, con un marqués castellano?

"Un cambio completo se operó en ella desde el momento en que aquellas ideas la poseyeron. Un dormido instinto comercial la obligó a hacer cosas en las que antes ni siquiera había soñado. Se dió a pensar cuanto costaría un par de castillos en España, cuanto podría gastar un duque en su vida, cuanto costaría el sostenimiento de los castillos incluyendo un ejército de criados, buenos caballos, carruajes elegantes. Qué cantidad se necesitaba para sostener una vida cortesana haciendo viajes a Francia e Italia y qué fortuna era necesaria para subvenir a las necesidades de una mujer noble y elegante casada con un duque o marqués. Todo aquello alcanzaba una suma fantástica. En sus cálculos incluía las contribuciones y donativos especiales a la Iglesia, a fin de que la poderosa institución la dejara vivir en paz. También pensó en la construcción, cerca de la mina, de una catedral, en la que enterraría los restos de su esposo. Después de hacer la suma, decidió contar el doble a fin de estar a salvo de algún mal cálculo que pudiera haber hecho. La cifra resultante ocupaba al ser escrita cerca de un pie de largo, pero ello no la desconcertó, pues sabía que podría conseguirla y que sólo era cuestión de tiempo ya que la mina parecía contener riquezas sin límite.

"Vinieron duros años de lucha para alcanzar la meta que se había fijado. Alejada de toda civilización, privada hasta del mínimo *confort,* se mantuvo en su puesto día y noche, sin sentir fatiga, sin pensar en el descanso. Cuando se sentía desfallecer le bastaba pensar en el duque y en los castillos para recuperar todas sus fuerzas. Era indudable que tenía una visión más clara de los hechos que su marido. Conquistó a los jornaleros sin pagarles salarios más altos que él. Era enérgica, tenaz y parecía usar de una especie de hipnotismo para obtener de los trabajadores lo que quería. Si esas virtudes no le daban resultado, ensayaba otros medios diplomáticos y ganaba su voluntad. Sabía reír como un carretero borracho, lloraba en forma conmovedora y juraba como un arriero.

Si esos resortes le fallaban, sabía rogar con tanta maestría que hubiera sido capaz de convencer hasta a los frailes mendicantes para que le entregaran cuanto poseían.

"Pagaba a sus hombres siempre un poquito más de lo que necesitaban, y así los retenía.

"Y no era sólo el problema de la mano de obra lo que tenía que resolver. La mina se veía amenazada constantemente por pandillas de bandoleros y ladrones compuestas de presidiarios evadidos, asesinos, desertores del ejército y toda clase de aventureros. El país estaba acosado por hordas de bandoleros antes nunca vistas y compuestas por mestizos, indios, criollos y blancos descastados. Era la época en que, debido a la revolución americana y a la francesa, el poder de España en el continente americano empezaba a vacilar, y en consecuencia la política zozobraba a causa de los cambios económicos.

"Para alejar de su tesoro a las hordas de gente fuera de la ley, doña María tenía que usar de toda clase de triquiñuelas y disimulos. Muchas veces, cuando se enteraba de que se aproximaban, aparentaba ser una miserable criatura obligada a trabajar como esclava, no para su provecho, sino como penitencia por un horrible pecado cometido contra la Iglesia, de la que quería obtener el perdón trabajando duramente a fin de construir la catedral más lujosa y costosa del mundo.

"Pero llegó el día en que doña María sintió la nostalgia de su tierra, la llamada de la civilización, el deseo de un hogar limpio, de una cocina bonita, de una alcoba coqueta con un lecho suave para compartirlo con un hombre, y de un lugar en el que los mosquitos, la fiebre, el agua infectada, las culebras, los alacranes y otros horrores que sabía no podría soportar más, no existieran. Concluyó que debía partir en seguida o se volvería loca. Quería ver caras de cristianos y olvidar las de los indios, quienes frecuentemente la asustaban, pues le ocurría lo que a un hombre a quien repentinamente su perro le infunde terror. Deseaba ardientemente hablar con gentes cultas, de su misma raza y en su lengua no corrompida; necesitaba de las caricias de algún ser amado; quería vestir como debían hacerlo las mujeres en la ciudad.

"Aquellos deseos la poseyeron tan rápidamente que no tuvo tiempo de reflexionar y de analizar sus sentimientos como lo hacía antes; no tenía fuerzas para dominarlos. Comprendió que si no partía sería capaz de cometer insensateces. Tal vez se habría entregado a alguno de los indios, o se habría matado o intentaría matar a todos los hombres o quizá hasta sacar todo el metal acumulado y regarlo por todas partes.

"Hizo un balance del tesoro y encontró que poseía bastante para vivir como le placiera y en España. Resolvió quedarse una semana más para planear cuidadosamente su viaje.

"Doña María había contratado recientemente a dos soldados españoles que pasaron por allí, probablemente desertores ambos o expulsados del ejército. Con su ayuda formó una escolta de mestizos y de indios medianamente armados. Aquella guardia se había hecho necesaria debido al incremento que el bandidaje había tomado. Uno de los soldados españoles mandaba durante el día y el otro por la noche.

La guardia había dado resultado y doña María decidió levantar el campamento, empaquetar sus riquezas y transportarlas a la ciudad de México y de allí a la vieja y buena España. El transporte habría sido prácticamente imposible sin escolta.

"El metal, del cual una sexta parte era oro y el resto plata, había sido fundido en barras y en esa forma se había acomodado en cajas, cuévanos y hasta canastas fabricadas por los indios. Podía calcularse la magnitud del tesoro tomando en cuenta que fueron necesarias ciento treinta fuertes mulas para hacer el acarreo sólo del metal, cosa que más tarde fué plenamente comprobada por investigaciones oficiales.

"La caravana, compuesta por treinta y cinco hombres de los cuales veinte iban bien armados, se puso en camino. Tenían que recorrer cerca de mil cuatrocientas millas para llegar a la capital, atravesando desiertos, ríos y barrancos y trepando cerca de diez mil pies por los elevados senderos de la Sierra Madre, salvando espesas selvas y bosques vírgenes. Pasaron por los distritos tropicales más bajos del país, subieron a las cumbres heladas de las altas cordilleras de la Sierra Madre para descender nuevamente al trópico. En las alturas de la Sierra, la caravana fué azotada por fuertes tormentas y huracanes, mientras que al atravesar desiertos y tierras bajas tropicales y rocosas, hombres y bestias casi morían de sed y de calor.

"El transporte resultó animadísimo. Doña María se mostraba siempre excitada. Las mulas cargadas solían escapar y era necesario alcanzarlas, otras caían y se les tenía que ayudar para que se levantaran; unas veces tiraban la carga y otras había que sacar bestia y carga de las profundidades de una barranca; otras bestias se ahogaban y era necesario extraer la carga de entre las aguas del río. No pasaba un solo día sin que algo ocurriera para hacer la vida menos aburrida.

"Una tarde doña María se dió cuenta de que entre la gente reinaba cierta agitación. Investigó y supo que uno de los capitanes españoles se dedicaba a crear dificultades. Al fin, encarándose con doña María, le dijo:

"—Escuche y escuche con cuidado, señora. ¿Se casará usted conmigo o no? Piense en lo que puede resultarle mejor.

"—¡Casarme yo contigo; contigo, carretero apestoso; hijo de puta! ¡Casarme yo contigo!

"—Está bien —contestó el hombre—; fácilmente puedo conseguirme una gran belleza y mucho más joven. En adelante yo manejaré los asuntos, cosa que puedo hacer muy bien sin necesidad de su consentimiento, aparte de que jamás ha sido usted agradable para un macho como yo.

"—¿Qué dices que puedes hacer sin mi consentimiento? ¡Cabrón, coyote apestoso!

"—Lo que quiero decir es que no necesito casarme contigo para quedarme con todo lo que los bultos guardan.

"—¡Ah! ¿Conque te crees capaz? ¡Te agradezco que hayas hablado claro!

"El español sonrió y señalando con la mano hizo que doña María fijara su atención en los hombres que se hallaban en el campamento.

"—Contempla aquello, bella dama. Tal vez después te decidas a ir conmigo a la iglesia y luego a la cama, o a la inversa si te parece, querida. Te doy una hora para que te convenzas de que estás enamorada de mí. Yo no te necesito ¿sabes? y si te tomo es sólo por lástima y compasión; soy muy sentimental, no puedo ver una hembra llorar.

"—¿Por qué esperar una hora? No estoy acostumbrada a esperar —Doña María no había perdido su sangre fría—. Buena faena has hecho, perro; lo reconozco y admiro tu valor. Me gustan los tipos como tú.

"Miró hacia el campo y vió al otro capitán atado a un árbol y a todos los indios amarrados y en el suelo. Sólo los mestizos se hallaban libres y era a éstos a quienes el español se había ganado, prometiéndoles una buena tajada del botín. Doña María repitió:

"—Sí, magnífica faena, excelente trabajo el tuyo.

"—Eso quiere decir que has entrado en razón, hermosa; supongo que no querrás esperar más.

"—Tienes razón, diablo maldito; no quiero esperar más.

"Doña María hablaba con frialdad. Se aproximó a una de las monturas que se hallaban en el campo y con un movimiento rápido cogió uno de los pesados látigos que servían para arrear a las mulas. Antes de que el español se diera cuenta de lo que iba a hacer, ella le asestó un latigazo terrible en la cara y le hizo caer y cubrirse el rostro con las manos, lamentándose. Con la rapidez de un relámpago le propinó media docena más de despiadados latigazos en la cara, haciendo que se encogiera cegado por el dolor. Después él se arrastró, cubriéndose la cara con un brazo y ayudándose con el otro para huir de los golpes.

"Aquello fué sólo el principio. Los mestizos estaban tan asombrados que ninguno se atrevió a huir. Antes de que tuvieran tiempo de reflexionar, el látigo empezó a cruzarles las caras. Los que no caían echaban a correr cubriéndose con los brazos. Ni por un instante se les ocurrió atacar a la rabiosa mujer. Cuando se sintieron a salvo y capaces de regresar, doña María ya había desatado al otro español y le había dado un cuchillo para que libertara a los indios que habían permanecido fieles a su patrona.

"Los liberados no perdieron tiempo, montaron sus caballos y empezaron a lazar a los mestizos que trataban de huir.

"Doña María los hizo colocar en fila, poniendo al frente de ellos al español rebelde.

"—¡Ahora, puerco cabrón, ve a moler a tu abuela! —le gritó—. ¿Qué me dijiste? Creo que me propusiste matrimonio; lo que no sabías es que estarías en el infierno antes de que yo lo pensara siquiera. ¡Cuelguen a esta culebra! Su hermano el diablo ya está esperándolo para saludarlo. Así, muchachos, así; muy bien hecho.

"Mientras el rebelde se balanceaba en el árbol, doña María gritó a los inmovilizados mestizos:

"—Y ustedes, ¡perros apestosos!, bien me gustaría verlos a todos colgados también. ¿Qué haré con ustedes? Mandaré que los amarren a la cola de los caballos y que les den una vuelta antes de colgarlos. El virrey me recompensará por hacer el trabajo que el verdugo no pudo hacer por falta de tiempo. Bueno, canallas; tendré piedad de ustedes para que la Virgen Santísima la tenga conmigo el día de mi muerte. Les daré oportunidad de escapar, aunque tarde o temprano caigan en manos del verdugo; eso es seguro y no debe preocuparles. No quiero mermarle las ganancias; tal vez tenga una familia grande a quien mantener. Pero tengan cuidado, porque el primero que encuentre tratando de traicionarme habrá de preferir caer en manos de la Santa Inquisición y no en las mías. Ahora, a trabajar. ¡Ey! esperen un minuto. No crean que los necesito, pero si se largan no habrá paga. A los que quieran quedarse les daré el caballo que montan, la pistola y la montura y tal vez —digo tal vez— una gratificación además de su salario. Y ahora a trabajar, a reparar las monturas y a curar a las mulas. ¡Aprisa!

"Los hombres pusiéronse al trabajo inmediatamente.

"—No se atrevan a bajar a ese demonio ahorcado! —gritó doña María a dos de la pandilla que deseaban bajar el cadáver—. Dejen su bagazo a los zopilotes, que su alma ya debe estar en el infierno.

"Mientras los mestizos se afanaban reparando las monturas, curando a las mulas, arreglando los paquetes, colocando zacate sobre las sillas y cocinando, doña María llamó al español que le había sido fiel. Ella no podía saber si le sería fiel un día o una semana más. Pero aquella escena debía habérsele metido por los ojos y ya sabría evitar las torpezas cometidas por el otro. Este era escasamente mejor que el capitán ahorcado y sabía que en aquella ocasión había perdido sólo su oportunidad.

"La mano férrea con que doña María había sofocado el motín, sin duda le había impresionado profundamente. Pero como se trataba de una mujer, podría creer fácil correr la aventura y tener éxito ahora que conocía sus mañas, y tenía, además, a los indios de su parte.

"Doña María previó la situación y supo que no podría confiar en él. Sus buenas razones tenía para tratar de reconciliarse con los mestizos, haciéndoles promesas de regalos que aquéllos nunca habían esperado. Y el mejor apoyo de su diplomacia consistía en crear dos partidos que se odiaran entre sí. En aquella forma siempre tendría a alguno de los bandos de su parte y en pugna con el otro. Empezó a pensar en el mestizo a quien podría nombrar capitán de su grupo para poderlo manejar mejor. En aquellas condiciones, se necesitaba el cerebro de un gran conductor más que de un gran diplomático para hacer llegar el tesoro a su destino.

"Llamó al capitán leal y le preguntó:

"—¿Cómo se llama, hombre?

"—Pedro Padilla, doña María; Pedro Padilla, su humilde servidor.

"—Bien, don Pedro —dijo doña María, apoyando la voz en el "don" y conquistándolo con aquello. Él y su colega ahorcado jamás habían sido llamados por doña María más que "hombre". "¡Ey, hombre!" "¡Tú, ven acá!" Por ello se sintió como un soldado condecorado ante sus compañeros incapaces de merecer semejante honor.

"—Bien, don Pedro —repitió doña María— no crea usted que no me he fijado en sus cualidades. Se portó usted noblemente, como todo un valiente caballero, como real y verdadero protector de una mujer indefensa. Lo admiro por su comportamiento. —Y acompañó sus palabras de una sonrisa.

"El caso era que nada de particular había hecho; el otro capitán lo había sorprendido y mandado a dos mestizos que lo ataran a un árbol, le dieran de patadas en las costillas y le dejaran ver cuanto ocurría en el campo. De no haber sido por el valor de doña María, habría tenido que servir a su antiguo compañero, quien tal vez lo habría mandado colgar.

"Doña María sabía aquello muy bien, pero se desentendió de la verdad y le hizo creer que estaba segura de haberle visto pelear como un león para protegerla, lo que le halagó profundamente.

"Ella había empezado a poner en juego su táctica para lograr seguridad durante la marcha.

"—Como decía yo, don Pedro, se ha portado usted como un verdadero noble hispano y en cuanto lleguemos a la capital le recompensaré como se merece. Le daré... —y estuvo a punto de decir una mula con todo su cargamento, pero reparó a tiempo en su excesiva generosidad y continuó—: le daré la mitad de la carga de esa mula y repartiremos entre los indios de la escolta la otra mitad. Y esos malditos y apestosos mestizos, si se portan bien de ahora en adelante, reci-

birán una bonificación correspondiente a la cuarta parte
de lo que los indios fieles tendrán. Además, don Pedro,
el caballo, la pistola y el rifle serán de usted. También
daré a los indios sus bestias y sus pistolas.

"—Muchas gracias, doña María; a los pies de usted —contestó Pedro, besándole la mano y agregó—:
Y ahora permita usted que me retire para volver al
trabajo.

"—Es usted guapo, don Pedro; nunca me había
percatado de ello —dijo doña María con una sonrisa
de lo más femenino—. Sí, es usted guapo y muy fuerte; es extraño que nunca lo hubiera notado antes, Pedro —y volvió a sonreír—. Ya hablaremos de ello
cuando estemos en la capital, ahora no es tiempo, ni
estamos en lugar muy a propósito para hablar de estas
cosas.

"Pedro se irguió, tomando la apariencia de un pavo
en el momento de hacer la rueda.

"—Vaya usted a vigilar que los hombres cumplan
con su deber, don Pedro; ahora es usted el jefe y encargado de todo, ya que sólo en usted puedo confiar.

"—Sí, doña María; por la Santísima Virgen tenga
usted confianza, y ahora mil gracias por sus bondades.

"Doña María se volvió y se dirigió a su tienda.

"—¡Qué cerebro el de los hombres! —pensó para sí.

"El motín había sido aplastado. Durante el resto
del camino no se registró ningún incidente semejante.
Pedro se portó como doña María esperaba. Cualquier
intento de rebeldía entre los hombres habría fracasado
con la ayuda de él. Doña María nunca había pensado
que los hombres que la servían pudieran rebelarse.
Otros eran los problemas que ella había tomado en
cuenta. A medida que se acercaban a las regiones po-

bladas, los caminos se hacían más peligrosos. Por todos lados se encontraban hordas de bandidos, desertores del ejército o de la marina y presidiarios evadidos. El poder de España en América se debilitaba cada vez más. Habiendo ejercido una tiranía absoluta, ocurría lo que siempre en cualquier tiempo cuando las dictaduras se acercan a su poco glorioso fin. Las dictaduras no permiten que los pueblos se guíen política o económicamente por sí mismos; éstos no se encuentran preparados para afrontar la evolución natural, y el resultado es el caos. Las autoridades se vieron tan duramente presionadas por todos lados que no pudieron sofocar la creciente inquietud del país.

"Doña María vivía con el temor constante de ser atacada, robada y asesinada. Cada mula con su carga tenía que ser cuidadosamente vigilada. Hubo días en que no fué posible avanzar más de diez millas, por tropezar con dificultades al parecer insuperables.

"Aquel viaje fué para doña María una prueba todavía más dura que su estancia en la mina. No recordaba una sola hora de felicidad, siempre con el temor de perder su tesoro. Sus días transcurrían llenos de preocupaciones y sus noches pobladas de pesadillas terribles. No recordaba una sola noche tranquila y de agradable sueño. Sus días eran amargos y cargados de amenazas.

"Lo único que le había sostenido el ánimo durante aquellos años eran sus proyectos para el futuro. Soñaba verse del brazo de un duque, camino de la corte, en donde tendría el honor de besar el pesado anillo de Su Majestad.

"Por fin llegó el momento supremo. La caravana arribó a la ciudad de México sin haber perdido una sola barra del precioso metal.

"Apenas llegada doña María, la fama de sus riquezas corría por toda la ciudad. Hasta los oídos del virrey, el más alto dignatario de la Nueva España, llegó la nueva del arribo a la capital de la mujer más rica del imperio. Doña María fué invitada a concurrir a una audiencia privada con el virrey, la que con asombro general duró más de una hora.

"Su gratitud no tuvo límites cuando aquel alto personaje le prometió que su caudal sería bien guardado en las propias arcas del tesoro del rey, esto es, el sitio más seguro de Nueva España, más seguro aún que las arcas del entonces Banco de Inglaterra, pues quedaba guardado por todo el ejército colonial y garantizado por el virrey. En aquellas arcas, sus tesoros podían reposar hasta ser transportados bajo vigilancia especial de las tropas del rey hasta el puerto de Veracruz para ser embarcados a España. Doña María, confundida por tanta generosidad, prometió al virrey un regalo en efectivo, espléndido hasta para un personaje de su alcurnia.

"Doña María recompensó a sus hombres más allá de lo que les había prometido por su fidelidad, y los despidió honrosamente.

"Una vez arreglado todo, se alojó con magnificencia en el mejor hotel de la capital.

"¡Por fin podría gozar de una buena comida al cabo de tantos años de penas y durezas! ¡Por fin podría sentarse a comer tranquila y gustosamente!

"Cuando hubo gozado de la deliciosa cena, descansó en el lecho dulce y mullido, por tantos años deseado. Al despertar ya pensaría en cosas más finas y delicadas, en cosas más femeninas y en el guapo duque o marqués.

"Pero ocurrió algo que doña María jamás había previsto.

"Sus tesoros no desaparecieron, no fueron robados de las arcas del rey, fué algo más lo que desapareció sin que nadie volviera a tener noticias suyas, ello fué la misma doña María. Ella se acostó en su lecho real, pero a partir de aquel instante nadie más volvió a verla. Desapareció misteriosamente sin que nadie supiera cual había sido su fin.

"Mas si de ella nadie volvió a saber, toda Nueva España se enteró de que sus tesoros no habían desaparecido y de que habían pasado a manos de alguien que sabría emplearlos mejor que aquella dama tan tonta que suponía a la nobleza casada con la honestidad."

Cuando Howard terminó de contar la historia, agregó:

—Quise hacerles este relato para demostrarles que no todo está en encontrar oro y sacarlo de la tierra; hay que transportarlo, y esto representa un esfuerzo mayor que el de cavar y lavar. Es posible tener un montón de oro enfrente y no poder asegurar si nos será dado comprar con él una taza de café y una hamburguesa.

—¿No habría posibilidad de localizar aquella mina? —preguntó Curtin—. Porque aquella mujer no debe haber sacado todo lo que contenía.

—No lo hizo —contestó Howard, haciendo un gesto a Curtin—. Todavía queda mucho, sólo que llegaste tarde como siempre, Curty; porque actualmente la mina es explotada por una compañía americana que ha obtenido diez veces más de lo que doña María pudo sacar. Puedes localizarla fácilmente, y parece inagotable; se llama Doña María Mine y se encuentra en la vecindad de Huacal. Si quieres, puedes solicitar trabajo en ella, tal vez lo consigas si tienes suerte. Te pagarán cuarenta a la semana.

Durante algún tiempo, los hombres permanecieron silenciosos alrededor del fuego, después se levantaron, estiraron los miembros y bostezaron con el sabroso placer con que lo hacen los jornaleros bien cansados.

—Eso ocurrió hace más de cien años —intervino Lacaud, rompiendo el silencio.

—¿Alguien ha dicho lo contrario? —repuso Dobbs.

—No —contestó Lacaud—, pero sé una historia acerca de otra rica mina de oro. Ocurrió hace apenas dos años y es mejor.

—Cuéntasela a tu abuela —dijo Dobbs, bostezando con ostentación—. No queremos ninguna de tus historias; aunque se refieran a hechos recientes, cuando salen de tu boca ya son rancias. Más vale que te calles, tú, interno.

—¿Qué dices? —preguntó Lacaud asombrado.

—Nada, déjame en paz.

—No le hagas caso Lacky —dijo Howard tratando de calmar a Lacaud—. No debes tomar en serio lo que Dobby diga. ¿No ves que nació con el cerebro enrevesado y todavía no acaba de componerse? Ahí está la dificultad. Si se le obsequia con un buen pastel de manzana aderezado con crema, preguntará furioso por qué no se le ofrece de calabaza. Así es.

—¡Caramba, cómo me cargáis todos vosotros! —dijo Dobbs, haciendo un gesto indecente al tiempo que se dirigía a la tienda dejando a los otros cerca del fuego.

XVII

El día siguiente, señalado para hacer los últimos arreglos para la partida, encontró a los socios tan excitados que apenas pudieron desayunar.

Cada cual fué a su escondite y sacó su tesoro para empaquetarlo. En el estado en que se encontraban, presentaban un aspecto miserable. Pequeños granos terrosos, arena, polvo gris, todo envuelto en hilachos y amarrado con cordeles. Cada uno de los socios tenía un buen número de aquellos envoltorios. La cuestión era empaquetarlos bien entre las pieles secas, para que si cualquiera autoridad o bandido registraba los bultos, no se percatara de su existencia. Una vez hecho aquello, los socios esperaron llegar con bien a Durango. Lo importante era llegar a la estación más próxima, en donde tomarían un tren para dirigirse al puerto. Una vez en el tren, el peligro disminuiría al mínimo.

Cuando los bultos estuvieron listos, Dobbs y Curtin salieron de caza a fin de proveerse de carne suficiente para el viaje. Howard se quedó en el campamento para asegurar las cargas arreglando cuerdas y amarras para evitar averías y retardos en el camino.

Lacaud, como de costumbre, había salido. Vagaba por la montaña, arrastrándose por la maleza, rascando el terreno y examinándolo con lentes. Llevaba consigo una botellita con ácido que empleaba para hacer prue-

bas en el terreno que cavaba bajo las rocas. En ocasiones se dirigía al arroyo con un saco lleno de arena
que lavaba.

Curtin tenía de Lacaud mejor opinión que Dobbs,
quien en cuanto se le presentaba la oportunidad lo ridi-
culizaba. A Howard le simpatizaba, y un día dijo a
Curtin:

—Él sabe bien lo que quiere, pero de todos modos
no creo que llegue a encontrar algo de valor por aquí.

—Supongamos que lo logre —repuso Curtin, deseoso de saber lo que harían en tal caso.

—Aún cuando me trajera un trozo tan grande como
una nuez no me quedaría. Para mí esto acabó.

—Para mí también, mano, créeme —declaró Curtin—. No me quedaría ni por una libra de oro puro,
pero quisiera saber qué es lo que Dobbs opina.

—Yo creo que se arriesgaría con él; ya sabes que
Dobbs es codicioso, ese es su defecto, de otro modo
sería una buena persona.

Habían sostenido esa conversación dos días antes.
Howard reflexionaba en lo dicho, cuando Dobbs apareció trayendo dos guajolotes silvestres y un puerco
salvaje de buen tamaño.

El viejo sonrió satisfecho.

—Bueno, muchachos, eso nos durará para todo el
viaje. Ya sabéis que el hombre puede vivir sólo de
carne y conservarse tan fuerte como un elefante bien
alimentado. Creo que hasta podríamos regalar algo de
nuestras provisiones a nuestro amigo Lacky.

Aquella noche, mientras asaban el puerco en la
hoguera, Curtín preguntó a Lacaud:

—¿Te quedarás, Lacky?

—Claro está; aún no he terminado.

—¿Has encontrado algo? —intervino Dobbs.

—Nada de mucho valor; pero tengo esperanzas.

—Así está bien, sigue por ese camino—. La búsqueda inútil de Lacaud parecía complacer a Dobbs—. La esperanza siempre es buena. Hay que buscar el sendero que conduce al paraíso y esperar y esperar, hermano; pero conmigo no cuentes.

—Nunca he contado contigo.

—No te pongas insolente; todavía estamos aquí y mientras dure nuestra presencia, tú serás sólo un huésped y no muy grato; entiéndelo bien.

—Dobby. ¡Por el diablo! ¿Qué te ocurre? —dijo Howard, mirándolo con curiosidad—. Nunca te había visto así; te portas como un niño necio. ¿Dónde has dejado enterrada tu educación?

—No me gusta que me manden, eso es todo; nunca me ha gustado.

—Pero, hombre de Dios —agregó el viejo con su tono paternal—, nadie te está mandando; debes tener la sensación de que te recorre la piel un ejército de hormigas salvajes.

Aquella era su última noche en el campamento.

Antes del amanecer, los socios se hallaban listos para emprender la marcha. Lacaud preparaba su desayuno.

Howard se aproximó a él, le estrechó la mano y le dijo:

—Bueno, Buddy, nos vamos. Te dejamos café, un poco de té y de sal; pimienta, azúcar y un buen trozo de carne de cerdo que conseguimos ayer. Puedes necesitarlo y nosotros no queremos llevar más de lo absolutamente necesario. Los burros van muy cargados y parte de la carga tenemos que llevarla sobre nuestra propia espalda, lo que resultará muy pesado cuando tengamos que subir las cumbres.

—Muchas gracias, señor Howard; usted siempre ha sido muy bondadoso conmigo, se lo agradezco mucho y les deseo toda clase de felicidades en el viaje.

—Ahí encontrarás un pedazo de lona, que te será útil, porque parece que tienes sólo una de esas tiendecitas de excursionista, las que resultan muy incómodas, especialmente cuando las lluvias son muy fuertes.

—¡Ey, viejo! —gritó Dobbs— ¿vienes o no? ¡Mal rayo con tu chismorreo de vieja! ¿Por qué demonios no te casas con él y sois felices por todos los siglos?

—Ya voy —contestó Howard, y bajando la voz dijo a Lacaud—. Espero que encuentres lo que buscas.

—Gracias por sus buenos deseos. Seguro que encontraré lo que busco; ahora creo haber acertado con la pista. Desde luego, puedo tardar una semana más, o dos, pero créame, amigo, ya estoy en la pista sin lugar a duda.

En aquel momento Dobbs y Curtin regresaron, dejando los burros a la entrada del camino.

—Lo siento —dijo Curtin estrechando la mano de Lacaud—, me olvidaba de decirte adiós. No te había visto, está muy oscuro; dispénsame. Estaba ocupado y un poco excitado. ¿Quieres tabaco? Toma, tengo bastante. Pronto llegaremos a la estación o cruzaremos por algún pueblo en el que podré comprar más.

Dobbs dió unos golpecitos en la espalda de Lacaud:

—Serás un solitario. A propósito, creo que los cartuchos de tu escopeta son iguales a los de la mía; toma, te regalo una docena; bueno, toma diez más. No tendremos mucho qué cazar en el camino y no nos harán falta; además, me choca llevarlos encima. Y ahora adiós y olvida las cosas que te he dicho; nunca traté de ofenderte, sólo bromeaba. Espero que hagas el millón que nosotros no logramos; algunos tipos son afortunados. *Well, good-by, old man.*

Tuvieron que ir de prisa tras de los burros, que se habían dispersado.

Lacaud se quedó solo. Por un rato permaneció en pie viendo cómo los socios se alejaban hasta perderse entre la maleza.

Durante largo tiempo escuchó sus voces arreando a los burros, después se fueron perdiendo hasta que un pesado silencio cayó sobre el campamento.

XVIII

Los socios dieron un gran rodeo para no pasar por la vecindad del pueblo al que Curtin acostumbraba ir en busca de provisiones: más valía dejar a sus habitantes con la idea de que aún se encontraba en las montañas. Siempre que podían, evitaban el paso por pueblos, escogiendo los caminos más apartados. Mientras menos los vieran, menores dificultades tendrían.

Tenían muy poco dinero. Al llegar a la estación venderían los burros, las herramientas y hasta las pieles, con lo que tendrían suficiente para comprar pasajes de segunda para el puerto.

La mayor parte de los caminos conducían, naturalmente, a poblados, y con frecuencia se encontraban a la vista del caserío, que debido a los bosques, colinas y curvas, no habían descubierto antes. No podían regresar para no despertar sospechas y tenían que internarse en él, donde alguno de ellos se dirigía a la tienda para comprar algo —cigarros, una caja de cerillas, sardinas, azúcar o sal—. Allí entablaba conversación con el tendero y con los vecinos, para demostrar que no tenía motivo para esconderse.

Al tercer día, al finalizar la mañana, se encontraron en un pueblo que hubieran deseado evitar. Cuando llegaron a la plaza se hallaron a cuatro paisanos parados frente a una casa de adobe. Tres de ellos llevaban carabinas, pero no tenían aspecto de bandoleros.

—Nos pescaron —exclamó Dobbs—; esos son policías. Lo parecen.

Dobbs detuvo a los burros como tratando de llevarlos por otro camino. Curtin caminaba detrás del último animal.

—No hagas tonterías —advirtió Howard a Dobbs—. Si despertamos sospechas ahora, estamos perdidos. Sigamos. Lo más que pueden hacernos es registrar la carga y detenernos para obligarnos a pagar contribuciones y por no haber obtenido licencia.

—¡Exactamente, y eso nos puede costar cuanto poseemos, a excepción de los burros!

Curtin se aproximó, arreando los burros.

—¿Qué hace allí ese hombre? Me refiero al de los anteojos.

El hombre de los anteojos estaba parado en el pórtico de aquella humilde casa, discutiendo con algunos vecinos que se habían reunido. En el pórtico había una mesita, cubierta con una carpeta de lana sucia.

—Me imagino —dijo Howard— que debe ser algún comisionado especial del gobierno federal. ¡Diablos!, ¿qué querrá?

—Me parece que interroga a los vecinos —repuso Dobbs—. Ojalá que no se trate de nosotros.

—¿Y qué? De todos modos ya es demasiado tarde —dijo Curtin, dando una amistosa patada a uno de los burros para apartarlo del zacate de la plaza.

—Bueno, finjamos que no nos importa —dijo Howard encendiendo su pipa para disimular su nerviosidad.

Los paisanos ocupados con el grupo de vecinos reunido cerca de la casa, no se habían percatado de la presencia de la pequeña caravana.

El paso de recuas por las laderas de la Sierra no era ninguna novedad. Los socios llegaron al centro de la plaza. De pronto un hombre se comunicó con su vecino y todos se volvieron a ver a los socios que se aproximaban. Como se acercaban al final de la plaza, uno de los supuestos comisionados del gobierno salió del pórtico, se aproximó a la caravana y gritó:

—Esperen, caballeros; un momento ¡por favor!

—¡Se acabó! —dijo Dobbs, jurando.

—¡Esperad! —ordenó Howard—. Iré solo a ver que quiere. Vosotros quedaos aquí con los burros. Tal vez solo pueda arreglar mejor las cosas; les haré creer que soy un misionero metodista procedente de un pueblo minero abandonado.

—Como siempre, tiene razón el viejo —admitió Curtin—. Por eso no me gusta jugar al poker con él. Bueno, anda y prodúceles buena impresión con tu cara honesta y cuéntales la fábula de Jonás y la ballena o la de Elías volando en aeroplano al cielo.

Howard atravesó la plaza en dirección del grupo:

—Buenos días, señores. ¿En qué puedo servirles?

—En mucho —contestó uno de ellos—. ¿Vienen ustedes de las montañas?

—Sí, y vaya que es pesado el viaje. Conseguimos algunas pieles que pensamos vender en San Luis Potosí.

—¿Están todos ustedes vacunados?

—¿Estamos qué?

—¿Tienen certificado de vacunación? Hay un decreto que ordena que todos los habitantes de la República deben haberse vacunado en un plazo de cinco años a la fecha, para prevenir la epidemia de viruela.

—Mire, caballero; a nosotros nos vacunaron de pequeños en nuestro país, pero no tenemos el certificado.

—Claro que no, caballero, ¿quién lo tendría? Ni yo —dijo el empleado riendo, secundado por los

otros—. Soy delegado de Salubridad, enviado por estos
rumbos para vacunar a todos, especialmente a los indios, quienes son particularmente atacados por la viruela. El trabajo es duro. Huyen cada vez que venimos
al pueblo, tienen miedo; hemos necesitado de todo un
regimiento para cogerlos. Se esconden en las montañas,
en cuevas, en barrancas, entre la maleza y no regresan
a casa hasta que saben que nos hemos marchado.

—Sí —interrumpió otro empleado—, véame la cara, toda arañada por una mujer que defendió a sus
niños a quienes queríamos vacunar. Pero usted conoce
nuestro país, vea la cantidad de ciegos a causa de la
viruela. Mire a los miles de muchachas bonitas que son
cacarizas.

—Y cuando acudimos para ayudar a estas gentes
—intervino otro empleado— nos persiguen y hasta nos
apedrean como si fuéramos sus peores enemigos, sin
considerar que en realidad somos sus mejores amigos.
No tienen que pagar ni un centavo, nuestros servicios
son enteramente gratuitos y el gobierno sólo pretende
salvarlos.

Después habló el hombre de los anteojos:

—Mire, amigo: sabemos que tanto usted como sus
compañeros están vacunados, pero quisiéramos pedirles
un gran favor. Haga que ellos se aproximen y se dejen
vacunar voluntariamente. Necesitamos mostrar a estas
gentes ignorantes que ustedes no tienen miedo de lo
que nosotros hacemos y que vienen a recibir su arañazo
con el mismo gusto con que irían a un baile. Desde
todos los jacales nos atisban en estos momentos, hace
cuatro días que estamos aquí, ofreciendo nuestros servicios y tratando de convencer a estas gentes, sin éxito,
y lo peor es que la Iglesia se ha declarado enemiga
de la vacunación por el hecho de que no fué ordenada
por el Señor, y la combate en la misma forma en

que combate la educación para evitar que lean libros
escritos en contra de la Iglesia y que escriban pecami-
nosas cartas de amor. Bueno, usted sabe bien de todo
esto sin necesidad de que yo se lo diga. ¿Quiere ayudarnos?

—Desde luego —contestó Howard—, con mucho
gusto haremos lo que quiera en su ayuda y en la del
gobierno.

—Ya lo sabía cuando los vi venir —dijo el doctor
tendiéndole a Howard un cuaderno—. Escriba usted
su nombre y edad en esta hojita que le entregaremos
después de vacunarlo y que le servirá como certificado
por cinco años. En adelante lo único que tendrán que
hacer cuando los requieran para ser vacunados, será
mostrarla. Bueno, ahora le limpiaremos el brazo izquierdo con alcohol, y en seguida los arañacitos.

—Gracias, doctor. —El agradecimento de Howar
se refería a muchas cosas.

—Ahora dígales a sus amigos que cuando se diri-
jan hacia acá caminen enrollándose la manga al cruzar la plaza, para que las gentes que nos atisban se
den cuenta de que ellos no temen la vacuna. Pongamos
la mesa en mitad de la calle para la gran exhibición.
Mucho nos ayudará que ustedes vengan por su propia
voluntad a que se les administre la medicina, como
dicen los indios. Así comprobarán que no tratamos de
envenenarlos y tal vez tengan más confianza en nuestro trabajo. Así, pues, haga que sus amigos nos ayuden
en la exhibición a beneficio de los pueblerinos. Muchas gracias, y feliz viaje.

—Caramba, ¡vaya un susto! —dijo Dobbs cuando
Howard regresó—. Cuando vi a ese hombre obligarte
a escribir en el libro, pensé que todo estaba perdido, y
ahora, claro que daremos la gran exhibición; fíjate en

mí. Podría yo ganar mis veinticinco cada día en Hollywood como extra especial. Fíjate y aprende.

Dobbs y Curtin se enrollaron las mangas y gritaron en español desde donde estaban:

—Sí, doctor; será un placer verdadero que usted nos vacune; hace diez años que queremos vacunarnos y no habíamos encontrado quien nos hiciera el favor. En San Luis Potosí querían cobrarnos quince pesos a cada uno por cada rasguñito, en cambio usted es tan bueno que trabaja gratis. Allá vamos.

Como los comisionados habían esperado, el plan dió buenos resultados. Los pueblerinos, primero hombres y muchachos mayores en su mayoría, salieron de sus jacales para contemplar el espectáculo que Curtin y Dobbs les ofrecían. Cuando Dobbs tendió el brazo al doctor, lo hizo riendo con fuerza en tanto que Curtin silbó una cancioncita. Hombres y muchachos se aproximaron para ver mejor. El doctor sonrió y uno de los empleados convenció a uno de los hombres que se hallaban cerca de que se dejara hacer lo mismo. Curtin le dió un empujón bromeando, porque el hombre se mostraba aún remiso. Pero una vez que le hicieron los rasguños y no sintió nada, empujó a sus dos chicos ordenándoles que se estuvieran quietos mientras los vacunaban. Cuando los socios dejaron la plaza, el doctor y los empleados se hallaban ocupadísimos atendiendo a las dos largas filas de personas entre las que se encontraban mujeres con sus niños que esperaban ser vacunadas.

Cuando dejaron el último jacal del pueblo, Dobbs dijo sonriendo:

—Vaya que eres chistoso, Curty.

—¿Por qué diablos he de serlo?

—Andas viendo fantasmas como una vieja; apenas ves a algún tipo con una escopeta al hombro piensas que todo está perdido. Cualquiera podría haber visto claramente que aquel hombre no quería nada de nosotros y que el de los anteojos era doctor. ¿Quién no iba a suponerlo al mirarle tras de esa mesa cubierta con la sábana?

XIX

Aquella noche acamparon no lejos del pueblo de Amapuli. Un indio que habían encontrado por el camino, les aseguró que la próxima agua estaba bastante lejos y que no podrían llegar a ella antes del anochecer, por lo que decidieron pasar la noche cerca del arroyo cercano, aun cuando la tarde no estaba avanzada.

Cuando cocinaban su cena los sorprendió la presencia de cuatro hombres que a caballo se aproximaban al campamento. Los visitantes los saludaron cortésmente y les pidieron licencia para sentarse cerca de la hoguera y descansar un rato.

—¿Cómo no? —contestó Howard—. Su compañía será agradable. No, no es ninguna molestia, están en su casa. ¿Quieren un poco de café?

Aceptaron y bebieron todos de la misma taza que Curtin les tendió. Dobbs les ofreció tabaco de su bolsa de cuero y también lo aceptaron. Cada uno tomó un poco y con él y hojas de maíz se hicieron cigarrillos.

Silenciosamente observaron a Howard y a Dobbs asar trozos del puerco y cocinar el arroz. Curtin atendió a los burros.

Por fin, después de larga espera, uno de los visitantes pareció decidirse a manifestar el objeto de su visita. Los indios consideran poco cortés ir inmediatamente al asunto.

—Presumo —dijo el que habló— que ustedes vienen desde un país muy lejano y que han caminado ya mucho por el nuestro. Mis compañeros y yo pensamos que son muy inteligentes y bien educados.

—Medianamente —contestó Howard—; podemos leer libros y periódicos, enterarnos de las noticias, escribir cartas, contar y escribir cifras.

—¿Cifras?

—Sí, cifras —repitió Howard—. Para ser más claro, cinco, veinte; esas son cifras.

—Sí, pero decir diez y veinte no está bien; debe decirse diez qué y veinte qué, cabras, centavos o caballos. Diez a secas no significa nada —corrigió sonriendo uno de los indios.

—Tal vez —repuso Howard, que nunca había considerado la cosa desde ese punto de vista.

Durante un cuarto de hora más, los visitantes observaron a los socios cocinando su cena.

El hombre volvió a hablar:

—Miren ustedes, amigos, ocurre esto: mi muchacho se cayó al río, lo sacamos y parece no estar muerto, muerto del todo, pero el caso es que no vuelve en sí. No puede moverse, ni despertar, ahí está el mal. Ustedes han de haber leído muchos libros en los que debe estar escrito todo lo que los doctores saben, y hemos venido a preguntarles si alguno de ustedes, que han leído tantos libros escritos por grandes hombres, sabe lo que ocurre a mi muchacho. Cayó al río, el río no es muy ancho, pero sí es profundo.

—¿Cuándo cayó el muchacho al agua? ¿Ayer?

—No, señor; ahora, ahora en la tarde, pero no ha despertado. Cuando ya no sabíamos qué hacer, llegó don Filiberto, mi amigo y vecino. Ustedes deben recordarlo, es el hombre con quien se cruzaron en el camino, y pensamos que tal vez ustedes sabrían cómo hacer volver a mi hijo a la vida.

Howard miró a los campesinos, después vió la cena ya lista y dijo:

—Iré con ustedes, amigos, para ver al muchacho. No sé si podré hacer algo, pero pondré toda mi voluntad.

Los indígenas se levantaron, se despidieron cortésmente de los dos socios que se quedaban y, llevando a Howard en medio, se dirigieron al pueblecito. A Howard se le ofreció un caballo, en tanto que el hombre dueño de éste montó en las ancas de uno de los otros.

Entraron en una humilde casita de adobe. Sobre la única mesa de la casa habían extendido un petate y en él yacía el muchacho.

Howard lo examinó cuidadosamente, le abrió los ojos tirando de los párpados y colocó una cerilla encendida enfrente de ellos. Después puso el oído derecho sobre su corazón y con la mano palpó la parte superior del cráneo para ver si conservaba algún calor. Luego presionó los dedos de los pies y de las manos del muchacho para ver si las huellas se teñían de rojo nuevamente.

Todos los reunidos en la casa parecían esperar que el americano hiciera un gran milagro, tal como lograr que el muerto se levantara con sólo pronunciar algunas palabras. Howard se detuvo a meditar cuál tratamiento intentaría primero, y finalmente dijo:

—Veré si puedo hacerlo volver.

Del cuerpo manaba una corta cantidad de agua. El viejo intentó la respiración artificial, algo que los indios nunca habían visto. El tratamiento hizo una profunda impresión y ayudó a la creencia de que Howard era un gran médico, quizás hasta un mago. Se miraban entre sí, aprobando y convenciéndose una vez más de

que los malditos gringos podían hacer cosas de las que
ellos sólo a Dios creían capaz.

Después de trabajar quince minutos, Howard volvió
a examinar el muchacho y tuvo la seguridad de que
daba ligeras señales de vida. Pidió un espejito, y cuando lo colocó frente a la boca del niño creyó ver que se
empañaba levemente. Hizo que las mujeres le llevaran
toda el agua caliente que hubiera en la casa y en las de
los vecinos y que la hicieran hervir cuanto fuera posible. Con algunos trapos arregló compresas calientes, las
colocó en el vientre del muchacho y después le dió
masaje en los pies y en las manos. En seguida le abrió
la boca y tiró de la lengua lo más que pudo, dándole
una cucharada de aguardiente. Acto seguido comenzó
a friccionarle la región cordial. Cuando volvió a colocar el oído cerca del corazón, empezó a escuchar que
latía, débilmente pero con claridad. El niño tosió.

La mitad de aquellos procedimientos eran inútiles,
pero Howard quiso impresionar con su gran sabiduría
a los indios que atisbaban todos sus movimientos. Admitía que el muchacho tal vez habría vuelto por sí solo,
pero no podía determinar hasta donde había sido útil
su ayuda. Tenía la impresión de que mientras más
actuara más ganaría en el respeto y admiración de
aquellas gentes, lo que no se explicaba era por qué
anhelaba el respeto de aquellos pobres hombres.

Todos los presentes consideraban que había hecho
un milagro. Cuando el muchacho empezó a reconocer
a sus padres y a los que lo rodeaban, todos parecían
bajo el influjo de un encanto. Nadie se atrevía a decir
palabra y se concretaban a mirar al muchacho y a
Howard.

Cuando Howard se aseguró de que el chamaco estaba bien y de que ninguna mala reacción se presentaría,
tomó su sombrero, se dirigió hacia la puerta y dijo.

—Buenas noches.

El padre del niño lo siguió, le estrechó la mano y murmuró:

—¡Muchas gracias, señor; mil gracias! —y regresó a la mesa en la que su hijo trataba de ponerse en pie.

La noche era cerrada. Howard tuvo alguna dificultad para regresar. Nadie lo acompañó y sólo pudo guiarse por la débil luz de la hoguera que ardía en el campamento, y que podía ver de vez en cuando.

—Bueno, ¿qué tal lo hizo el gran doctor? —preguntó Dobbs cuando el viejo regresó.

—Nada notable; respiración artificial y algunas otras mañas usadas por los *boy-scouts* dieron un gran resultado. Creo que el choque le produjo el desmayo, porque agua tragó muy poca. Tal vez se aturdió con el golpe. ¿Dónde está mi cena? ¿Me guardasteis carne?

—Bastante, no te preocupes —dijo Curtin riendo y tendiéndole el plato.

Al amanecer, los socios emprendieron la marcha. Querían llegar a Tominil, desde donde tratarían de cruzar el paso más alto en esa región de la Sierra Madre.

A mediodía hicieron un alto para descansar y permitir descansar a las bestias, porque hacía un calor despiadado.

Estaban listos para empacar nuevamente, cuando Curtin exclamó:

—Ahora ¿quién diablos viene? Parece que nos pisan los talones. Miren.

—¿Adónde? —preguntó Dobbs, y en el mismo momento descubrió un grupo de indios a caballo.

No tardaron en alcanzar a los socios, quienes reconocieron a los cuatro hombres que habían ido la noche anterior a pedirles ayuda y a otros dos a quienes Howard había visto en la casa cuando atendía al niño.

Los indios saludaron a los viajeros, y uno de ellos dijo:

—Señores, ¿por qué nos dejan tan pronto?

Howard rió.

—No es que huyamos, señores; el caso es que queremos llegar a Durango para atender un negocio muy importante.

—¿Negocio? —preguntó el padre del niño rescatado—. ¿Qué son los negocios después de todo sino prisa y preocupación? Ellos pueden esperar, ningún negocio del mundo debe ser urgente, señores. La urgencia en éstos se reduce a pura imaginación. La muerte suele terminar con el negocio más urgente en un segundo. ¿Y entonces qué? Tenemos por delante muchos días mientras el sol brille en el espacio, y muchos de ellos pueden dedicarse a los negocios. ¿Por qué ha de ser ahora? Siempre hay un mañana tan bueno como un ahora. ¿Qué diferencia existe entre ahora y mañana? Sólo imaginaria. Ustedes no pueden irse, no pueden dejarme así como así. No, señor; no quiero estar en deuda con ustedes. Usted rescató a mi hijo de la muerte. Merecería ser maldecido y quemado en los infiernos si después de haberme hecho ese gran favor, permitiera que ustedes marcharan sin demostrarles mi hondo agradecimiento. Todos los de mi pueblo me considerarían un pecador, un demonio, si no lo recompensara dignamente por lo que ha hecho por mí y por los míos.

—Me parece esta una historia semejante a la que el viejo nos contó el otro día respecto al doctor que devolvió la vista al hijo del jefe indio —dijo Dobbs en voz baja, picándole a Curtin las costillas—; ahora nosotros obtendremos la recompensa. Te apuesto que este

hombre sabe de alguna mina de oro y nos la va a
ofrecer.

—Estate quieto y deja oír.

El indio continuó su discurso:

—Verán, señores; la única forma en que puedo
mostrarles mi gratitud es invitándolos para que sean
mis huéspedes por lo menos durante dos semanas.

Dobbs frunció el ceño.

—No, señores; que sean seis semanas; así será mejor. Tengo buenas milpas, gran cantidad de maíz, muchas cabras y un buen número de ovejas. No soy tan
pobre como parezco. Diariamente daré a ustedes un
guajolote asado y toda la leche de cabra, huevos y
cabrito que deseen. Además mi mujer les hará por lo
menos tres veces a la semana los mejores tamales que sepa hacer. Ella empezó a trabajar duro desde antes que
amaneciera preparándoles una gran fiesta, y no pueden
dejarla con todo listo, moriría de vergüenza pensando
que la juzgaban mala cocinera cuando en realidad es la
mejor en muchas leguas a la redonda.

—Agradezco mucho su bondad, muchísimo —repuso
Howard, impresionado con el discurso—. Pero, a decir
verdad, no podemos quedarnos. Necesitamos llegar a
Durango, en donde debemos estar antes de una semana
si no queremos perder nuestro negocio.

—Se equivoca, amigo; no perderá usted su negocio, y de ocurrir eso, ya se presentaría otro. La prisa
no tiene caso, lo único que puedo decirle es que usted no
se marchará; necesito pagarle por la curación, y como
no tengo dinero, todo lo que puedo ofrecerle es mi casa
y mi más sincera hospitalidad. Lo siento, amigo; pero
insistiré para que se quede usted cuando menos seis
semanas. Le prestaré un buen caballo para que lo monte,
podrá salir de caza y conseguir más pieles, usted no
tiene suficientes. Además contrataré a unos músicos pa-

ra que todos los sábados en la noche hagamos baile, podrá usted bailar con las muchachas más bonitas, ya que es mi huésped. ¿Por qué preocuparse por su negocio? El único negocio importante es vivir y vivir feliz. Felicidad es lo mejor que podemos pedir a la vida.

—Lo siento muchísimo, señor; pero no puedo quedarme. —Howard no tenía palabras para explicar a aquellos hombres sencillos que el negocio es lo único que vale la pena en esta vida y que constituye el cielo, el paraíso y toda la felicidad de un buen rotario. Aquellos indios vivían aún en un estado semisalvaje con pocas esperanzas de mejorarlo por lo menos en cien años—. Honradamente, no puedo aceptar su hospitalidad aún cuando me sería muy grata.

—Entiendan, caballeros; no podemos quedarnos, de ninguna manera podemos hacerlo; es sencillamente imposible —terció Dobbs.

—Mejor no intervenga usted, joven —dijo el indio haciendo poco caso de Dobbs y de sus opiniones, y dirigiéndose nuevamente a Howard—. No puede usted rehusar, amigo. Nosotros aceptamos su ayuda, recibimos sin titubear lo que usted quiso brindarnos; así pues, usted no puede negarse a aceptar lo que nosotros le ofrecemos en cambio.

No daría resultado enojarse. No había escapatoria. Ante ellos estaban seis indios decididos a obtener lo que querían, con el firme propósito de mostrar su gratitud, y lo harían aún cuando tuvieran que llevarlos al pueblo en calidad de prisioneros.

Entonces Curtin intervino:

—Oigan, amigos; quisiéramos discutir entre nosotros el asunto. ¿Tienen inconveniente en dejarnos un rato?

Cuando se retiraron, Dobbs sugirió:

—Mira, Howy; yo creo que no podemos escapar de esto; ellos nos llevarían a la fuerza si nos negáramos a hacerlo, pero la cosa es que sólo se interesan por ti, no por nosotros. Eso se ve claramente.

—Parece.

—Bueno; entonces propongo que te quedes algunos días y que nosotros sigamos, puedes encontrarnos más tarde en Durango.

—¿Y mis cosas?

—Te las llevarás después —repuso Curtin.

Dobbs no estuvo de acuerdo:

—Eso sería necio, podrían registrarlas por pura curiosidad y al descubrir su contenido, robarte; tal vez hasta matarte. No hay que confiar nunca en los indios. Además, ningún camino será seguro para ti si lo haces solo. Tú lo sabes, viejo.

—Bueno, entonces ¿qué puedo hacer? Decid.

—Sugiero que nos llevemos también lo tuyo y que te esperemos en Durango. Y si te ves obligado a permanecer aquí por más tiempo, nos iremos al puerto y allí depositaremos en el Banco, si quieres, a tu nombre, lo tuyo.

Después de discutir un rato, decidieron que la proposición de Dobbs era la mejor, tomando en consideración las circunstancias.

Curtin y Dobbs firmaron un recibo a favor del viejo por cierto número de bolsas con un peso aproximado de tanto más cuanto.

—No creo necesario el cambio de recibos entre nosotros; sin embargo, algo puede ocurrir a alguno; en viajes semejantes no se tiene la seguridad de llegar a la meta. Si no podemos esperarte en el puerto, este recibo te dará derecho a reclamar lo que te corresponde y que habremos de depositar en el Banco. Ya sabes, en el que está en los bajos del Southern Hotel. Diremos al gerente que tú tienes el recibo, y le dejaremos nuestras firmas para que las confronte con éstas. ¿Te parece bien?

—Creo que es lo mejor que podemos hacer —contestó Howard—. Podéis llevaros todos los burros, porque estos muchachos me prestarán sin duda un caballo para que me vaya a Durango, y si corro con suerte, tal vez volvamos a reunirnos antes de lo que esperáis.

—Eso sería magnífico; me desagrada que nos separemos en esta forma —dijo Curtin, tendiéndole la mano y agregando—: Buena suerte y apresúrate a reunirte con nosotros.

—Así será.

—Adiós, viejo pícaro —dijo Dobbs estrechándole la mano—. Procura levantar el vuelo cuanto antes. Dejándote, me sentiré solo en cierto modo, echaré de menos tus sermones paternales y tus cuentos. Bueno, te diré lo que una vieja seca me dijo un día en la escuela dominical: algunas veces en esta triste vida tenemos que tragarnos las contrariedades, nadie puede evitarlo. ¡Adiós viejo, *good luck!*

—Ahí va un consejo que puede servirte, Howy —dijo Curtin, riendo—. No te vayas a enredar con alguna de esas muchachas indias; a menudo son muy listas y las hay muy lindas. ¡Bien lo sabes, viejo corrido! Y no vaya a resultar que te casaste con alguna de ellas. Muchos lo hacen y parecen encantados, pero más tarde no digas que no te lo advertí, viejo pícaro. —Y le dió algunos golpecitos en la espalda para ayudarlo en un acceso de tos.

Tosiendo aún, repuso:

—Tal vez consiga alguna de esas guapas, bronceadas y ardientes. No podría asegurar lo contrario. Son finas, realmente finas; ya sabes lo que quiero decir. Y con ellas no hay preocupaciones ni trabajos; son fáciles de alimentar y de contentar. No hay necesidad de llevarlas todas las noches al maldito cine, ni a jugar bridge en donde las señoras suelen perder los centavos que tan duramente ganan sus esposos. Tampoco buscan camorra. Lo pensaré, Curty; tal vez cambie el aspecto de mi vida. Bueno, que tengáis buen viaje, chamaquitos lindos.

Los burros se hallaban inquietos, Dobbs y Curtin los siguieron y la caravana se puso en marcha.

Howard se quedó mirando cómo se alejaban sus compañeros; cuando se volvió a los indios, que esperaban pacientemente, tenía los ojos húmedos.

Le dieron un caballo y marcharon gritando alegremente. Howard fué llevado en triunfo hasta el pueblo, en donde todos, viejos y jóvenes, lo esperaban para saludarlo como a un gran rey que regresara triunfante a su pueblo después de una victoria rápida en tierra extranjera.

XX

Curtin y Dobbs no se hallaban de buen humor. El paso a través de la montaña más elevada se encontraba lejos todavía, y el camino que conducía a él presentaba tantas dificultades que estuvieron a punto de perder la cabeza de desesperación.

Durante el segundo día de su viaje solos, dejaron de hablarse en la forma habitual. Se rebajaba uno a otro, se gritaban como bestias salvajes y se maldecían a sí mismos y al resto del mundo por haberse echado a cuestas aquella pesadísima tarea, pero lo más amargo de todo era que maldecían del ausente Howard por tener que arrear a sus burros, empaquetar y desempaquetar sus pertenencias y cuidar de todas sus cosas, mientras que probablemente él gozaba acariciando a alguna linda morena sobre sus rodillas, dejándose mimar por otra pendiente de su cuello, y eso después de una buena comida y una botella de mezcal. En cambio allí estaban sus dos socios, esclavizados y medio muertos por culpa suya, teniendo que recorrer aquel maldito camino hecho por el Señor con el único objeto de producir sufrimientos para castigar los puercos pecados que quince generaciones de ancestros cometieran.

—¿Para qué nos habremos ofrecido a transportar las malditas cosas de ese tal por cual? ¡Como si él no hubiera podido hacerlo solo o con la ayuda de aquellos miserables indios! ¿A quién en todo el mundo se le

ocurre ir a sacar del infierno a ese endemoniado muchacho, cuando allí habría estado tan a gusto? Pero ahora
por culpa de ese maldito predicador, el pobre niño ha
resucitado para sufrir todas las torturas de este mundo.

Además, eran siempre los burros de Howard los que
se extraviaban y se rozaban contra los árboles tratando
de desembarazarse de la carga.

—Bien sabía ese charlatán lo que hacía al encar-
garnos de transportar sus mal empacados bultos que,
además, son los más pesados de todos. Dios sabe que
sus burros son los más perezosos bajo el cielo, y los
más testarudos. ¡Por el diablo, cómo me gustaría que
resbalaran por los trescientos pies de la garganta y se
rompieran los huesos! Te aseguro que no me importaría.
¡Al diablo con él y con todo lo suyo! —Así hablaban y
juraban constantemente los dos mientras caminaban.

Por fortuna para ellos, el cielo estaba muy alto para
que a él llegaran sus palabras y les dejara caer un
ciento de árboles sobre el camino y los empapara con
un aguacero de tal manera que los burros se hundieran
hasta el lomo, para que supieran lo que es realmente
un camino duro en la Sierra Madre, cuando cielo e
infierno se conjuran contra el viajero. Las dificultades
que encontraron no significarían nada para un arriero
experimentado de los que conducen recuas cargadas a
través de la Sierra Madre en todas las épocas del año.

Desde luego que hubiera sido una buena ayuda contar con otro hombre para transitar por aquel duro camino. Cuando las bestias tiran algún bulto se necesitan dos
hombres para volver a acomodarlo en tanto que otro
vigila al resto de los burros cargados, a fin de que no
se extravíen.

Tan pronto como se percataron de lo ridículo que
era maldecir del viejo, empezaron a reñir, y a gritarse
entre sí.

Los burros parecían no preocuparse, porque tenían mejor sentido y habían sido educados bajo un mejor sistema filosófico.

Repentinamente Dobbs se detuvo, se secó el sudor de la cara con gesto enojado y dijo:

—Aquí pasaré la noche, si no te parece bien a ti, puedes seguir, dejándome mis burros cargados, porque no soy ningún esclavo negro. ¿Entiendes?

—Son apenas las tres; todavía podemos caminar cuatro millas más. —Curtin no encontraba razón para acampar tan temprano.

—Nadie te ha ordenado que acampes aquí, y si quieres caminar veinte millas más, ¿qué puede importarme? —gritó Dobbs, encarándose a Curtin como si fuera a pegarle.

—¿Ordenes de ti? —preguntó Curtin—. ¿No querrás decir que te crees el amo de la expedición?

—Tal vez lo seas tú. Anda, dilo; eso es lo que espero —contestó Dobbs, poniéndose rojo.

—Está bien; si ya no puedes más.

—¿Que ya no puedo más? ¿Qué quieres decir con ese cacareo? —Dobbs parecía próximo a enfurecerse—. No me hagas reír, yo puedo más que cuatro tipos como tú y me sería fácil derribar a otros tantos. ¿Conque no puedo más? ¡Anda y cántale esa canción a tu abuela! La cosa es más sencilla: ya no quiero seguir, eso es todo.

—¿Por qué eres tan hablador? —dijo Curtin con bastante calma—. Si hemos empezado tenemos que seguir, querámoslo o no; pero está bien, acampemos aquí.

—Al fin entendiste; aquí hay agua y muy buena, el lugar es excelente para pasar la noche.

—Tienes razón, hace tres horas que no tropezamos con agua como ésta.

—Entonces, ¿para qué discutir? —Dobbs empezó a descargar el burro que se hallaba próximo a él. Curtin se acercó para ayudarle.

Cuando hubieron descargado los burros, volvieron a reñir. ¿Quién iba a buscar leña, quién iba a guisar, quién a reparar las monturas? Mientras Howard había estado con ellos nunca habían discutido por esas tareas, pero entonces parecían haber perdido el sentido común y la capacidad para razonar. Estaban muy cansados, sus nervios se agitaban como hilos de telégrafo al aire libre. No podían ponerse de acuerdo sobre quien debía hacer esto y quién aquello. Cuando la comida estuvo lista, Curtin encontró que había trabajado tres veces más de lo que le correspondía. No le importó y nada dijo, poniendo final al mal humor de Dobbs. Algo durante el camino de aquel día, el clima, la altitud creciente, alguna caída, el sol ardiente, la mordedura de algún reptil, la picadura de un insecto, el rasguño de alguna espina venenosa, cualquiera de esas cosas debía, así pensaba Curtin, ser responsable del extraño comportamiento de Dobbs.

La comida, generalmente reconcilia a las gentes, y también allá en la Sierra Madre, la comida que hicieron Curtin y Dobbs suavizó los sentimientos de uno por el otro y les calmó los nervios. Hablaron con menos gritos y más sentido del que habían mostrado durante las últimas seis horas.

—¿Qué estará haciendo el viejo? —dijo Curtin—. Estoy seguro de que está pasando un buen rato con aquellos indios y su comida fué sin duda mejor que la nuestra.

Cuando Dobbs oyó mencionar al viejo. Miró instintivamente hacia sus bultos, próximos a donde él estaba sentado llenando su pipa. Por un momento fijó la vista en ellos, y mentalmente calculó cuánto representarían en dólares.

Curtin entendió mal la expresión de Dobbs, porque dijo:

—Oh, ya sabremos manejar bien sus cosas. Hace dos días que lo hacemos sin su ayuda, mañana nos parecerá más fácil y nos irá pareciendo más sencillo a medida que nos acostumbremos a carecer de ella.

—¿A qué distancia estaremos del ferrocarril? —preguntó Dobbs.

—Para el volar del viento no debe estar lejos, pero no siendo nosotros zéfiro, todavía nos queda un buen trecho. Tal vez nos falten días, quizá hasta una semana; el camino se hace diez veces más largo por estos senderos de las montañas con sus vueltas, bajadas y subidas que los hacen aparecer interminables. Cuando por la tarde se vuelve la cara creemos posible alcanzar con la mano el sitio de donde se salió por la mañana. Y todavía no llegamos a lo peor, porque uno de los hombres del pueblo me dijo que había tramos en los que cuando mucho pueden hacerse seis millas diarias, cargando y descargando cientos de veces para que los animales puedan trepar por las empinadas cuestas. Creo que podremos cruzar el pasaje más alto de la Sierra en dos días, después tres o cuatro más y llegaremos a la estación; sin embargo, podemos tardar algunos más; no sabemos con qué dificultades habremos de tropezar.

Dobbs no contestó, se quedó mirando el fuego, llenó su pipa nuevamente y la encendió. Parecía no poder desprender la vista de los bultos, miraba un momento el fuego y sus ojos volvían a posarse en ellos nuevamente.

Curtin no se percató de ello.

Inesperadamente Dobbs picó a Curtin en las costillas y rió en forma extraña.

Curtin sintió cierto malestar; algo malo ocurría a Dobbs, no parecía ser el mismo. Para disimular su creciente temor, trató de reír mirándole a la cara.

Dobbs rompió en carcajadas que estuvieron a punto de ahogarlo. Curtin acabó de confundirse, no sabía que actitud tomar.

—¿De qué te ríes, Dobbs?

—¿De qué? Ya te lo diré —siguió, riendo con fuerza, apretándose el estómago con las manos.

—Bueno, habla.

—Ay, muchachito; es demasiado cómico para expresarlo en palabras —dijo y tuvo que callar para tomar aliento, porque su risa había tomado caracteres histéricos.

—¿Qué es lo que te parece tan chistoso? —A Curtin el semblante se le tornaba gris de ansiedad, porque Dobbs parecía loco.

Por fin éste contestó:

—Ese viejo jumento nos entrega su tesoro y nos deja partir con él sin más averiguaciones.

—No te entiendo.

—Pero hombre, ¿no ves? Es todo nuestro, podemos llevárnoslo y ¿cómo podrá volver él a saber de nosotros? No regresaremos al puerto ¿sabes? Nos iremos directamente para el norte, a El Paso, y lo dejaremos con un palmo de nariz. Que se case con una indita, ¿qué nos importa?

El semblante de Curtin había adquirido la mayor seriedad.

—Sencillamente, Dobby, no te entiendo. ¿De qué hablas? Debes estar soñando.

—No seas idiota. ¿Quién te educó? Bueno, para que la idea te entre en esa cabezota hablaré más claro:

nos iremos con todo el cargamento. ¿Qué te parece? No creo que sea ninguna novedad para ti.

—Empiezo a comprenderte.

—El camino es largo, ¿verdad? —dijo Dobbs, tratando de reprimir la risa.

Curtin se levantó y dió unos cuantos pasos tratando de serenarse. No daba crédito a sus oídos. Algo malo debía ocurrirle.

Volvió a aproximarse al fuego, pero no se sentó, miró en rededor, elevó los ojos al cielo y dijo:

—Entiende bien lo que voy a decirte, Dobby: no cuentes conmigo si piensas aprovecharte de lo del viejo, y ten en cuenta algo más: no te permitiré que lo hagas.

—¿Y qué más?

—Como decía, mientras yo me halle en pie, no cogerás ni un solo grano de lo que al viejo corresponde. Creo haber hablado claro. ¿O no?

Dobbs sonrió y dijo:

—Sí, precioso; sin duda que lo has hecho. Sé claramente lo que quieres significar, pretendes despacharme y quedarte con todo ¿no es así?

—No, no es así; obro honestamente con el viejo, como lo haría contigo si estuvieras ausente.

Dobbs sacó su bolsa de tabaco y llenó otra pipa.

—Tal vez no te necesite, podré tomarlo yo solo sin tu ayuda. —Y rió mientras encendía la pipa.

Curtin, todavía en pie, se quedó mirando a Dobbs de arriba abajo y contestó:

—Acepto el reto.

—Y yo lo confirmo; muchas veces lo he hecho en la vida.

—Indudablemente, yo también he aceptado montones y los he olvidado cuando la sangre se me enfriaba; pero ahora es diferente, el viejo no ha robado sus bienes, los ha ganado honestamente y nosotros sabemos bien cómo. No los consiguió por medio de un puerco atraco, o ganando en las carreras o cometiendo fraudes. El pobre ha trabajado como un esclavo, y tomando en consideración su edad, la tarea ha sido para él más pesada que para nosotros. No hay muchas cosas que yo respete en la vida, pero el dinero ganado a fuerza de trabajo duro y honesto merece mi más sincero respeto.

—¡Al diablo con tus ideas bolcheviques! Los discursos me revientan, y oírlos aún aquí, en estos parajes, me resulta detestable.

—No son ideas bolcheviques y tú lo sabes bien. Tal vez el propósito de los bolcheviques sea lograr que los trabajadores perciban el valor justo de lo que produzcan y que nadie trate de engañar a un trabajador respecto a lo que justamente le corresponde. En cualquier forma, eso está fuera de nuestra discusión, y no me importa. Pero bolchevique o no bolchevique, entiende bien esto, Dobbs, hablo en serio: mientras yo esté en pie tú ni siquiera pondrás las manos en los bultos del viejo, eso es todo.

Después de decir aquello, Curtin se sentó cerca del fuego, sacó su pipa, la llenó y empezó a fumar distraídamente. Al cabo de un rato parecía haber olvidado el asunto, y lo consideraba como una de tantas tonterías discutidas durante los largos meses que habían pasado juntos y en los que, no encontrando de que hablar, escogían cualquier tema para no perder la costumbre.

Dobbs lo observó largo tiempo y al cabo dijo:

—¡Ajá! Eres muy listo, nunca me equivoqué respecto a ti, viejo; a mí no me engañas.

—Y ahora ¿de qué hablas?

—De algo muy sencillo. Sábete esto: a mí no me puedes ocultar tus propósitos; hace mucho tiempo que deseas despacharme en cuanto te parezca prudente, para enterrarme después como un perro entre la maleza, quedándote no sólo con lo del viejo, sino también con lo mío. Luego, cuando llegues al puerto reirás como un diablo de la imbecilidad del viejo y de la mía, que no fuimos capaces de adivinar tus planes. Pero te equivocaste, porque hace mucho tiempo que los conozco.

La pipa cayó de entre los dedos de Curtin. Mientras Dobbs hablaba, él había ido abriendo los ojos, los tenía desmesuradamente abiertos, sus ideas eran confusas, le dolía la cabeza y se sentía extrañamente mareado. Cuando al cabo de un rato logró poner en claro sus ideas, pensó por primera vez en la grande oportunidad de enriquecerse que Dobbs le sugería. Aquello fué una especie de golpe que recibiera su cerebro, porque nunca había tenido idea semejante. Él de ningún modo podía considerarse escrupuloso, era capaz de tomar cualquier cosa que pudiera conseguir fácilmente. Sabía bien como los grandes magnates del petróleo, los grandes financieros, los presidentes de las compañías poderosas y en particular los políticos, roban siempre que tienen oportunidad de hacerlo. ¿Por qué, pues, él, un modesto ciudadano, había de poner reparos y portarse honestamente, si los grandes desconocían los escrúpulos y la honradez tanto en sus negocios como en los asuntos de la nación? ¡Y son esos ladrones sentados en cómodos sillones, tras de elegantes escritorios de caoba, posesionados de las tribunas de las convenciones que celebran los partidos reinantes, las mismas gentes que en periódicos y otras publicaciones son consideradas como ciudadanos de valer, constructores de la nación, pilares de la civilización y de la cultura! ¿Qué eran la rectitud y la honestidad después de todo? Cuantos lo rodeaban sustentaban una opinión diferente sobre su significado.

Sin embargo, desde cualquier punto que estudiara la acusación que Dobbs había lanzado en su contra, la encontraba increíblemente sucia. No hallaba excusa para cosas semejantes a lo propuesto por aquél.

Eso le indujo a pensar que si Dobbs era capaz de acusarlo a él de abrigar tales intenciones, poniendo de manifiesto la ruindad de su carácter, él, Curtin, debía pensar en su seguridad, ya que Dobbs no vacilaría en llevar a cabo aquello de lo que le acusaba. Y vió claramente que en adelante no tendría que luchar sólo por la conservación de sus propiedades, sino también por su vida. La convicción de ello hizo que la vista se le nublara cuando contemplaba el fuego y empezaba a verse rodeado de un peligro que no podía eludir.

Se hallaba desamparado, no tenía cómo defenderse de Dobbs. Todavía durante cuatro o cinco, tal vez durante siete días, tendrían que permanecer solos y en las montañas, en aquellos parajes desolados, salvajes y abandonados como pocas regiones montañosas del mundo podrán estarlo. Podían tropezar con alguien en el camino, pero aquello no brindaba seguridad alguna. Por unos cuantos pesos, Dobbs convencería fácilmente a cualquiera para que tomara su partido, y si con nadie tropezaban, la situación sería mejor para aquél. Bien podría Curtin permanecer una noche en guardia, pero sin duda a la siguiente se quedaría profundamente dormido, y entonces Dobbs no necesitaría ni desperdiciar una bala, podría atarlo fuertemente o golpearlo y enterrarlo; ni siquiera necesitaría romperle la cabeza, le bastaría con enterrarlo vivo.

Un solo camino le quedaba para escapar de aquel peligro, y era hacer a Dobbs lo que Dobbs pretendía hacerle. Era esa la única salida.

—Yo no quiero su polvo —pensó Curtin—, su polvo bien puede quedar esparcido por la maleza, a mí no me importará. Pero mi vida tiene tanto valor para mí como la suya para él.

Buscó su pipa, que había rodado por el suelo, y para hacerlo se inclinó apoyando la mano derecha sobre la rodilla del mismo lado; luego, con movimiento lento, se llevó la mano a la cintura y la dejó resbalar por la cadera; pero antes de que su mano alcanzara la funda, Dobbs había sacado la pistola.

—Otro movimiento y oprimo el gatillo.

Curtin permaneció con las manos en donde las tenía.

—¡Levanta las manos! ¡Arriba con ellas! —gritó Dobbs.

Curtin elevó las manos hasta la altura de su cabeza.

—Más arriba, haz el favor, o de un golpe te mando al infierno.

Dobbs rió satisfecho y movió la cabeza:

—¿Acaso no tenía yo razón? Acerté en mi juicio. Orador bolchevique de escuela dominical. A mí no puedes dormirme con dulces palabritas, tratando de hacerme creer que protejes los bienes de otro. ¡Tú! —continuó subiendo el tono de la voz—. ¡No te muevas y aguanta como los hombres!

Curtin se enderezó lentamente y con las manos en alto se volvió. Dobbs tomó la pistola de aquél, y en el instante de hacerlo, dejó caer la suya en un descuido momentáneo. Se aturdió por la fracción de un segundo y Curtin, sintiendo instintivamente que Dobbs estaba fuera de guardia, se volvió rápidamente y le asestó un golpe certero en la quijada que lo derribó por tierra, entonces se lanzó sobre él, lo desarmó y retrocedió algunos pasos, empuñando las pistolas de ambos en tanto que Dobbs se levantaba.

—Ahora el juego está en mis manos, Dobby —dijo Curtin, riendo.

—Eso veo —repuso agriamente Dobbs ya en pie, sabiendo que Curtin no le dispararía en tanto que estuviera desarmado. Le producía una sensación especial la convicción de que Curtin obraría rectamente en tanto que, de cambiarse los papeles, él no le habría dado la menor oportunidad. Deseaba ganar, sin importarle cómo. El hecho de reconocer que Curtin tenía sentimientos más nobles que él lo indujo solamente a odiarlo con mayor encono.

—Ahora mira, Dobby —dijo Curtin con voz calmada y conciliatoria—. Estás equivocado. Ni por un minuto tuve la intención de robarte o de hacerte daño; habría peleado por ti y por lo tuyo en la misma forma en que lo hago por el viejo.

—Sí, lo sé perfectamente. Y si en realidad piensas como dices, dame mi pistola.

Curtin rió en voz alta.

—Prefiero no hacerlo; los niñitos no deben jugar ni con cerillas, ni con tijeras, porque mamá les pega.

—Entiendo —dijo Dobbs y fué a sentarse junto al fuego.

Curtin vació la pistola de Dobbs, la sopesó, la lanzó al aire, la recogió, como suelen hacer los vaqueros, y después se la tendió, titubeó un momento, le miró a la cara y prefirió guardársela en la bolsa izquierda del pantalón.

Se sentó frente al fuego teniendo cuidado de no aproximarse demasiado a Dobbs. Sacó su pipa, la llenó y la encendió. Después de unas cuantas fumadas, se quedó mirando la pipa como examinándola y dijo como quien habla distraídamente: "Ha pasado un día más".

Sabía que su situación no era mejor que media hora antes. No le sería posible vigilar a Dobbs las veinticuatro horas durante los cinco o seis días que les faltaban. Tarde o temprano se quedaría dormido y en manos de éste, quien entonces obraría más despiadadamente de lo que había intentado momentos antes.

Sólo uno de ellos podía sobrevivir. El que se quedara dormido sería víctima del insomne. Llegaría la noche en que uno de ellos mataría al otro no por otra razón que para ganar una noche de sueño.

—¿No sería mejor en estas circunstancias?...—dijo Curtin rompiendo el silencio—. Sí, como decía, ¿no sería mejor que nos separáramos mañana, o más bien ahora mismo? Creo seriamente que esa es la única forma de resolver el problema.

—Desde luego que sería lo mejor. Veo que es lo que mejor te convendría.

—¿Por qué había de convenirme más a mí que a ti? —preguntó Curtin, perplejo.

—Así podrías sorprenderme por la espalda, darme un golpe o un balazo por detrás o tal vez enterar a algunos bandidos y mandarlos en mi persecución. Eres un gran camarada, ¡mi camarada! ¡Mierda!

—Si esa es tu opinión, entonces no veo otra forma de solucionarlo —dijo Curtin—; tendré que amarrarte todas las noches y también durante el día.

—Sí, estoy de acuerdo, hermano; eso es lo que debes hacer —Dobbs extendió un brazo y trató de significar que también él era fuerte—. Acércate, piojoso inmundo; acércate y trata de amarrarme, te estoy esperando, esperando, ¿me oíste?

Curtin se dió cuenta de que no le sería fácil amarrar a Dobbs, comprendió también que la única oportunidad que tenía para dominarlo era aquella y que tal vez no volvería a presentarse, pero le asustaba optar por el único medio posible para salvar su vida. En situaciones como esa, Dobbs era el más fuerte, porque obraba guiado por su impulso y dejaba la reflexión para más tarde.

XXI

Una noche de horror dió principio para Curtin. No así para Dobbs, quien había descubierto el lado flaco de aquél, cosa que le daba seguridad. Así podría jugar con Curtin escondiendo sus cartas.

Curtin se había acostado en un sitio desde el que podía vigilar a Dobbs y lo suficientemente distante para tener tiempo y espacio para moverse en caso de que éste intentara alguna jugarreta.

A Curtin le era muy difícil permanecer despierto. La marcha durante el día trepando a pie por los empinados caminos llenos de lodo, guiando a los burros, asegurando la carga que se aflojaba y ayudando a los animales a pasar las barrancas, era tarea capaz de cansar al hombre más fuerte.

Cuando el sueño estaba a punto de vencerlo, se levantó y dió algunos pasos, pero encontró que aquello aumentaba su deseo de dormir. Probó a estarse sentado, pero después pensó que sería mejor enrollarse en el sarape y quedarse quieto para hacer que sus miembros descansaran. Haría creer a Dobbs que lo vigilaba y podría cabecear un rato.

Una hora más tarde, cuando Curtin había dejado de moverse un largo rato, Dobbs se levantó y empezó a arrastrarse hasta donde aquél se hallaba. Curtin, sin embargo, había visto a Dobbs moverse y, sacando la pistola, gritó:

—Ni un paso más acá, o jalo el gatillo.

Dobbs rió:

—Eres un excelente velador, lo admito; debieras pedir el puesto en algún banco.

Un poco después de medianoche, Dobbs fué despertado por el rebuznar de un burro que parecía sentir la presencia de un tigre en el campamento. Nuevamente empezó a arrastrarse y otra vez Curtin sacó la pistola y le dió un grito de advertencia.

Dobbs se dió cuenta de que nada podría hacer aquella noche y se decidió a gozar de un buen sueño. Aquellas dos jugarretas no las había intentado con el propósito de echarse encima de Curtin, sino simplemente para evitar que durmiera y lograr que a la noche siguiente el sueño se apoderara de él en cuanto se tendiera.

Al día siguiente, Curtin dijo a Dobbs que guiara la recua, para poder tenerlo siempre a la vista.

Nuevamente llegó la tarde y acamparon. Empezó a oscurecer y la noche cayó sobre ellos una vez más.

Un poco después de las diez, Dobbs se levantó, se aproximó al sitio en que Curtin dormía como un oso en invierno y lo despojó de su pistola. Cuando lo hubo hecho le dió de patadas en las costillas diciendo:

—Arriba, rata piojosa; ahora las cartas están a mi favor por la última vez, y no volveremos a barajarlas.

—¿A qué cartas te refieres? ¡Oh diablo, estoy tan cansado! —dijo Curtin, tratando de levantarse.

—Quédate ahí —ordenó Dobbs sentándose junto a él—. Hablemos por última vez antes de que te mande al infierno. Tu hora ha llegado, porque no puedo vivir en constante temor; ello me daña los nervios y el estómago. Por eso tendremos que acabar ahora mismo, no queda otro camino, no puedo convertirme en tu guardián como tú lo has sido mío durante las últimas veinticuatro horas, ni recibiré más órdenes tuyas de las que he tenido que tragarme hoy, ¿entiendes?

—En otras palabras, asesinato. ¿Es eso lo que quieres decir? —preguntó Curtin con voz somnolienta. Estaba más dormido que despierto y le era difícil comprender el significado de las palabras; todo lo que deseaba era dormir.

Dobbs volvió a golpearlo para que despertara.

—No, mano, no asesinato; estás equivocado, no me refiero a ningún asesinato; sólo quiero librarme de ti y de tus intenciones de matarme al primer descuido.

Curtin trató de vencer el sueño y dijo:

—Ah, sí; comprendo; lo que quieres es despacharme inmediatamente, pero no creas que te será tan fácil. El viejo se encargará de esto, espera y verás.

—¿Sí, eh? ¿y quién más? Hace mucho tiempo que tengo preparada mi contestación. ¿Sabes lo que le diré? Que tú me ataste a un árbol y huíste con lo de todos. Entonces tratará de encontrarte a ti y no se ocupará de mí. Tú serás el criminal, no yo —dijo Dobbs riendo como podría hacerlo del mejor de los chistes.

Curtin luchó duramente para despertar y comprender claramente lo que Dobbs decía. Movió los hombros intentando sacudirse el sueño, pero falló.

Dobbs le dió un fuerte empujón y le gritó:

—Levántate y camina para donde yo te diga; durante el día tuve yo que marchar a tu compás, ahora tienes tú que seguir el mío. ¡Anda!

—¿Hacia donde? —preguntó Curtin con los ojos ya abiertos—. ¿Hacia donde?

—Hacia tu funeral, ¿o crees que te llevo a una orgía a que te complazcas mirando mujeres desnudas? ¿Quieres rezar? Te dejaré que lo hagas, aun cuando ello no te sirva de mucho, porque hoy te vas al infierno. —Dobbs se detuvo para observar los movimientos de su víctima.

En su interior, Curtin tenía la sensación de estar soñando y recordó que alguna vez alguien le había dicho o había leído en algún lugar, que durante los sueños se puede tener la revelación del verdadero carácter de una persona con mayor claridad que en la vigilia, y decidió, durante lo que él creía un sueño, tener mayor cuidado respecto a Dobbs en el futuro y poner a Howard también en guardia.

Mientras luchaba cada vez más decididamente contra el sueño, Dobbs perdió la paciencia, lo asió brutalmente por el cuello y le gritó:

—¡Quédate ahí, tal por cual, y espera!

—¡Oh! chucks, ¿por qué no me dejas dormir una hora más? Estoy rendido, no puedo caminar, además, las bestias necesitan descansar también una hora más, están sobretrabajadas y tienen el lomo molido.

—¡Levántate, miserable! ¡maldito hijo de la crápula! Dentro de un minuto podrás dormir cuanto quieras. ¡Andando! ¡Los gusanos quieren comer bien!

Las órdenes de Dobbs parecían introducirse como brocas en el cerebro de Curtin, quien creyó volverse loco si aquél no dejaba de gritar. Se detuvo pesadamente arrastrando los pies como sonámbulo y se dirigió al sitio que Dobbs le indicaba. Obedeció sólo con la idea de que haciéndolo cesaría de escuchar los gritos de aquél.

Dobbs se colocó cerca de su espalda y empezó a patearlo y empujarlo; así lo llevó cerca de unos ciento cincuenta pies hasta la maleza y entonces, sin decir una palabra más, disparó sobre él. Curtin cayó como un árbol derribado, y una vez por tierra, no volvió a moverse.

Dobbs se inclinó y escuchó por algunos segundos. Cuando se percató de que no respiraba, ni se quejaba, ni suspiraba, se levantó con un gesto de satisfacción, volvió a colocarse la pistola al cinto y regresó a la hoguera agonizante.

Se sentó. Durante media hora estuvo pensando en lo que debía hacer después, pero ninguna idea acudía a su cerebro. Miró al fuego, echó sobre él más leños y observó cómo iban prendiendo. Por un momento le pareció ver entre las brasas una enorme cara roja que se tragaba las flamas. Entonces llenó su pipa y la encendió con una astilla ardiente.

Dió unas cuantas fumadas.

"Puede ser, pensó, que no lo haya yo despachado del todo, y tal vez se tambaleó y cayó por tierra sin que le tocara. ¿Y si eso hubiera sido, qué?"

Volvió la cara hacia el monte en el que Curtin yacía. Durante un buen rato trató de penetrar la oscuridad como esperando verlo aparecer de un momento a otro.

No se sentía cómodamente sentado; se levantó, dió algunos pasos alrededor del fuego y volvió a mirar hacia la densa maleza que escondía el cuerpo de Curtin. Se detuvo una vez más mirando el fuego, con los pies empujó hacia éste algunos leños más y volvió a sentarse.

Al cabo de un cuarto de hora sacudió su pipa, se enrolló en su sarape y se tendió cerca de la hoguera. Esperaba quedarse dormido siquiera al instante después de respirar profundamente. Pero a la mitad de su aspiración se detuvo. Estaba seguro de no haber matado a Curtin y de que éste aparecería ante él pistola en mano al cabo de un minuto. La idea no le dejó dormir.

Se sintió invadido por una gran agitación. Se desembarazó del sarape, se aproximó al fuego y empezó a rascarse los brazos, las piernas, la espalda. Sintió frío. Nuevamente volvió la vista hacia la espesura.

Con movimiento nervioso sacó de la hoguera un gran leño ardiente para usarlo a manera de antorcha, sopló sobre él para avivar la flama y corrió hacia la maleza.

Curtin yacía inmóvil en el mismo sitio en que Dobbs lo había dejado. Deseó arrodillarse y oprimir con la mano el pecho de su víctima. Pero sintiéndose incómodo se retiró un poco, volvió a inclinarse y escuchó cuidadosamente, para ver si distinguía algún sonido producido por la respiración. No escuchó ni el más leve estertor y no pudo descubrir ni el más ligero movimiento. Entonces aproximó la flama del leño a la cara de Curtin, casi quemándole la nariz, y lo movió acercándolo y alejándolo de sus ojos. Aquél no pestañeó. Tenía la camisa empapada en sangre.

Satisfecho de su investigación, Dobbs se levantó y empezó a caminar hacia el fuego; pero no bien había andado diez pasos cuando sacó la pistola, se volvió y disparó otro balazo sobre Curtin para estar absolutamente seguro. Tiró la antorcha, que ya se había apagado, se detuvo vacilante, y, sacando la pistola una vez más, la tiró hacia donde Curtin se hallaba.

—Es suya, después de todo, y será mejor que allí quede —murmuró.

Volvió a aproximarse a la hoguera y se enrolló en la cobija, pero como sintiera más frío que antes, se sentó y se puso a mirar al fuego.

—¡Maldita sea! —dijo en voz alta—. ¡Cien veces maldita! ¿Quién iba a decir que la conciencia me molestaría? ¿Qué podría molestarme a mí? Bueno, así parece, pero ahora ya estoy tranquilo —agregó riendo, y su risa sonó como un ladrido.

La palabra "conciencia", dicha por él en voz alta, le impresionó. Pareció penetrar su mente en forma curiosa, y dominar sus pensamientos a partir de aquel momento, sin que tuviera una idea clara y definida de su significado. Si alguien le hubiera preguntado qué era la conciencia, no habría sabido definirla correctamente y ni siquiera hubiera logrado explicar su sentido por medio de comparaciones.

Empezó a discutir consigo mismo: "Quisiera saber si la conciencia es capaz de hacerme alguna jugarreta. Asesinar es lo peor que puede hacer un hombre, de acuerdo con los libros y con los sermones dichos desde el púlpito; la existencia de ella debía ponerse de manifiesto ahora, pero ello no ocurre. De hecho, yo nunca he oído que el verdugo que ha ahorcado un criminal sea molestado por la conciencia. Lo único que pasa es que mueven una palanca, la trampa cae y, ¡bang!, el pobre diablo queda colgado por el cuello y con los pies al aire. Otras veces y en otros lugares, los celadores presionan un botón o ponen en contacto el *switch* y el pobre tipo a quien tienen atado a la silla sufre un choque y se encuentra al diablo en el dintel, esperándolo con una banda de música.

"Pero en esas no me veré yo.

"Cuentan los muchachos que durante la guerra mataron un buen número de *heinies*, que después de una matanza en gran escala, la conciencia no les molestaba, ni les ocasionaba pesadillas, ni les quitaba el apetito. ¿Conciencia? ¡Bah, mentira, eso no existe! ¿Por qué entonces me he de estremecer y sentir malestar en el estómago a causa de esta rata suprimida? Lo único que deseo es que esté bien muerto. De otro modo la conciencia podría —podría— saltar e importunarme.

"Sí, desde luego que la conciencia existe, sí, y en gran cantidad. Y se deja sentir sin duda cuando nos pillan y tenemos que pasar veinte años bajo llave. Nada agradable, desde luego; ella nos molestará aun más si nos vemos obligados a esperar una larga semana para que el Señor tenga la piedad que por nuestra alma se le ha pedido en el momento de ser sentenciados por el juez.

"Alguien me ha dicho que el tipo despachado por uno suele aparecerse antes de medianoche y ocasionarnos con su presencia un calosfrío desagradable.

"¿Qué hora es? ¡Uf!, sólo las once y media, todavía tiene que pasar media hora. En alguna parte del mundo debe ser ya medianoche. Siempre en alguna parte es medianoche; por ello los duendes necesitan viajar rápidamente para llegar a tiempo al lugar en que deben aparecer. Pensándolo bien debería empacar y largarme. Pero ¡demonio! no puedo emprender el camino en una noche tan oscura como ésta. Ello podría conducirme a la cárcel por sospechoso y si saliera de ella, supongamos dentro de dos años por indulto general, el fantasma ya no me molestaría, pues habría pagado mi deuda.

"¿Me será posible emprender el camino en esta noche? Lo probaré. ¡Si sólo pudiera alejarme un poco de aquí! Tal vez la temperatura cambie cuando empiece a descender, aquí hace bastante frío. Bueno pero tal vez sea mejor que me quede junto al fuego y que no me exponga a perderme por esa condenada Sierra. ¡Maldito fuego! Alumbra tan poco. ¿Por qué no habré traído más leña antes de que oscureciera? No, ahora no me internaré en la maleza para traerla.

"No puedo imaginar cuanto sumará todo, lo mío, lo suyo y lo del viejo; pero deben ser muy cerca de cincuenta mil. Estoy seguro de que no lo encontrarán, pero más vale que lo entierre mañana temprano y borre toda huella. Resulta curioso que al fin y al cabo yo me haya quedado con todo el cargamento. ¡El viejo se volverá loco cuando llegue al puerto, penetre al banco con cara radiante y se encuentre con que no tiene un centavo! ¡Me gustaría ver la cara que pone y oír como llama a los hijos de sólo Dios sabe quien!"

Y rió volviendo a producir una especie de ladrido.

De pronto calló. Estaba seguro de haber oído detrás de sí una carcajada que surgía de las tinieblas que envolvían el bosque. Se volvió como si esperara que alguien saliera de la oscuridad. Se arrastró por la maleza a fin de poder mirar hacia el sitio de donde le parecía que había partido la carcajada, sin necesidad de volver la cara. Sopló sobre el fuego y lo hizo arder más vivamente, con lo que logró que iluminara los alrededores. Mientras la hoguera ardía vivamente, trató de penetrar con la mirada las sombras producidas por el espeso follaje que lo rodeaba. Imaginaba ver formas humanas, y estuvo seguro de distinguir caras. Entonces se percató de que las sombras le habían engañado.

"Conciencia", volvió a decir para sí. "¡Conciencia!" "¡Qué cosas ocurren cuando se cree en su existencia! Empieza a acosarnos y a hacernos ver el infierno. En cambio, no creyendo en ella, ¿qué puede ocurrir? Y yo creo en ella tanto como puedo creer en el infierno. Bueno, es tiempo de dormir, tanto pensar en tonterías acabará por hacerme mal."

Se estiró, se enrolló en el sarape y durmió hasta el amanecer.

Era tarde. Generalmente emprendían el camino antes del amanecer. A toda prisa bebió el café que había quedado de la cena y comió un poco de arroz frío.

Tanta prisa tenía que se olvidó de dar maíz a los burros como usualmente lo hacían desde que emprendieran aquel duro camino.

Hasta que empezó a cargar a las bestias no se acordó de Curtin, cuya ausencia consideraba algo inevitable como el destino. Ni por un minuto sintió piedad o arrepentimiento. Curtin había dejado de ser y aquella idea le producía gran satisfacción y aquietaba su mente. Ya no tendría que temer un ataque por la espalda.

Pero supongamos que Howard lo hubiera seguido, ¿qué habría contestado acerca de Curtin y de sus bienes? La historia que había forjado tal vez no convenciera al viejo; más valía inventar otra; pero la cosa era sencilla. Por ejemplo, podría decir que se habían encontrado con unos bandidos que habían matado a Curtin y los habían robado, y que él, Dobbs, había podido escapar con los dos burros que cargaban sus bienes. A nadie le extrañaría el hecho de que antes que nada hubiera defendido lo suyo. Ni el más listo de los hombres podría encontrar inverosímil aquella historia. Esas regiones se hallaban plagadas de bandidos y de salteadores de caminos y todo el mundo lo sabía.

XXII

Los burros, con la carga sobre el lomo, esperaban una patada de Dobbs como señal para emprender el camino. De vez en cuando volvían la cabeza hacia donde aquél se encontraba, esperando que les diera el puñado de maíz al que estaban acostumbrados desde que dejaran la mina. Sin duda cavilaban acerca de por qué Dobbs no les habría dado la voz de mando que solían escuchar en cuanto sentían la carga sobre el lomo.

Dobbs había tropezado al cargarlos con mayores dificultades de las que supusiera. No era fácil cargar a las bestias sin la ayuda de otro hombre, pues uno solo no podía encargarse de los dos lados. Después de muchas patadas y empujones logró sus propósitos, pero había perdido mucho tiempo y ya era cerca de mediodía.

En el preciso momento de emprender la marcha recordó a Curtin. Por supuesto, había pensado en él veintenas de veces durante la mañana, aun cuando no lo recordaba como a una persona muerta. Habían estado juntos tanto tiempo que pensaba en él como si se hallara ausente en una cacería o buscando provisiones en el pueblo. Por primera vez en aquel momento pensó en que estaba muerto. La idea le asaltó repentinamente, como un choque. De no haber estado solo con sus pen-

samientos, habría podido olvidarse completamente de
Curtin en unas cuantas horas. Pero aislado en aquellos
parajes se le figuraba a cada instante oír su voz y su
risa.

Titubeó un rato y al fin le pareció mejor dejar el
cuerpo donde se encontraba, pues aun cuando algunos
nativos acertaran a pasar por aquel lugar, el cadáver
estaba tan cubierto por la maleza que no sería posible
que lo descubrieran.

Otro pensamiento le pasó por la mente. Si enterra-
ba el cuerpo, bien podía ocurrir que un leñador o un
carbonero o algún perro lo encontraran y aquello podría ser evidencia de que lo que él decía no era cierto.
Y concluyó por dejar el cuerpo sin enterrar para que
apareciera como si Curtin hubiera sido muerto por bandidos o se hubiera suicidado. Además, si dejaba el cuerpo a la intemperie, los gatos monteses, los tigres, leones,
jabalíes, zopilotes, gusanos y hormigas, acabarían con
él tan pronto que en el plazo de un mes sería imposible
precisar de quién eran los huesos que blanqueaban en
la maleza. Pero las ropas y los objetos que Curtin llevaba en los bolsillos serían una prueba concluyente de
su identidad.

De pronto Dobbs se dió cuenta de que lo rodeaba
un gran silencio. Nunca se había percatado de que la
naturaleza en los trópicos, cuando el mediodía se
aproxima, sufre una profunda somnolencia y acaba por
dormir. Las aves cesan de cantar y de volar, los insectos se aquietan y van a esconderse bajo las hojas en busca de sombras; las ardillas se esconden y los animales
grandes parecen huir como perseguidos por alguien.
Hasta el viento duerme y deja de susurrar entre las
hojas.

Dobbs sintió aquel silencio creciente como algo extraño que ocurriera en el mundo entero. Le parecía que

los árboles y las plantas se habían petrificado, que de
verdes se habían tornado grises y polvorientas. El aire
estaba en extremo pesado y la atmósfera parecía haberse convertido en lava gaseosa.

Podía ver muy poco del cielo debido al espeso follaje que lo cubría, y el aire parecía tan denso que difícilmente podía respirar. La masa formada por la baja
maleza y los troncos de los árboles parecía cerrarse
sobre él y robarle la mínima cantidad de aire que le
era necesario aspirar. Todo lo que lo rodeaba estaba pe-
netrado de tristeza.

Gruesas gotas de sudor le cubrieron el cuerpo, y
tuvo la sensación de que él también quedaría petrificado
si no se movía instantáneamente. El temor lo invadió.
Los burros estaban inmóviles como piedras. Acostumbrados a obedecer órdenes, las esperaban. Con sus grandes ojos oscuros miraban a Dobbs sin pestañear.

Él se dió cuenta de que los ojos de los burros no se
apartaban de su cara, y los animales le infundieron miedo. Por un momento lo atormentó la idea de que aquellas
bestias fueran seres humanos encantados, quienes podían comprender perfectamente lo que había hecho, y
eran capaces de condenarlo, de saltar sobre él y de matarlo. Trató de desembarazarse de aquella idea y de
sonreír, pero no pudo.

Se aproximó a los burros y empezó a arreglar mejor
las cargas apretando una cuerda aquí, asegurando alguna correa allá. Dió algunos empujones a los animales y
apretó los puños sobre su carne para convencerse de
que estaban vivos, después de lo cual se sintió un poco
mejor.

Aquel alivio le duró muy poco. Cuando sorprendía
la mirada de alguno de los burros pensaba en Curtin,
que podría mirarlo en aquella misma forma.

"De cualquier modo, creo que resulta más seguro enterrarlo, pero no me será posible mirarle a los ojos, porque nunca podría olvidarlo. No comprendo por qué pienso así. Bueno, tendré que enterrarlo; no cabe otro recurso."

Sacó un pico de uno de los bultos, pero cuando lo tuvo entre las manos, quedó indeciso. ¿Enterraría el cuerpo? Aquello era perder el tiempo; más le valía apurar a los burros y tratar de llegar cuanto antes a la estación.

Volvió a guardar el pico y, una vez hecho esto, tuvo la curiosidad de ver si los zopilotes se habían lanzado ya sobre el cadáver. Saber aquello antes de abandonar el lugar le daría un sentimiento de seguridad. Volvió a sacar el pico, se lo echó al hombro y se dirigió decididamente hacia la maleza.

Caminó directamente hacia donde el cuerpo se hallaba. Podría haberlo localizado aún con los ojos cerrados. Tenía la seguridad de encontrarlo aún cuando transcurrieran cincuenta años. Pero cuando llegó, el sitio se hallaba vacío.

Pensó que había equivocado la dirección, la oscuridad de la noche y la luz incierta reflejada por la antorcha, sin duda no le había permitido identificar bien el lugar.

Presa de nerviosidad, empezó a buscar el cuerpo. Se arrastró por la maleza apartando las ramas, tratando de librarse del follaje, mirando a derecha e izquierda. Su nerviosidad era creciente, esperaba encontrarse con el cadáver de un momento a otro y sabía que no podría resistir aquel choque. Así, pues, decidió no seguir buscando, sino regresar a donde se encontraban los burros y emprender la marcha inmediatamente.

Cuando se hallaba a medio camino de regreso, sintió que nunca encontraría paz si no veía por última vez el cuerpo y se aseguraba de que su obra había sido completa.

Nuevamente emprendió la búsqueda. Recorrió la maleza de un lado a otro, y mientras más buscaba más se desconcertaba. Un ciento de veces regresó al lugar en donde había acampado la noche anterior e intentó hallar la dirección, sin que le fuera posible recordar hacia donde había llevado a Curtin. Todo era inútil, no encontraba el cadáver. Descansó un minuto esperando que la mente se le aclarara para poder precisar la dirección. Temblaba de nerviosidad. El sol lanzaba sus rayos que penetraban verticalmente a través de las copas de los árboles. Sentía que se le abrasaba el cerebro y empezó a reprocharse y a maldecirse. Estaba bañado en sudor. Se aproximó al arroyito que corría cerca del campamento y se zambulló en él como un perro sediento. Arrodillado allí por algunos segundos sintió que sus pensamientos corrían furiosamente.

Otra vez buscó entre la maleza, arrastrándose por el suelo, volviendo la cabeza para todos lados. Trató de convencerse de que no era temor lo que lo torturaba, sino el calor y el agotamiento. Sin alcanzar a pronunciar las palabras, se balbuceaba a sí mismo que no tenía miedo, que nada temía, que lo único que le ocurría era que estaba excitado por la inútil búsqueda.

"¡Por el diablo! Debía estar aquí, es imposible que haya volado", gritó, agotando el aliento. Y en el silencio que reinaba escuchó su voz como la de alguien escondido entre el follaje. Aquella voz lo asustó como jamás la voz de hombre alguno lo había asustado.

Los burros mostraban una inquietud creciente, y el que iba a la cabeza de ellos empezó a caminar. Pronto la recua se puso en marcha, tal vez habían husmeado alguna pastura buena que debía encontrarse más adelante.

Dobbs trató de detenerlos con un juramento que los asustara y confundiera. Empezaron a correr y él se vió obligado a correr cada vez con mayor rapidez para lograr adelantárseles y detenerlos.

Jadeante y a punto de desfallecer, obligó a los burros a que regresaran al campamento, en donde permanecieron en quietud algún tiempo husmeando el zacate.

De pronto sorprendió a dos de los animales mirándole quietamente con sus grandes ojos negros, tuvo la sensación de que trataban de penetrar sus pensamientos, y aquello le produjo un miedo atroz. Tuvo la idea de vendarles los ojos para salvarse de su mirada, pero sus pensamientos se desviaron antes de que intentara hacerlo.

"¡Por Cristo! ¿En dónde diablos estará ese maldito hombre?", dijo enjugándose la cara con la manga.

Una vez más buscó entre la maleza y por la centésima vez se convenció de estar en el sitio preciso en el que había dejado a Curtin. Encontró un pedazo quemado de la antorcha con que había iluminado el lugar la noche anterior cuando regresara al sitio en el que la víctima se encontraba, para dispararle un balazo más. Aquel pedazo de antorcha no le dejó lugar a duda de que aquel era el mismo sitio en el que había matado a Curtin. Se notaba algún desorden en el terreno, pero él mismo lo podía haber causado con su búsqueda. No había ninguna huella sangrienta.

"¿Dónde está el cuerpo?", se preguntó.

Tal vez un león o un jabalí lo haya arrastrado hasta el sitio en que le fuera posible devorarlo tranquilamente.

Y añadió en voz alta mirando en derredor: "Nada mejor podía ocurrir. Pronto no quedará ni un solo hueso. Como hecho a la medida. Parece demasiado bueno para ser verdad."

Satisfecho, se encaminó al campamento. Los burros cargados se habían tumbado. Estaba tan calmado que pudo coger su pipa, llenarla y fumar.

Pensó en partir y cuando se alistaba para hacerlo volvió a sentir que un calosfrío le recorría la espalda; el sudor parecía congelársele sobre el cuerpo. Se abotonó la camisa casi hasta el cuello.

Hizo un movimiento para rehacerse, gritó a los burros para que se levantaran y la recua se puso en marcha.

El camino le resultaba más difícil de lo que había esperado. Si caminaba a la vanguardia, los burros de la retaguardia se extraviarían buscando pasto y se vería obligado a detener la recua para juntar a los que se retrasaban y se dispersaban. Si caminaba a la retaguardia, el animal que servía de guía se paraba, se salía del camino o se tumbaba. Tenía que correr de un lado para otro como hacen los perros pastores para juntar las ovejas. Trató de sujetar a los burros atándolos por el cuello con una cuerda común, en aquella forma los animales marcharon de uno en fondo porque el camino era angosto para dar cabida a dos. El hecho de haberlos sujetado no dió buen resultado, pues si uno de ellos se detenía, tiraba tan fuerte de la cuerda que los otros se veían obligados a hacer lo mismo. Trató de seguir el camino desembarazando a los animales de la cuerda y dejándolos que marcharan como les fuera posible, y encontró que ello le daba mejores resultados. Una vez encaminados, lo único que tenía que hacer era llamarles la atención de vez en cuando para recordarles que estaba listo a golpearlos en cuanto se descarrilaran.

Sacó su pipa y fumó; caminaba perezosamente tras la recua.

En medio de aquella lenta marcha, volvió a pensar:

"Debía haber mirado en rededor con más cuidado. Y, caramba, pensándolo bien, no encontré la pistola que tiré cerca de él después del último tiro." Se tocó la cadera. "Tengo mi propia pistola, sí, pero la suya no. A lo mejor no estaba del todo muerto, sólo malamente herido. Tal vez volvió en sí y ahora se arrastra por la maleza avanzando cada vez más. Si llega a algún pueblo indígena, lo auxiliarán. ¿Y entonces qué? ¿Qué haré entonces?" Se volvió deteniéndose y escuchó. Imaginó que los indios habían encontrado a Curtin y que ya lo perseguían a caballo.

"Pero aunque haga lo que haga y tome el camino que tomare, no puede haber llegado aún a ningún poblado. El más cercano debe estar por lo menos a diez millas del lugar, y no podría recorrer esa distancia en un solo día estando herido como está. Más vale que regrese y lo encuentre cueste lo que cueste. Tengo que encontrarlo, de otro modo pasaré veinte años en las Islas Marías, y según dicen, aquello es un infierno."

Concluyó que no le quedaba otro recurso que regresar y buscar otra vez, en esta ocasión más cuidadosamente. Recordó que quedaba un trecho que no había recorrido enteramente, y tal vez allí se encontraba Curtin, muerto o vivo aún. Estaba seguro de encontrarlo allí.

Casi había oscurecido cuando Dobbs llegó de regreso al campamento. No se molestó en descargar a los burros inmediatamente, eso podía hacerlo cuando la noche cayera. Necesitaba de la última luz del día para su búsqueda, y la emprendió acto seguido.

Aun cuando en su camino de regreso se había hecho el propósito de buscar con menos precipitación de la

que había demostrado durante la tarde, empezó a hacerlo
nerviosamente como antes. No podía obligarse a llevar
a cabo una exploración disciplinada.

Pronto cayó la noche, demasiado pronto para Dobbs.
Tuvo que regresar al campamento. Descargó los burros
y encendió la hoguera.

Estaba demasiado preocupado para cocinar. Lo único que pudo preparar fué un poco de café, y calentar,
además, unas tortillas mohosas.

Volviendo a reflexionar, concluyó que no podía perder ni una hora más en la búsqueda del cuerpo. A la
mañana siguiente saldría con el primer rayo de luz.
Debía hacer todo lo posible por llegar a Durango en
dos o tres días. Allí vendería los burros, las herramientas y las pieles por cualquier precio que le ofrecieran,
a fin de hacerse con algún dinero. Entonces tomaría el
tren y, en lugar de dirigirse al puerto, seguiría la ruta
más corta para el norte y alcanzaría la línea internacio-
nal antes de que Howard se enterara de lo sucedido y
telegrafiara una descripción suya a la frontera.

Recordó que ya se hallaba en la ladera este de la
Sierra Madre, y que el día anterior él y Curtin, en pie
sobre una gran roca desnuda, habían visto el humo de
una máquina que corría muy lejos.

XXIII

Al día siguiente, antes del amanecer, Dobbs estaba en camino. Una vez iniciado el viaje, la recua marchó medianamente bien. Los burros estaban en mejor disposición que el día anterior, ya que no habían tenido que esperar por tanto tiempo después de ser cargados y porque Dobbs les había dado su ración de maíz, que les dió ánimos.

De pronto un burro se espantó por alguna razón desconocida, y echó a correr tropezando con árboles y rocas y rompiendo las ataduras de la carga. Una vez libre de ella se dió a correr como loco. A Dobbs le fué imposible atraparlo y lo dejó ir; dividió la carga entre los otros animales. Estaba seguro de que el burro se les reuniría más tarde buscando a sus compañeros en el campamento.

Ya podía divisar la vía del ferrocarril a cada vuelta que daba el camino, porque éste dejaba ver de vez en cuando el valle que se encontraba al pie de las montañas. Aquel mismo día hubiera tal vez podido llegar a una de las pequeñas estaciones a lo largo del camino, pero consideró mejor no tomar el tren en ninguna de ellas, porque fácilmente habría podido infundir sospechas al aparecer solo con tantos burros cargados. Además, no le sería fácil vender los animales y las herramientas en alguno de aquellos pueblecitos.

Necesitaba dinero para su pasaje y el flete de la carga,
por lo que era indispensable que fuera hasta Durango,
la ciudad más próxima.

Durango se hallaba aún a dos días de distancia,
si no a tres. El camino, a medida que se aproximaba a
los poblados, se hacía más fácil y aparentemente menos peligroso. Dobbs se sentía muy bien. Caminaba
silbando, y como las dificultades eran menores, podía
pensar en su porvenir, en lo que haría con su dinero
y en dónde y cómo viviría. Pensaba en hacer un viaje
a Europa para conocer Francia, Inglaterra y Escocia,
donde podría comer un plato de verdadero "haggis"
tal y como se lo había descrito su madre cuando era
pequeño.

"¡Si sólo supiera que él está realmente muerto y
que ha sido devorado por un león o un tigre!", dijo
en voz tan alta que el burro que caminaba delante de
él volvió la cara, creyendo que Dobbs le daba alguna
orden.

Aquella noche, cuando acampó, se sintió mejor que
las dos anteriores. Supo que su conciencia no le molestaría allí; eso sólo ocurría en las montañas, donde
los árboles parecen hablar y el follaje semeja extraños rostros. Pero con el valle en frente se sentía tranquilo. Estuvo cantando y silbando mientras preparaba
su cena.

El burro que había huído durante el día apareció
en el campamento.

"El hecho de recuperar algo que se da por perdido, es de buen agüero", dijo Dobbs. "Y además esto
significa que tendré quince pesos más." "¿Qué tal, amigo, cómo estás?", dijo saludando al recién llegado,
dándole unos golpecitos en el lomo.

Aquella noche durmió bien. Ni una sola vez despertó creyendo escuchar pasos y voces como las noches anteriores.

A la mitad del día siguiente, cuando cruzaba una colina, divisó Durango en la lejanía, dorado por los rayos del sol y anidado en una de las maravillas del mundo, el Cerro del Mercado, una montaña que según dicen los expertos, contiene más de seiscientos millones de toneladas de hierro puro. ¡Durango, hermosa ciudad con su aire embalsamado y sus bellos alrededores!

La noche encontró a Dobbs cocinando por última vez su cena y viviendo como salvaje en un campamento. Al día siguiente se encontraría en la ciudad, durmiendo en la buena cama de un hotel, sentado ante una mesa de verdad y saboreando una comida bien guisada y servida por un mesero cortés. Y dos días más tarde se encontraría a bordo de un tren que lo conduciría en dos o tres días a su vieja y bien amada patria.

Era feliz, cantaba, silbaba y bailaba. Se sentía a salvo. Ya podía oír el rodar de las máquinas y los ruidos que producían al moverse.

Aquellos sonidos le infundían una gran tranquilidad; eran las voces de la civilización. Tenía hambre de civilización, de ley, de justicia capaz de proteger sus propiedades con la fuerza de la policía. Sumándose nuevamente a la civilización, podría encararse sin temor a Howard y aun a Curtin si alguna vez volvía a aparecer. Entonces podría reírse y burlarse de ellos. Allí necesitaban los medios que la civilización exige para respaldar una acusación. Y si pretendían ir demasiado lejos los acusaría de fraude, podía levantar un acta y pedir su encarcelamiento por calumnia. En adelante sería un ciudadano distinguido y bien vestido, capaz de contratar a los mejores abogados. ¡Qué maravilla es la civilización!, pensó y se sintió feliz de que ninguna bobería parecida al bolchevismo pudiera privarlo de sus propiedades y de su vida fácil.

Nuevamente oyó el rugir de una locomotora que rompía el silencio de la noche. Era esa, música dulce para los oídos de Dobbs, era la melodía de la ley, de la protección, de la seguridad.

"Extraño", dijo de pronto despertando de su sueño. "Realmente extraño, diría yo. No gritó, él no gritó cuando lo derribé. No hizo ruido alguno ni se tambaleó; cayó como un árbol al golpe del hacha. Lo único evidente fué la sangre que se derramó de su pecho empapándole la camisa. Cuando me aproximé a él con la antorcha encendida, tenía el rostro pálido. Creí que me estremecería pero no ocurrió así y ¡por el diablo! ¿por qué habría de estremecerme? Podría haber reído. Sí, reído. ¡Tenía aquel tipo una apariencia tan cómica con los brazos y las piernas retorcidos como culebras carbonizadas! Era cómico, muy cómico." Dobbs rió. "Bastó un golpe para acabar con un tipo tan cuidadoso de su vida y del producto de su trabajo. Chistoso, muy chistoso. Todas las cosas tienen su gracia."

Fumó, contemplando las nubes de humo que se elevaban sobre su cara.

"¡Si sólo tuviera noción del lugar en que el cadáver se halla! Sencillamente no acierto con lo que pudo ocurrirle. ¿Se lo llevaría un león? En las montañas abundan. ¿Algún cazador indio lo conduciría a su pueblo? No, no lo creo. Pero suponiendo que un tigre o cualquier otra fiera se lo hubiera llevado, yo habría encontrado las huellas. Lo malo es que no busqué huellas, ocupándome únicamente de localizarlo a él. Realmente fué un error. ¡Diablo, debía haber buscado con mayor atención huellas de bestia! Pero veamos, yo creo que el tigre o lo que haya sido, debe haberlo tomado entre sus fauces y llevádolo sin dejar señales.

Eso es; los tigres son fuertes, debe haber sido un gran tigre, un tigre real y esos son terriblemente fuertes y capaces de llevarse toda una vaca y saltar una barda con ella entre las fauces. Son realmente grandes y fuertes."

Dobbs se satisfizo con la explicación que se dió a sí mismo.

"Tal vez no esté del todo muerto... No, la idea es tonta. Él está bien muerto. Lo liquidé ¿acaso no vi la sangre, su cara pálida y sus ojos cerrados e inmóviles aún al contacto de la antorcha encendida? Estaba tan muerto como esta piedra. Seguro que lo estaba."

Empezó a sentir malestar y a temblar. Atizó el fuego y echó en él más leña. Dirigió la vista hacia la planicie con la esperanza de ver los reflejos de las luces encendidas en los jacales habitados por los campesinos. Se volvió hacia la maleza en la seguridad de que alguien se aproximaba. Por fin le fué imposible permanecer sentado, se puso de pie y comenzó a caminar en derredor del fuego y trató de explicarse su comportamiento diciéndose que hacía aquello porque tenía frío y necesitaba calentarse. Pero la verdad era que aquel espacio sin límites no le gustaba, hubiera deseado tener a la espalda un gran muro de ladrillos para asegurarse de que nadie podría aparecer por detrás.

Se quedó quieto por un instante y sintió que alguien estaba a su espalda. La sensación fué tan clara que hasta percibió el aliento del supuesto personaje. Imaginó tener la punta de un puñal apoyada sobre su dorso. Saltó hacia adelante, sacó la pistola y se volvió hacia... ninguno. Nadie lo amenazaba, nada pudo distinguir a excepción de la sombra de los burros que pastaban tranquilamente cerca del campamento. Se quedó mirándolos y pensó en lo felices que debían de

ser, ya que no les era dado pensar como a los humanos.

Se dijo que no estaba nervioso, pero que en aquellos parajes siempre se debía estar en guardia, la divi-
sa de los exploradores es estar siempre alerta y aquello
nada tenía que ver con lo que la gente llama conciencia.

Esas eran tonterías. Estando solo, alejado de la civilización y poseedor de valores no hay precaución que
baste, ya que cualquiera podía atacarlo por la espalda
y llevarse el botín. "Pero no será a mí", dijo a media
voz, "nadie podrá atacarnos fácilmente, yo sé cómo
protegerme; no soy ningún cobarde como Lacky o como Cur... Bueno, él no tenía experiencia. Yo soy duro, verdaderamente duro, claro está que lo soy. Nadie
podrá atacarme por la espalda, nadie."

Hizo un esfuerzo para sentarse cerca del fuego y
trató de concentrar su pensamiento en la tarea de limpiar su pipa.

A la mañana siguiente no pudo partir tan temprano como deseaba. Varios de los burros se habían extraviado, la noche anterior los había descuidado y ellos
se habían ido en busca de mejor pastura y tuvo que
perder varias horas para reunirlos.

La vereda desembocaba a un camino bien ancho
cubierto de polvo fino y de arena por el que el tránsito
era una verdadera tortura.

Dobbs había calculado que llegaría a Durango cerca de las tres de la tarde, y de no haber sido por la
pérdida de aquellas valiosas horas en busca de las bestias extraviadas, ya debía encontrarse a las puertas de
la ciudad.

El viaje por aquella carretera en pésimo estado resultaba duro. Por un lado estaba limitado por campos

cultivados que permanecían resecos durante meses. El rico suelo se hallaba entonces convertido en polvo. Del otro lado, el camino estaba en parte limitado por una larga colina de tierra suave, especie de barro amarillento y gris. Los arbustos espinosos, los magueyes, nopales y órganos que crecían en los alrededores se veían cubiertos de una gruesa capa de polvo.

Cuando el viento soplaba se levantaban espesas capas de polvo que se extendían por el campo y hacían imposible la visibilidad a más de diez pies de distancia. Aquella no era la dificultad mayor, ya que él y los animales encontraban el camino fácilmente, pero aquella cantidad de polvo hacía la respiración penosísima. La arena, parecida a vidrio pulverizado, lo cegaba y lo imposibilitaba para abrir y cerrar los ojos. Sobre la recua ardía el despiadado sol de los trópicos. Hacía meses que la tierra esperaba la lluvia y ni una sola gota había caído por aquellos rumbos. El calor agotaba a hombres y a bestias, y los obligaba a caminar casi a rastras, con los ojos cerrados y el único deseo de llegar al final de su camino.

Los burros dejaron de detenerse, pues no apetecían las hojas secas; caminaban como autómatas sin menear siquiera las orejas; por experiencia sabían que la llegada a un pueblo representaba descanso, protección en contra del polvo y del calor, agua y alimento. Así pues, se apresuraban tratando de llegar cuanto antes al pueblo, ya que tanto para ellos como para Dobbs, representaba la tierra de promisión.

A través de sus ojos casi cerrados, Dobbs pudo distinguir algunos árboles que crecían en el camino. Eran bajos, pero tenían un follaje espeso y amplio y ofrecían buena sombra. Allí podría sentarse durante un rato recostando su cuerpo cansado contra un árbol, tomar unos tragos de agua y dar unas cuantas fumadas.

Después de refrescarse podría seguir. También los burros gozarían algunos instantes de la sombra.

Las primeras casas de la ciudad estaban cuando mucho a cinco millas de distancia.

Dobbs se adelantó para detener al burro que encabezaba la recua. Los animales se aproximaban satisfechos a los árboles, sacudían la cabeza para librarse de los tábanos y se movían lentamente y gustosos en la fresca sombra.

Dobbs se acercó a uno de ellos, tomó la cantimplora, se enjuagó la boca para quitarse el polvo que tenía hasta en los dientes y bebió. Después se humedeció las manos, la cara y el cuello.

Cuando regresó a guardar la cantimplora, escuchó una voz que le decía:

—¿Tiene usted un cigarro?

Dobbs se detuvo. Aquella era la primera vez que oía una voz humana desde hacía días, y le llegaba por sorpresa.

Aun cuando el que le dirigía la palabra lo hacía en español, por un momento pensó que se trataba de Howard o de Curtin, pero encontró inmediatamente que ellos no podían hablarle así.

Cuando se volvió hacia el lugar de donde partía la voz, descubrió a tres vagabundos tendidos sobre un agujero bajo uno de los árboles que se hallaba un poco más atrás. Eran mestizos sucios y desaliñados, con caras de foragidos, de gente del hampa, tipos que se encuentran comúnmente en los caminos próximos a las ciudades, en las que suelen dormir gratuitamente en espera de una buena oportunidad. Con sólo mirarlos se podía determinar que hacía meses no trabajaban y que habían llegado al estado en que los hombres dejan de preocuparse por encontrar trabajo, después de haberlo pretendido cien veces en vano.

Formaban parte de la escoria humana de las ciudades, eran de los abandonados en los pantanos de la civilización, posiblemente criminales escapados de la justicia. Eran la basura del progreso, con cuartel general en los basureros donde los desechos de las ciudades modernas se acumulan.

Al mirar a aquellos tres trastos viejos, Dobbs, que había pertenecido alguna vez al ejército de los sin trabajo, desesperados, comprendió que se hallaba en una de las situaciones más difíciles de su vida. Supo que había cometido un error al abandonar el camino abierto para buscar la sombra de aquellos árboles. El camino estaba sólo a unos cincuenta pies de distancia, pero al abrigo de aquellos árboles muchas cosas podían ocurrir, aun cuando de estar en el camino tampoco se habría hallado muy seguro.

No sabía qué hacer y su única esperanza era que alguien acertara a pasar por allí para poder gritarle. Podía convencer a los desesperados de que carecía de dinero y de cosa alguna de valor, pero aquello no sería fácil; los bultos y los burros eran bastante para inducirlos a cometer un acto de violencia por su posesión.

—No tengo cigarros —contestó tratando de que su respuesta no pareciera un reto—. Hace cerca de diez meses que no tengo cigarros.

Creyó haber dicho algo acertado, pues con ello demostraría ser tan pobre que ni siquiera podía comprar una cajetilla de cigarros y agregó:

—Pero si quieren, puedo darles un poco de tabaco.

—¿Y papel para enrollarlo? —preguntó uno de los hombres—, ¿o algunas hojitas de maíz?

Los tres individuos permanecían sentados en el suelo con la cara vuelta hacia donde Dobbs se hallaba. Los

árboles los cubrían tan bien que desde el camino no
era posible distinguirlos. De haberlos visto, Dobbs habría hecho que los burros corrieran. "Ahora es demasiado tarde", pensó con amargura.

—Tengo un pedazo de periódico; tal vez ello les
sirva. —Y sacó su bolsa de tabaco y un pedazo de papel empapado en sudor, y entregó todo ello al tipo que
se hallaba más próximo a él.

Los tres hombres se dividieron el pedazo de papel,
tomaron tabaco de la bolsa y enrollaron su cigarrillo.

—¿Cerillos? —preguntó uno como ordenando a
Dobbs que le sirviera. Dobbs se desentendió de la insolencia y les dió su caja de cerillos. Encendieron los
cigarros y se la devolvieron.

—¿Va para Durango? —preguntó uno.

—Sí, eso es lo que pretendo; tengo que vender los
burros porque necesito dinero, no tengo ni un centavo.
—Y volvió a pensar que su respuesta era inteligente.

—¿Dinero? —precisamente lo que necesitamos, ¿no
es cierto, cuates? —preguntó uno de ellos.

—¡Que si lo necesitamos! —dijo otro, riendo.

Dobbs se recostó contra un árbol procurando que
todos le quedaran a la vista. Llenó su pipa, la encendió
y lo hizo con calma porque trataba de que aquellos
hombres no descubrieran en él trazas de temor. Ya no
se sentía cansado. "Podría alquilarlos como arrieros
—se dijo para sí—, así mi arribo al pueblo no desper-
taría sospechas como en el caso de llegar solo con la
recua cargada. Tal vez les gustaría ganarse uno o dos
pesos sin trabajar demasiado y podrían pagar una buena comida. Aquella le pareció una idea excelente."

—Quisiera que me ayudara algún arriero; tal vez
dos y hasta puede ser que tres.

—¿Querría usted? —dijo riendo uno de los hombres.

—Desde luego, paso muchos trabajos para arrear yo solo a los animales.

—¿Cuánto paga?

—Un peso.

—¿Un peso para los tres?

—No, hombre; un peso para cada uno. Claro que no les puedo pagar por adelantado, les pagaré cuando lleguemos a Durango y consiga dinero.

—Naturalmente —repuso uno de ellos.

Otro preguntó:

—¿Viene usted solo?

Dobbs titubeó, pero no queriendo que los otros se dieran cuenta, repuso:

—Oh, no, no vengo solo. ¿Cómo podría ser eso? Dos de mis amigos vienen a caballo y estarán aquí de un momento a otro.

—¿No te parece eso raro, Miguel? —dijo uno de los hombres que atisbaba a Dobbs con ojos escrutadores, abriendo la boca, en cuyo interior se veía su lengua como un punto.

—Sí, eso es mucho muy raro —contestó el llamado Miguel, chasqueando los labios—. Realmente extraño. Imagínense este hombre guiando solo una recua cargada por un camino peligroso, en tanto que sus dos amigos vienen atrás cabalgando por placer, la cosa es muy rara.

—¿No distingues a sus amigos, Pablo? —preguntó uno que parecía ser el más perezoso de todos.

Pablo se levantó lentamente, se dirigió al camino, miró hacia las montañas y regresó con indolencia y con una sonrisa en los gruesos labios.

—No, sus amigos deben estar lejos todavía, quizás tarden una hora o más. No distingo siquiera el polvo que deberían levantar sus caballos.

—Conque diciendo mentiras, ¿eh? ¡Vaya, vaya! —dijo Miguel, burlándose de él y pasándose la lengua por los labios— ¿Y qué traes en los morrales, compañero? Déjanos ver.

Se levantó pesadamente, como haciendo un gran esfuerzo, se aproximó a uno de los burros y con uno de sus puños empezó a palpar el contenido de los bultos.

—Me parecen pieles

—Son pieles —admitió Dobbs, sintiéndose peor cada minuto que transcurría y con el único deseo de escapar tan pronto como le fuera posible.

—¿Tigre real?

—Sí, tigre real y algunos leones.

—Producirán unos cuantos pesos ¿verdad?

—Así lo espero —contestó, tratando de aparecer indiferente. Y dirigiéndose a uno de los burros le apretó las correas, luego acomodó la carga de otro. Después se apretó el cinturón, se ajustó los pantalones y se dispuso a marchar.

—Bueno, muchachos; ahora tengo que darme prisa, me detuve sólo para refrescarme un poco a la sombra de los árboles, pero necesito estar en Durango antes de que anochezca. —Golpeó la pipa contra el tacón de su bota izquierda y preguntó—: ¿Quién de ustedes quiere acompañarme para ayudarme a guiar las bestias? —Miró a los tres hombres y empezó a reunir a los burros.

Ninguno de los vagos habló, sólo se miraron entre sí.

Dobbs sorprendió aquella mirada, comprendió su significado y su aliento se suspendió por un instante. Recordó que en más de una película, el héroe se veía en situación semejante, pero recordó al mismo tiempo que no había una en la que el productor no hiciera cuanto era posible porque el galán salvara a la muchacha de las garras de un puñado de bandidos, y antes de que le fuera dado pensar en alguna de las jugarretas cinematográficas por medio de las cuales el héroe acababa por escapar, se dió cuenta, sintiendo a la vez un sabor amargo en la boca, de que su situación era real y que la realidad era bien diferente. Por los alrededores no se hallaba ningún director de escena que abriera la trampa en el momento oportuno.

Dobbs dió una patada a uno de los burros y emprendió el camino seguido lentamente por otro en tanto que el resto quedaba husmeando el zacate que había en la sombra. Regresó e intentó obligarlos a caminar.

Los tres vagos se levantaron y trataron de interrumpir la marcha de los burros rezagados. Los animales, acostumbrados a caminar junto con todos los de la recua, se inquietaron e intentaron romper la barrera que los hombres les ponían. Entonces éstos se opusieron abiertamente a su paso, los tomaron por las cuerdas y tiraron de ellas para impedirles que caminaran.

Dobbs, parado a diez pies de distancia, gritó:

—¡Dejen a mis burros!

—¿Quién y por qué? —contestó Miguel—. Nosotros podremos venderlos tan bien como tú. ¿No creen, muchachos? —preguntó a sus compinches.

—¡Dejen esos burros, les digo! —gritó Dobbs, rojo de ira, sacando la pistola.

Miguel, al ver aquello, no mostró miedo ni sorpresa, como Dobbs había esperado.

—Mira, cabrón; a nosotros no nos asustas con tu fierro viejo —dijo sarcásticamente—. Cuando mucho matarías a uno de nosotros y eso no tiene importancia, ya que de cualquier modo, si los federales nos pescan, nuestro fin será el mismo.

Una vez más Dobbs gritó con toda la fuerza de sus pulmones: —¡Dejen esos burros!

Sin esperar más, disparó, apuntando al hombre que tenía más próximo, pero la pistola falló, una, dos, tres, cinco veces, sin producir ni el estallido de una de fulminantes.

Dobbs se quedó mirando asombrado el arma, lo mismo que los tres ladrones. Tan admirados estaban con la falla de ésta que se olvidaron de reír y de hablar lanzando alguna exclamación.

Uno de ellos caminó lentamente y recogió del suelo una piedra grande.

Los instantes que siguieron fueron de tensión tal que Dobbs creía ver estallar el mundo de un momento a otro. Y en aquel instante al ver que su arma no funcionaba, recordó tan claramente como si volviera a vivirlos los instantes en que Curtin lo había desarmado, descargando y guardando en el cinturón la pistola para precaverse. A la noche siguiente él había desarmado a Curtin y lo había matado con su propia pistola y recuperado la suya sin darse cuenta, en medio de la excitación en que había vivido los últimos días, de que ésta estaba descargada y de que había tirado la pistola de Curtin después de dispararle por segunda vez para dejar que el que descubriera el cuerpo hiciera hipótesis respecto a la forma en que la muerte había ocurrido. Antes de que transcurriera un segundo ya pensaba en la forma de defenderse. Sus ojos cayeron sobre un machete atado a la carga de uno de los burros. Esa arma era usada para abrirse paso entre la maleza. Tomó el machete por el puño, pero antes de que pudiera sacarlo de la funda, la piedra recogida por uno de los vagos se estrelló contra su frente y lo hizo caer. Sin darle tiempo para levantarse, Miguel, que había descubierto lo que Dobbs intentaba con el machete, se adelantó a cogerlo, y con la habilidad de un experto lo sacó inmediatamente; saltando como un tigre, cayó sobre Dobbs y con golpe certero lo degolló. Un grueso chorro de sangre brotó del cuello.

Más asombrados que temerosos, los tres hombres se quedaron mirando el cuerpo sacudido aún por un estremecimiento. La cabeza pendía sólo de una pulgada de cuello. Los párpados saltaron una o dos veces antes de quedar definitivamente fijos y sólo en parte cerrados. Varias veces las manos se abrieron y cerraron convulsivamente y se contrajeron por fin en un movimiento lento y suave.

—Tú lo hiciste, Pablo —dijo Miguel en voz baja, mientras se aproximaba.

—¡Cállate el hocico, cobarde! ¿Por qué no lo hiciste tú? ¿A quién le importa un desgraciado gringo? Ya sé quien lo hizo, lo sé bien, par de infelices, no necesito que me lo repitan, ¡cabrones! Y ahora lárguense, ¡tales por cuales!

Se quedó mirando al machete en el que no quedaba mucha sangre. Aquello le llamó la atención, pero pronto se dió cuenta de que se debía a la maestría con que lo había usado. No se creía tan experto. Se aproximó al árbol más cercano, frotó el arma contra la corteza, después se humedeció los dedos con saliva, limpió el borde del machete, y satisfecho de su obra lo guardó nuevamente en la funda.

XXIV

Los perros generalmente se muestran muy interesados en lo que los hombres hacen, aun cuando éstos no sean sus amos, y gustan de mediar en sus asuntos. Los burros no se interesan tanto por lo que los hombres hacen, y suelen ocuparse sólo de lo suyo; a esto se debe quizás que se les impute una inclinación hacia la filosofía.

La recua, sin reparar en lo que ocurría, marchó en dirección a la ciudad.

En su excitación, los hampones olvidaron a los animales mientras se ocupaban de desnudar el cuerpo y de buscar en las bolsas de las ropas de Dobbs. Sin el menor titubeo lo despojaron, y quitándose sus ropas, vistieron las de su víctima, aún calientes y húmedas por el sudor. Dobbs había usado sus botas y toda su ropa durante los últimos diez meses, por lo que se hallaba en pésimas condiciones, pero, no obstante, aquellos hombres la consideraban lujosa.

Lo único que nadie quiso fué la camisa, aun cuando las que ellos llevaban estaban casi deshechas.

—¿Por qué no te pones la camisa, Nacho? —preguntó Miguel—. Parecerías un catrín con una camisa como esa sobre el cuero piojoso —agregó dando un puntapié al cadáver, despojado de todas sus ropas a excepción de la vieja camisa de kaki.

—No vale mucho —contestó Nacho levantando los hombros.

—Tendrás alguna buena razón para decir eso, tú, perro roñoso —dijo Miguel mirándolo, y haciendo bajar un ángulo de su boca casi hasta topar con la barba, continuó—: Comparándola con la tuya resulta de seda fina. Lo que pasa es que tú no tienes aspiraciones ni gustas de las cosas buenas, ¡puerco!

Nacho repuso:

—No la quiero, eso es todo; además está muy cerca del cuello. ¿Por qué no la tomas tú? La tuya tampoco está muy buena.

—¿Yo? —dijo Miguel, haciendo un gesto indecente—. ¿Yo? ¿Crees tú que yo voy a ponerme la camisa todavía caliente del cuerpo de este hijo de perra gringa? No, yo todavía tengo algún orgullo.

La verdad era que también para Miguel la camisa estaba demasiado cerca del cuello del hombre muerto. Sólo tenía algunas manchas rojas, porque Dobbs la llevaba abierta para sentirse lo más fresco posible. Y aunque estaba en mejores condiciones que las camisas que los ladrones llevaban, todos la rechazaron. No lo hicieron por superstición, era un sentimiento de desagrado ante la idea de tener aquella prenda en el cuerpo.

—Este cabrón debe tener más camisas en los bultos —explicó Pablo.

—Epera a que yo los examine y ya veremos —contestó Miguel.

—Qué, ¿te crees el amo? —replicó Nacho arrugando los ojos y aproximándose a Miguel. Estaba furioso por haber logrado sólo los pantalones de Dobbs en tanto que Miguel se había quedado con las botas, que él deseaba.

—¿Amo? ¿Y me lo pregunta una cucaracha como tú? —gruñó Miguel—. Amo o no, yo seré quien marque aquí el compás. ¿O es que tú te sientes con más méritos?

—¿No fuí yo quien le dió la pedrada? Si yo no lo hubiera hecho, tú nunca te habrías atrevido a acercártele, ¡cobarde! Eso es lo que eres tú, infeliz.

—Ujule, no me hagas reír con tu piedrecita. ¿Cuándo has sabido que alguien despache a un tipo de una pedrada? Sólo los cobardes cabrones como tú y las viejas lo intentan. ¿Quién de vosotros se atrevió a liquidarlo? No sois más que unos desgraciados rateros, embusteros y estafadores, y no os olvidéis de que puedo volver a usar el machete por segunda y hasta por tercera vez. Cuando deje de necesitaros no tendré que pediros permiso para hacer lo que me convenga. Trabajaría más a gusto si estuviera solo. ¿Me entendéis? —dijo volviéndose para examinar los bultos.

—¡Mal rayo me parta! ¿Dónde diablos están esos desgraciados burros? ¡Maldita sea! —exclamó en el colmo de la sorpresa.

Los burros ya iban camino de la ciudad.

—Ahora daros prisa, bandidos —ordenó Miguel—. Tenemos que hacer regresar a esas bestias, a todas ellas. Si llegan solas al pueblo la policía maliciará que hay gato encerrado en el asunto, vendrán por acá y nos meteremos en el gran lío. ¡Corran, alcáncenlas!

Él, seguido de los otros, empezó a correr en pos de las bestias, que se hallaban ya a medio camino. Como no encontraron zacate en los alrededores, habían trotado con rapidez para llegar a la ciudad, en donde la experiencia les decía que podrían satisfacer su sed, comer y tener el descanso que tanto necesitaban. Pero sobre todo reconocían las cercanías del rancho de su procedencia.

Los hombres tuvieron que emplear más de una hora para hacer regresar a los animales hasta los árboles.

—Más vale que enterremos al muerto antes de que los zopilotes aparezcan; podrían despertar la curiosidad de alguien que acertara a pasar por aquí, y nos descubrirían. —Miguel ató los burros a los árboles para evitar que volvieran a escapar.

Costó un verdadero esfuerzo abrir la fosa para enterrar el cuerpo y aquellos hombres no eran muy afectos al trabajo.

Entonces Nacho dijo:

—¿Por qué hemos de enterrar a este perro gringo? Ni siquiera es cristiano; ha de ser un maldito ateo protestante y no podrá dar razón de quién lo liquidó.

—¡Listos los muchachos! —interrumpió Miguel dando un chillido—. Si el bagazo es encontrado aquí y nos atrapan con los burros, nos fusilarán sin más trámites, bien lo sabéis.

—¡Cierra el hocico y no nos vengas con cuentos! —gritó Pablo, haciendo un gesto desagradable.

Realmente Miguel era el amo, de ello no cabía duda, pues sabía emplear el poco cerebro que tenía.

—¡Vaya que vosotros sois listos! Demasiado listos para ser unas pobres ratas, pero ¡por Jesucristo y la Virgen Santísima! ¿No os dais cuenta de que si nos encuentran con los burros sin hallar el cuerpo, nada podrán decirnos? Primero tienen que probar que el gringo ha sido muerto, pero mientras no encuentren el cuerpo no podrán saberlo. Diremos que le compramos los burros y que no somos sus guardianes. Bueno, basta de palabras, trabajemos aprisa antes de que alguien se aparezca por aquí.

Tomaron un pico de uno de los bultos y empezaron a cavar un hoyo. Aquel era el mismo pico que Dobbs sólo unos días antes había tomado del mismo bulto echándoselo al hombro y dirigiéndose a la maleza con intención de enterrar a Curtin.

En un momento sepultaron el cuerpo. No se preocuparon por hacerlo muy bien, ya vendrían los enterradores naturales y completarían la obra. ¿Para qué preocuparse?

Cuando terminaron se internaron con la recua en la Sierra tomando otra vereda, temerosos de que lo que Dobbs había dicho fuera cierto y de que en cualquier momento aparecieran los dos amigos de quienes les había hablado.

Cuando se encontraron entre la espesura, al pie de la Sierra, no pudieron contener más su curiosidad. Estaban ansiosos por saber lo cuantioso que era el botín y cual sería la parte que correspondería a cada uno de ellos.

Había oscurecido y el boscaje hacía las tinieblas más densas, pero se abstuvieron de encender hoguera. De aquel modo si andaban tras ellos los federales o la montada no los guiarían hasta ellos.

Se pusieron a trabajar, descargaron a los burros y empezaron a deshacer los fardos. Ningún carterista se mostraría más excitado por saber el contenido de la bolsa robada que aquellos hombres mientras desataban los bultos.

Encontraron otros pantalones, pero ninguno de ellos estaba en buenas condiciones, y las camisas que hallaron estaban completamente desgarradas. Había dos pares de zapatos pertenecientes a Curtin y a Howard; sartenes, cacerolas y dos botes de aluminio para té y café; nada de aquello se hallaba en condiciones de ser vendido ni a gentes humildes, porque estaba completamente abollado y cubierto por una gruesa capa de grasa y humo.

—Parece que el gringo habló con verdad —dijo Nacho en extremo desilusionado—. Aquí no hay más dinero que lo que traía en el bolsillo. ¡Setenta y cuatro centavos es todo lo que sacamos de esto!

Pablo inspeccionaba otras cosas.

—Las pieles no son buenas, parecen muy corrientes; además están llenas de agujeros, lo que hace bajar su valor. Vaya con el cazador, descuidado para disparar y elegir sus pizas, y lo peor de ello es que están muy mal curtidas. Apestan, están llenas de gusanos y se les cae el pelo. Mucha suerte tendremos si nos dan veinte pesos por todo el lote. Y no nos los darán de muy buena gana; tal vez ni regaladas las quieran.

Miguel, hurgando en uno de los bultos, se encontró con algunos paquetitos hechos con trapos viejos.

—¿Para qué querría ese tipo estos envoltorios tan chistosos?

Después vació sobre su mano un poco del contenido y exclamó:

—¡Arena, nada más que arena! ¿Para qué la querría?

La oscuridad que reinaba en la maleza, apenas aclarada por la tenue luz de la luna, dificultaba el examen de la arena y les impedía descubrir lo que era. Aun cuando hubieran sabido algo sobre el polvo de oro, no habrían concedido valor alguno a aquélla, sobre todo en momentos en los que su pensamiento se hallaba embargado por otras ideas. Querían dinero o efectos que pudieran producirlo. Examinando los paquetes en la oscuridad, confiando en el tacto de sus dedos y no pudiendo descubrir ni el leve brillo que algunas veces suele desprenderse de ese polvo, nada extraño resulta que no hayan podido descubrir su valor.

Miguel, el más experimentado de los tres, había trabajado en las minas por algunos años, y les explicó:

—Ahora comprendo: ese pícaro debe haber sido una especie de ingeniero de minas al servicio de alguna compañía minera para la que llevaba estas muestras de tierra, arena y pedazos de roca para ser examinadas por los químicos de la empresa. Para en caso de encontrar algo importante en las muestras, comprar el terreno y abrir la mina. Esta arena no tiene ningún valor para nosotros; si la llevamos a una compañía, tendemos que decir de dónde la sacamos, sospecharían y empezarían a investigar ¿comprendéis?

—¿Entonces no es buena? —preguntó Nacho.

—¿Que no entiendes el castellano, idiota? —le gritó Pablo—. Miguel sabe; él ha trabajado en las minas, conoce más que todos esos ingenieros gringos y ya oíste lo que dijo. Por esto podrían descubrirnos; así, pues, tirémoslo pronto, yo ya vacié todo el que venía en mis paquetes; así hasta pesarán menos y podremos caminar más de prisa. Tirarlo.

Nacho les dió otra explicación:

—Miguel, te creí más listo pero veo que no lo eres y puedo probártelo. Tú podrás haber trabajado en minas, pero lo que es este gringo sinvergüenza era el gran estafador y embustero. Dime, ¿qué objeto podría perseguir al esconder tan bien los envoltorios de arena? A mí me parece clarísimo. Él bien sabía que las pieles se venden por peso, y siendo un hábil estafador, puso estos saquitos llenos de arena entre ellas para hacerlas pesar más. Se proponía venderlas por bulto, tal vez ya en la noche en algún lugar de la plaza; así, cuando en la mañana el comprador las abriera y se diera cuenta del engaño, nuestro gringo iría bien lejos con sus burros diciendo: "Ahora ven a cogerme." Bueno, creo que le echamos a perder el juego y salvamos a algún honesto traficante en pieles.

Pablo seguía hurgando en los paquetes con la esperanza de encontrar algo bueno.

—¿Quién había de pensar que estos gringos fueran tan puercos y embusteros, capaces de engañar hasta a un pobre talabartero mexicano? —dijo en voz alta—. No me arrepiento ni tantito de haberlo despachado al infierno.

Miguel admitió que se había equivocado al pensar que los paquetitos contenían muestras para su examen geológico. Encontró la idea de Nacho más de su gusto y la aceptó como la mejor explicación.

Después vino la brisa nocturna y dispersó la arena por el campo, arrastrándola lejos en todas direcciones.

Todavía estaba oscuro cuando los bandidos empacaron y se internaron aun más en las montañas. Deseaban estar tan distantes de la civilización como fuera posible y permanecer alejados de ella siquiera durante unas diez semanas.

Al día siguiente llegaron a un pueblecito indígena situado en un elevado punto de la Sierra Madre. Encontraron a un hombre y Pablo le preguntó si no sabía de alguien que quisiera comprar unos burros que ya no necesitaban.

El indio hizo una señal de asentimiento y dijo:

—Tal vez yo los tome.

Empezó a examinarlos, miró sus marcas, reparó en los bultos y se fijó con disimulo en las botas altas que Miguel calzaba, las que parecían quedarle muy grandes. Con la misma expresión miró los pantalones que Nacho llevaba. Examinó todo, como si deseara comprarlo incluyendo las ropas de los arrieros.

Cuando terminó su inspección, dijo:

—Yo no puedo comprar los burros porque no tengo dinero, pero mi tío es rico y puede comprar todas las bestias que quiera.

Aquella noticia resultaba espléndida para los pícaros, que sonrieron entre sí. Nunca habían pensado que les sería tan fácil vender los animales. Habían creído que tendrían necesidad de recorrer media docena de pueblos antes de encontrar algún comprador con posibilidades de adquirirlos.

El dinero era algo muy raro entre los campesinos que habitaban las faldas de la Sierra y que poseían terrenos muy pobres.

Cinco minutos después, los ladrones se hallaban en la puerta de la casa del tío que compraría los burros. Como todas las del pueblo, aquélla era de adobe y daba frente a la plaza, un rectángulo limitado por hileras de casas similares. En la calle de enfrente a aquella en la que se encontraba la casa del tío, estaba el modesto edificio de la escuela, construído por los mismos habitantes del pueblo. En el centro de la plaza se elevaba un quiosquito que servía para muchas cosas, especialmente para las relacionadas con las fiestas patrias, pues era tomado como tribuna por el maestro de escuela o cualquier otro ciudadano y después, por la noche, la orquesta, formada por gentes del pueblo, tocaba música nacional y algunas piezas a cuyo compás se desarrollaba el baile. También allí trabajaban los comisionados de Salubridad enviados por el gobierno federal para educar a los habitantes en materia de higiene, y los enviados por la Secretaría de Agricultura hablaban al pueblo sobre cuestiones agrarias.

Ningún poblado de la República puede considerarse completo si carece de un quiosco semejante en el centro de la plaza. Su existencia prueba que el pueblo, por pequeño y pobre que sea y aún cuando se encuentre habitado sólo por indios, es reconocido como parte de la República y regido por un organizado gobierno local.

La vista del quiosco debió haber prevenido a los ladrones para obrar con prudencia, pues bien sabían que su existencia significaba que por allí andaban hombres encargados de hacer que la ley fuera respetada y obedecida.

El hombre que los condujo a aquella casa entró para hablar con su tío, quien no tardó en salir y saludar a los hombres, que se hallaban sentados a la sombra de unos árboles próximos.

El tío era un hombre entrado en años, con el cabello gris, alto y aparentemente fuerte. Tenía el semblante abierto, su piel era bronceada y ponía de manifiesto la pureza de la raza india. Los ojos le brillaban como los de un muchachito. Llevaba la cabellera bastante larga, pero bien peinada. Sus ropas no diferían de las usadas por los demás habitantes del pueblo y, como todos ellos, era campesino.

Se aproximó con dignidad a los extraños y sin mirarlos muy de cerca empezó a examinar los burros con el cuidado que en ello suelen poner los campesinos experimentados cuando tratan de comprar bestias. Sus ojos, sin embargo, no denunciaban su pensamiento.

Miguel se levantó y dijo:

—Son muy buenos burros, señor; excelentes bestias de carga. Le aseguro que no los conseguirá mejores en el mercado de Durango.

—Es cierto —repuso el indio—, en realidad son buenos burros, aunque están muy trabajados. Deben tener maltratado el lomo.

—No mucho, señor; sólo un poco. Es imposible evitarlo cuando se viaja por estas montañas y hay necesidad de trepar por las rocas.

—Sí, sí, ya lo veo; parece que han tenido un viaje muy largo.

—No tanto —intervino Nacho sin que se lo preguntaran.

Miguel le picó las costillas rectificando:

—Mi compañero no tiene razón. Claro que desde la última vez que descansamos, sólo dos días hemos caminado, pero ya tenemos semanas de andar por la Sierra.

—¿Cuántas semanas? —preguntó el tío.

—Este... este... —titubeó Miguel pensando en lo que debía contestar—. Bueno, como dije antes, algunas semanas.

El indio pareció no poner reparo en la vaguedad de la respuesta.

—En tal caso los animales deben estar muy fatigados, pero dentro de poco tiempo se repondrán con la buena pastura que por aquí tenemos, y con el buen trato que se les dará.

Mientras hablaba volvió a mirar a los tres hombres, examinando cuidadosamente su apariencia y fijando su atención en los pantalones y las botas que llevaban y que no podían ser suyas por lo grandes que les quedaban. Hizo aquella inspección en forma tal que ellos no se percataron, pues parecía estar calculando el precio que debía pagar.

—¿Cuánto quieren por los burros?

Miguel sonrió, entrecerró los ojos, torció el cuello como si fuera una tortuga curiosa y dijo tratando de aparecer como un experimentado traficante difícil de engañar:

—Bueno, creo que entre amigos, doce duros será un buen precio. ¿No le parece?

—¿Doce pesos por todos? —preguntó el tío con aire de inocencia.

Miguel rió como si se tratara de un buen chiste:

—Claro que no por todos. Doce pesos por cada uno.

—Es mucho —dijo el tío en tono mercantil—; si hubiera deseado pagar tanto no los compraría aquí; por ese precio puedo conseguirlos en Durango bien comidos y tratados.

—No lo crea, señor; yo conozco bien los precios. En Durango, burros como éstos acostumbrados al trabajo, le costarían dieciocho o veinte pesos, y además tendría que traerlos hasta acá.

—Sí —admitió el indio—, pero podría traerlos cargados de mercancías para mi tienda, y así desquitaría parte de lo que costaran.

Miguel hizo un gesto.

—Veo que tratamos con un comerciante muy hábil y que conoce bien de animales. Bueno, digamos como último precio, sin agregar palabra y que Dios me perdone por mal comerciante, ¡nueve pesos! Pero como sé que no es usted rico, que necesita trabajar mucho para lograr algo y que el año ha sido malo, me pongo a tiro para que quedemos amigos y volvamos a comerciar algún día; así pues, que sean ocho pesos.

Dicho eso, se volvió a sus compañeros esperando una mirada de aprobación para su gran habilidad de comerciante.

—Aun ocho pesos son mucho para mí —repuso el tío secamente—. Demasiado, ¿de dónde creen ustedes que saco yo el dinero? No lo robo, tengo que trabajar muy duro para vivir.

—Bueno, amigo; dénos cinco y los burros serán suyos, y para que vea que tenemos ganas de vender, tómelos con todo y los albardones. ¿Qué dice? —preguntó Miguel metiéndose las manos en los bolsillos como si ya tuviera en ellos el dinero.

—Cuatro pesos es lo más que puedo ofrecer —dijo el indio, sin dar expresión a su mirada.

—Señor, eso es una estafa. Hablando seriamente y sin querer ofenderlo, usted trata de despellejarme —dijo Miguel mirando con tristeza al tío, luego al sobrino, después a los vecinos que se habían aproximado para saber en qué términos quedaba el trato, y por último a sus compañeros, como si pidiera una disculpa a estos últimos por intentar despojarlos de su herencia. Sus compañeros movieron la cabeza apesadumbrados.

También el tío hizo un gesto tratando de significar que desde la noche anterior sabía que podría comprar aquellos burros por cuatro pesos cada uno. Se aproximó a los animales como tratando de probarlos una vez más, y, sin mirar a Miguel, preguntó:

—¿Se llavarán la carga sobre los hombros?

—¡Ah, sí!, la carga —contestó Miguel turbado y mirando a sus cómplices con la esperanza de que le sugirieran una respuesta satisfactoria, para lo que depuso su actitud de superioridad ante ellos.

Nacho pareció interpretar su mirada y dijo:

—También queremos vender los bultos, porque intentamos viajar por ferrocarril.

—Eso es —dijo Miguel con un suspiro de alivio—. Sí, también queremos vender la carga; pero desde luego tenemos que vender primero los animales.

—Generalmente se hace lo contrario —dijo el tío—. ¿Qué traen dentro de las maletas?

—Pieles, pieles de todas clases. Nuestros trastos de cocina, herramientas y armas, pero esas no queremos venderlas, porque usted no nos las podría pagar.

—Desde luego que no, y además no me interesan las armas porque aquí no las necesitamos. ¿Qué clase de herramientas traen? ¿Son útiles?

—Ya lo creo —dijo Miguel, que había vuelto en sí—. Hay picos, azadones, palas, barretas y cosas por el estilo.

El indio no hizo ningún gesto de extrañeza. Volvió a inspeccionar los bultos y agregó:

—¿Para qué necesitan esa herramienta aquí, en las montañas?

Miguel empezó a sospechar, lanzó una mirada a sus socios, que sentados en el suelo fumaban despreocupadamente cigarrillos de tabaco enredado en papel común.

—Bueno... estas herramientas... verá usted.

Nacho salió a rescatarlo.

—Estuvimos trabajando durante algún tiempo con una compañía minera americana allá por el rumbo de Durango.

—Sí, es verdad —afirmó Miguel aliviado.

—¿Entonces, robaron las herramientas a la compañía americana? —preguntó el indio, cambiando por primera vez el tono de su voz.

Miguel no pudo desentrañar el significado de aquella dura y fría entonación y guiñó un ojo al tío como buscando su complicidad. Después sonrió mostrando todos los dientes.

—Robarlas precisamente no, señor —dijo—. Eso se puede prestar a malos entendimientos y nosotros no somos ladrones, no robamos las herramientas. Somos traficantes honestos y comerciamos con burros, puercos, ganado y también con mercancías y artículos de segunda mano. Le diré cómo nos hicimos con las herramientas. No las devolvimos cuando renunciamos al trabajo, que no nos era bien pagado, y las consideramos como parte del salario que nos debía la rica empresa. Además la empresa es de gringos; así pues, ¿qué más da? Bueno, le daremos las herramientas por dos pesos, todas por dos duros. Creo que no es mucho pedir. Son muy buenas y muy útiles. Si las vendemos es sólo porque no deseamos llevarlas a Durango, está muy lejos.

El tío se alisó el cabello y se acarició la cara en actitud meditativa. Miró en rededor como si contara cuántos vecinos se hallaban reunidos. Vió a su sobrino y a otros hombres e hizo con la cabeza un movimiento al parecer de asentimiento.

Entonces habló muy despacio, arrastrando las palabras:

—No puedo comprar todos los burros, no necesito tantos, pero llamaré a los vecinos; más o menos todos tienen sus centavos y les prometo que encontrarán marchantes para los animales y las otras cosas. Haré lo posible porque hagan un buen trato. ¿Quieren sentarse?

Dicho esto regresó a su casa y llamó:

—Ceferina, dales a los señores una poca de agua fresca, una cajetilla de Argentinos y cerillos —y añadió dirigiéndose a los hombres—: Descansen mientras yo vuelvo, no tardaré nada.

Titubeó como si hubiera olvidado algo y al cabo de un rato dijo:

—¡Ah, sí! Angel, honra a estos caballeros con tu compañía para que no se sientan tan solos.

Angel era el sobrino, y se sentó amigablemente entre los hombres, sonriéndoles con amabilidad.

También el tío les sonrió al dejarlos. En menos de media hora los vecinos se reunieron frente a la casa del tío; iban llegando solos o en grupitos de dos o de tres. Algunos llevaban el machete enfundado y otros desnudo y en la mano. Algunos iban desarmados. Llegaban conversando de cosas comunes y corrientes, tal como si se dirigieran al mercado.

Al llegar a la casa, entraban en ella, decían unas cuantas palabras al tío, salían y se aproximaban a los burros, mirándolos cuidadosamente y apreciando su valor. Parecían satisfechos con los animales. Con disimulo miraban a los forasteros, que se hallaban sentados a la sombra de los árboles.

Al cabo de un rato empezaron a aparecer algunas mujeres, llevando a sus niños en brazos o a cuestas; otras con ellos de la mano. Los niños mayorcitos jugaban en la plaza.

No cabía duda de que todos los vecinos del pueblo se habían reunido para presenciar la venta de los burros.

XXV

Cuando el tío salió seguido por un buen número de hombres, los vecinos se reunieron en círculo frente a la casa. Algunos permanecieron próximos a los burros, tocándolos y palpándoles las ancas, abriéndoles el hocico y probando lo apretado de sus músculos.

Los tres ladrones habían sido entretenidos por Angel, quien les había relatado algunas de sus aventuras con las mujeres. Cuando se dieron cuenta estaban totalmente rodeados sin que quedara el menor sitio por donde pudieran escapar. Sin embargo, no creyeron que aquella táctica hubiera sido ordenada por el tío, ya que los hombres que los rodeaban actuaban como posibles clientes. Su primera idea fué la que asalta a todos los bandidos, esto es, que trataban de robarles y aún de matarlos. Ese temor, sin embargo, fué desvanecido por las palabras que el tío dirigió a los vecinos, hablándoles en los siguientes términos:

—Amigos y ciudadanos, entre nosotros se encuentran tres forasteros que desean vender sus burros.

Los forasteros así presentados se levantaron y saludaron:

—Buenas tardes, señores.

—Buenas tardes —les contestaron.

El tío agregó:

—El precio de los burros no es elevado. La comunidad podría utilizarlos y alquilarlos a bajo precio a los ciudadanos pobres, y obtener así algún dinero para comprar útiles escolares.

El orador hizo una pausa y continuó en tono distinto:

—El precio no es alto. Lo único que no podemos comprender es como ustedes, señores —y se dirigía a los forasteros—, pueden vender burros de tan buena calidad a tan bajo precio.

Miguel sonrió y dijo:

—Mire, señor; lo que ocurre es que necesitamos dinero, eso es todo, y ya que usted no quiere pagar más, tendremos que aceptar lo que nos ofrece.

—¿Tienen marca los burros?

—Naturalmente —contestó Miguel al instante—. Todos tienen marca. —Y se volvió hacia los burros para leerla, pero se encontró con que los hombres la cubrían.

—¿Qué marca tienen? —preguntó el tío con calma.

Aquello turbó considerablemente a Miguel, quien mirando en rededor encontró que también sus socios trataban de mirar las marcas. Tuvo que contestar titubeando:

—La marca es... es... un círculo con una barra atravesada.

—¿Es esa la marca? —preguntó el tío a los hombres que se hallaban cerca de los burros.

—No, compadre.

—Sí, es verdad; me he equivocado, perdónenme; debe ser el calor y el cansancio —dijo Miguel embarazadísimo, sintiendo que las rodillas se le doblaban—. Ahora recuerdo ¿cómo pude haberlo olvidado? La marca es una cruz encerrada en un círculo.

—¿Es cierto, amigos? —volvió a preguntar el hombre.

—No, compadre; es una C y una...

—Ahora recuerdo —dijo Miguel interrumpiendo—: Es una C y una R.

—¿Qué dicen de esto, hermanitos? —preguntó el tío imperturbable.

—Me equivoqué, compadre; perdone —dijo uno de los hombres—. Viéndola de cerca no resulta ni C ni R, ni siquiera parece una B mal hecha; perdóneme, compadre.

Todos los vecinos rieron. Aquello era realmente divertido, algunos gritaron:

—Ey, compadre; más vale que vuelvas a la escuela para que sepas distinguir la C de la Z.

El tío dejó pasar la guasa y luego preguntó en voz alta:

—Díganme, conciudadanos: ¿Tropezaron alguna vez con un hombre deseoso de vender burros asegurando ser de su propiedad e ignorante de su marca? ¿Recuerdan algún caso semejante?

Los vecinos respondieron con una carcajada.

Cuando se aquietaron, el tío continuó:

—Conozco la procedencia de estos burros y sé también a quien pertenecen.

Miguel lanzó una mirada a sus socios. Sabían lo que aquello significaba y buscaron con inquietud la forma de escapar.

—Estos burros son de los criados por doña Rafaela Motolinia, la viuda de don Pedro León; conozco el rancho y sus marcas. Las letras de la marca son L y P, ligadas. ¿No es verdad, muchachos? —preguntó. Los hombres que estaban parados junto a los burros contestaron.

—Sí, don Joaquín, esa es la marca.

El tío volvió la cara como buscando a alguien y cuando lo distinguió dijo:

—Venga acá, don Chon.

Un indio, sencillamente vestido como los demás y luciendo sobre la cadera, pendiente del cinturón, una pistola barata, se aproximó y se colocó cerca del tío.

Éste se volvió a los tres pícaros y les dijo:

—Mi nombre es Joaquín Escalona, constitucionalmente elegido alcalde por todos los ciudadanos del pueblo y legalmente reconocido por la legislatura del Estado. Este señor que ven ustedes es don Asunción Macedo, jefe de policía.

Cuando los bandidos escucharon aquella solemne exposición comprendieron que sus posibilidades de escapar se desvanecían. En su ansiedad hubieran sido capaces de vender todos los burros con su carga por un peso, con tal de que los dejaran marchar, pero se dieron cuenta de que era ya demasiado tarde, pues se hallaban totalmente cercados.

Miguel intentó sacar la pistola, aquella que perteneciera a Dobbs y con la que aquél había intentado abrirse paso.

Pero para su sorpresa se encontró con la funda vacía y descubrió que se hallaba en manos de don Asunción, quien se la tendió al alcalde.

—¿Qué diablos quieren de nosotros? —preguntó colérico.

—Por ahora nada —contestó don Joaquín con calma—, lo único que nos llama la atención es que quieran abandonarnos con tanta rapidez, sin llevar consigo los burros con sus cargas. ¿Por qué, amigos? Nosotros no les hemos hecho ningún daño; estamos aquí para comprar los animales.

Miguel, comprendiendo la fría ironía del alcalde, gritó.

—Haremos lo que nos plazca con nuestros burros. Podemos llevárnoslos, dejarlos o venderlos por un peso.

Don Joaquín sonrió y dijo, acentuando las palabras:

—Con sus burros pueden hacer lo que gusten, pero estos burros no son suyos. Conozco toda la historia de los animales. Doña Rafaela los vendió hace diez u once meses a tres americanos que se internaron en la Sierra para cazar.

Miguel encontró una salida y dijo sonriendo:

—Tiene usted razón, mucha razón, señor alcalde; a esos americanos les compramos los burros.

—¿A qué precio? ¿Se puede saber?

—A veinte pesos cada uno.

—¿Tan ricos son ustedes que pueden sacrificar estos animales vendiéndolos a cuatro pesos?

Los vecinos rieron.

Don Joaquín siguió su hábil interrogatorio en la forma en que suelen conducirlos los astutos campesinos mexicanos, probando así a los ciudadanos de la comunidad que habían acertado en su elección.

—No hace mucho que me dijeron que poseían los animales desde hace tiempo. ¿No es verdad?

—Sí, señor.

—¿Desde cuándo?

Miguel reflexionó por unos instantes antes de decir:

—Cuatro meses, más o menos —recordando lo que habían dicho respecto de la mina y del tiempo que llevaban viajando.

El alcalde habló secamente:

—¿Cuatro meses? ¡Vaya! La historia parece bien rara, diría que hasta milagrosa. Los americanos cruzaron la Sierra hace sólo unos cuantos días. Los campesinos que se hallaban trabajando en las afueras los vieron y cuando fueron vistos llevaban consigo todos los burros que ustedes les compraron hace cuatro meses.

Miguel ensayó nuevamente su sonrisa confiada.

—La mera verdad, señor alcalde, lo juro por la eterna tranquilidad del alma de mi madre, es que hace sólo dos días que les compramos los burros a los americanos.

—Eso parece mejor.

Miguel lanzó a sus socios una mirada de triunfo, para que se enorgullecieran de su gran jefe.

Don Joaquín, sin embargo, no lo dejó.

—Pero no pudieron haber sido tres americanos, porque tengo entendido que uno de ellos se encuentra en un pueblo que se halla en la ladera opuesta de la Sierra. Dicen que es un gran médico.

—De hecho, señor alcalde, nosotros compramos los burros sólo a un americano —explicó Miguel, rascándose la cabeza y pidiendo a sus socios ayuda con la mirada.

—¿En dónde compraron los burros?

—En Durango, señor; en una fonda en la que el americano pasó la noche.

—Eso me parece casi increíble. Difícilmente pudo el americano encontrarse en Durango cuando ustedes compraron los burros. Sobre todo, llevando los animales tan cargados y teniendo que subir las empinadas faldas que han tenido que pasar ustedes para regresar aquí.

—Inmediatamente nos pusimos en camino y hemos andado toda la noche, señor. ¿Verdad compañeros?

Sus dos socios asintieron vehementemente.

—Lo que no puedo comprender —dijo el alcalde escrutando su semblante— es por qué pudo el americano venderles sus burros cuando se hallaba en Durango, en donde podía encontrar compradores de sobra y en donde hubiera podido esperar hasta conseguir el precio que le conviniera. En Durango no se habría visto obligado a vender animales tan buenos como éstos por veinte pesos.

Nacho, que deseaba poner de manifiesto su habilidad y aventajar a Miguel, se aproximó al alcalde y dijo:

—¿Cómo hemos de saber por qué razón prefirió el desgraciado gringo vendernos los animales en vez de tratar con otras gentes?

—Claro está —agregó Miguel—. Cómo hemos de saber? Los gringos suelen ser muy particulares y no obran como nosotros; siempre andan chiflados.

—Muy bien; si el americano les vendió los burros ¿en dónde está el comprobante de venta? Ustedes deben tenerlo y en él debe constar la marca de los animales, su sexo, su color y su nombre si es que lo tienen, porque si ustedes no tienen ese comprobante, doña Rafaela puede en cualquier momento reclamar los animales como suyos, ya que llevan la marca de su rancho.

A esto Nacho repuso:

—No nos dió comprobante porque no quería pagar las estampillas que exige el gobierno.

—Es verdad —dijo Miguel en tanto que Pablo asentía.

—En ese caso ustedes debieron haber gastado los cuantos centavos que costaban las estampillas para evitarse complicaciones. ¿Qué son unos cuantos centavos comparados con los muchos pesos que pagaron por los burros?

—Bueno, no disponíamos de los centavos.

—Es decir, ¿que pudieron comprar los burros y pagar cerca de noventa pesos por ellos, pero en cambio no tuvieron un peso ochenta centavos para las estampillas?

Miguel, comprendiendo que la trampa en la que él y sus compinches habían caído se cerraba cada vez más, estalló en ira y gritó loco:

—¡Basta ya de preguntas! ¡Vayan todos a moler a su madre! ¿Qué es lo que quieren de nosotros? —Y apretando los puños lanzó una mirada amenazadora a quienes lo rodeaban—. Nosotros pasamos por aquí en son de paz y en cambio ustedes vienen y nos rodean ¿qué quiere decir esto? Nos quejaremos al gobernador y haremos que los destituyan por abuso de autoridad.

—Bueno, esto es más de lo que yo puedo entender —contestó el alcalde sonriendo y dirigiéndose nuevamente a los ladrones—: Ustedes llegaron al pueblo sin invitación previa para ofrecernos los burros en venta. Nosotros deseamos comprarlos y hemos convenido en el precio. ¿No creen que tenemos derecho a investigar si son ustedes realmente propietarios de los animales? Si no lo hiciéramos y los compráramos y más tarde se aclarara que eran robados, en menos que canta un gallo tendríamos aquí a los federales, quienes fusilarían a todos aquellos a quienes encontraran en posesión de los animales, como justo castigo por un acto de bandidaje; hasta podrían acusarnos de haber asesinado a sus verdaderos dueños ¿y entonces qué?

Miguel lanzó una mirada rápida a sus compañeros:

—Está bien; no queremos vender los burros, no los venderíamos ni por diez pesos cada uno. Sólo deseamos marcharnos.

—¿Podrían vendernos las pieles y las herramientas? —preguntó el alcalde con astucia.

Miguel vaciló sin saber si aquello era otra celada que se les tendía. Pero recordó que ni las pieles ni las herramientas tenían marca.

—Muy bien, señores; si quieren comprar las pieles y las herramientas tal vez se las vendamos, ¿verdad

compañeros? —dijo tratando de desviar de sí la atención.

—Podríamos —repusieron.

—¿Les pertenecen? —preguntó el alcalde.

—Claro está.

—¿Por qué no vendió el americano las pieles en
Durango? ¿Para qué las traen ustedes aquí? Es tanto
como llevar agua al río.

—Los precios que pagaban por ellas en Durango no
eran muy buenos.

—Y ustedes pensaron que podrían venderlas mejor
aquí en las montañas, en donde nosotros podemos con-
seguirlas sin necesidad de pagar por ellas.

Miguel trató de dar una respuesta, pero antes de
que pudiera hacerlo, el alcalde dijo con rapidez:

—¿Y el americano se fué desnudo a la estación?

—¿Qué quiere usted decir con eso? —preguntó Miguel palideciendo hasta que su semblante tomó un tinte
grisáceo.

—¿No son esas que calza las botas del americano?
¿Y no son sus pantalones esos que su compañero lleva
puestos? ¿Por qué ninguno de ustedes lleva puesta la
camisa, que, según me dijeron, todavía se encontraba en
buenas condiciones? Debe haber estado mucho mejor
que la de cualquiera de ustedes.

Ninguno de los pícaros habló.

—¿Por qué ninguno de ustedes se puso su camisa?
Bien, se lo diré yo.

Los ladrones no esperaron a que hablara más. De
un salto rompieron el círculo formado por los vecinos
y echaron a correr por la calle principal.

El alcalde hizo una señal y en medio minuto un
grupo de vecinos empezó a perseguirlos, sin esperar
siquiera a ensillar los caballos. Los bandidos no pudieron llegar muy lejos. Sus perseguidores los cogieron

antes de que traspusieran las últimas casas, y los hicieron regresar a la plaza, al sitio que quedaba enfrente de la casa del alcalde. Allí se les permitió que se sentaran a la sombra de los árboles, atados los tres juntos y guardados por cinco campesinos armados con machetes.

El alcalde se aproximó, conduciendo su caballo ya ensillado. Antes de montar se dirigió a los ladrones y les dijo:

—Ahora iremos en busca del americano para preguntarle cuánto le pagaron ustedes por los burros, y por qué razón les dió sus botas y sus pantalones. Además, traeremos su camisa para saber por qué ninguno de ustedes la quiso. Así es que pueden descansar cómodamente, no tendremos que caminar mucho, no habrá necesidad de ir hasta Durango.

Los hombres que debían acompañar al alcalde fueron en busca de sus caballos, hicieron su itacate y marcharon.

La comitiva no siguió el camino tomado por los bandidos. Se encaminó por el que Dobbs había tomado cuando desde el pueblo lo vieron pasar a distancia. Pronto encontraron las huellas dejadas por la recua conducida por el norteamericano, pues no había llovido y se hallaban intactas.

Como los animales que montaban estaban acostumbrados a hacer aquel pesado camino, pronto llegaron al sitio en el que Dobbs se había detenido a descansar a la sombra de los árboles; allí encontraron que las huellas de los burros no conducían hasta Durango, y se vió claramente que se les había obligado a regresar a la montaña.

Los indios comprendieron que en aquel sitio algo debía haber ocurrido, ya que Dobbs no había podido seguir su camino con la recua. Las huellas de sus botas, que partían de aquel sitio para el pueblo, eran diferentes de las halladas con anterioridad. No era posible que las botas dejaran la misma marca, pues el pie que las calzara más tarde era más pequeño.

El alcalde dedujo que el cambio de las botas había tenido lugar cerca de los árboles. Entonces envió a uno de los hombres a que buscara las huellas de Dobbs en el camino que conducía a la ciudad, hacia donde debía haberse dirigido descalzo, pero éstas no fueron encontradas.

—Entonces el cuerpo debe estar cerca de aquí —exclamó el alcalde.

—Deben haberlo llevado a esconder al pie de las montañas.

—Yo no creo, don Asunción, que se atrevieran a hacer tal, pues sabían que por este camino suele transitar mucha gente, comerciantes y campesinos que se dirigen al mercado o que vienen de él. Busquemos mejor por aquí. Debe encontrarse cerca. Si no, seguiremos por todo el camino que los bandidos recorrieron, en alguna parte por aquí hallaremos el cuerpo. Probemos, tengo la seguridad de que lo encontraremos.

Empezaron a buscar.

Bajo los árboles no se hallaban señales de tierra recién movida. Los hombres fueron ampliando el radio de su búsqueda. Cerca se encontraban una milpa, en donde el terreno era suave. No habían buscado ni quince minutos cuando uno de ellos gritó:

—Ya lo encontré, don Joaquín, aquí está.

Sacaron el cuerpo todavía en buenas condiciones, por lo que la identificación resultó fácil.

—Este es el americano; era el más chaparro, el más fornido y el único de cabello rubio. Nos llevaremos su camisa como prueba.

Llevaron el cuerpo bajo los árboles. El alcalde ordenó a los hombres que cavaran una fosa para el muerto a veinte pies de distancia, pero sin adentrarse en la milpa. Con los machetes hicieron un agujero hondo y en él colocaron el cadáver. Todos se descubrieron y se arrodillaron a la orilla de la tumba. El alcalde dijo una docena de avemarías por el alma del muerto. Un hombre cortó una vara e hizo con ella una crucecita, se persignó y la colocó sobre el cuerpo desnudo. La fosa fué cubierta con tierra y su superficie emparejada para que no se notara que allí había una tumba. El alcalde hizo una cruz más grande que la primera, la besó y la colocó en el sitio en el que la cabeza había quedado. Se arrodilló, volvió a orar, hizo la señal de la cruz sobre la tumba y se persignó tres veces diciendo:

—Ahora vámonos; la Santísima Virgen se apiadará de su alma.

Los hombres regresaron al pueblo a la mañana siguiente y se dirigieron al sitio en el que estaban los bandidos. El alcalde les mostró la camisa y les dijo:

—La encontramos.

—Eso veo —dijo Miguel, encogiendo los hombros y enrollando un cigarrillo perezosamente. Sus dos cómplices sonrieron. Miguel parecía considerar todo aquello como una broma que en nada le ofendía. De mucho tiempo atrás sabía que nada se puede en contra del destino; ni siquiera es posible elegir a la mujer con quien uno debe casarse, o esperar riquezas, o vivir decentemente si el destino no lo decreta. Entonces, ¿por qué preocuparse?

El alcalde había dado aviso al puesto militar más próximo y durante la tarde habían llegado doce soldados mandados por un capitán para hacerse cargo de los prisioneros.

Cuando el capitán vió a Miguel, dijo:

—Ya lo conocíamos, hace tiempo que andamos tras él y sus dos amigos. Hace dos semanas mataron a un campesino y a su mujer que vivían en un apartado rancho. Todo lo que consiguió fueron siete pesos, porque era cuanto había en la casa; estos dos pájaros estaban con él.

El capitán ordenó al sargento que preguntara al alcalde qué pensaba hacer con los burros y su carga.

—Conozco a los verdaderos dueños de los burros —contestó el alcalde—. Uno de los americanos es un gran médico, que actualmente vive al otro lado de la Sierra con mi cuñado, a quien le salvó un hijo tenido por muerto. No lo han dejado partir porque es capaz de hacer un sinfín de milagros. Yo le llevaré los burros con su carga, ya que desde hace tiempo tengo deseos de visitar a mi hermana, que celebrará su santo la semana entrante.

—Bien —dijo el capitán—, entonces yo nada tengo que ver con eso. Despacharemos luego, pues quiero estar de regreso antes de medianoche para que mi mujer no se alarme.

Los soldados tomaron a sus prisioneros y, sin atarlos, les hicieron caminar.

El camino que tenían que seguir los soldados era pesado y lo hicieron lanzando maldiciones por verse obligados a cuidar de los prisioneros como si se tratara de vírgenes.

La noche cayó cuando la tropa se encontraba todavía a unas cinco millas del cuartel.

—Descansemos aquí —ordenó el capitán—. Necesitamos respirar un rato después de escalar este maldito cerro.

Los soldados se acomodaron y empezaron a fumar.

—¡Sargento De la Barra! —gritó el capitán.

—¡A sus órdenes, mi capitán! —dijo aquél, parándose ante él en espera de ellas.

—Haga que tres hombres conduzcan a los prisioneros por un momento a aquellos arbustos para que hagan sus necesidades. Pero le advierto que no debe dejarlos escapar, porque le costaría un arresto de tres meses. Si tratan de hacerlo mátelos y no vaya a venir con que no dió en el blanco. Ahora repítame lo que le he dicho.

El sargento repitió la orden y escogió a los hombres que debían cumplirla.

El capitán encendió un cigarrillo e hizo que uno de los soldados que le acompañaban le cantara la "Adelita" acompañado de su guitarra.

El sargento ordenó a los ladrones que hicieran sus necesidades.

—Pero no aquí; allá entre los árboles, no queremos su peste cerca de nosotros; caminen.

Difícilmente habían llegado a los arbustos cuando se escucharon seis descargas.

El capitán apartó el cigarrillo de sus labios:

—¿Qué fué eso? Espero que los prisioneros no hayan tratado de escapar; sería lamentable.

Un minuto más tarde, el sargento se paró ante el capitán.

—Hable usted, sargento De la Barra. ¿Qué ocurrió?

—Los prisioneros trataron de escapar en cuanto llegaron a los árboles. Empujaron al soldado Cabrera y trataron de quitarle el arma; entonces él disparó y nosotros los matamos. Los soldados Saldívar y Narváez también tuvieron que disparar, para evitar que los prisioneros escaparan. Así, pues, reporto la muerte de los prisioneros, mi capitán.

—Gracias, sargento De la Barra. Debía usted haberles salvado la vida, porque tenían derecho a que se les juzgara de acuerdo con lo establecido por la Constitución; pero si atacaron, tratando de matarlo y de escapar, el deber de usted era matarlos, sargento. Ya lo recomendaré al coronel por su diligencia.

—Gracias, mi capitán.

—Haga que los hombres entierren a los prisioneros y que se descubran ante sus tumbas.

—Sí, mi capitán.

XXVI

Howard se encontraba atareadísimo, pues en todas partes requerían sus servicios. Había esperado encontrar tranquilidad en aquel pueblo, en el que pensaba dar a sus viejos huesos un descanso bien merecido después de aquellos meses en los que tan duramente había trabajado en la mina, pero se equivocó. Su fama de gran médico capaz de operar milagros, todos los milagros imaginables desde que la Biblia fué escrita, se había extendido.

Los habitantes de la Sierra Madre, como los serranos de todo el continente, son en general muy sanos. Llegan a edades junto a las que Matusalén queda corto, pero se encuentran indefensos ante enfermedades que no son originarias de este continente. Siendo gentes sencillas, acostumbradas a una vida natural, sufren, como la mayoría de los habitantes del mundo, más de males imaginarios que reales. La habilidad médica de Howard se basaba —como sólo él sabía— en su posibilidad de distinguir entre las enfermedades verdaderas y los males supuestos y sufridos por autosugestión. Otro de los motivos de su fama era que siempre contaba con la respuesta rápida y oportuna para satisfacer a sus pacientes.

Una mujer llegó un día a preguntarle por qué razón tenía ella piojos y su vecina no. Entre los indios y los

mestizos, los piojos son tan comunes como las pulgas
en los perros. Parece que se afanan por no desprenderse de ellos. El Departamento de Salubridad se em-
peña en verdaderas campañas en su contra, por ser, al
igual que las pulgas, transmisores de un buen número de enfermedades, pero los indios serían capaces de
levantarse en armas contra el gobierno por tomar semejantes medidas, como lo han hecho por causas similares.

Howard, debido a su larga permanencia en el país,
conocía a la gente. Como gran médico que era, necesitaba hacer uso de su saber. Podía fácilmente haber
dado alguna receta a la mujer para que se despojara
de sus piojos, pero deseoso de no perder su reputación de
gran médico, comprendió que no debía hablar con verdad a sus clientes respecto a sus males, pues le habría
ocurrido lo que a más de un médico honesto. Algunos
de éstos, por su honestidad, se ven obligados a trabajar,
para ganarse la vida, en una mina de carbón.

Howard dijo a la mujer:

—Si tienes piojos es porque tu sagre es buena y
saludable y ellos gustan de chuparla. Tu vecina debe
tener mala sangre y por eso no tiene piojos. Los piojos
son muy inteligentes y rechazan la mala sangre como
tu marido suele rechazar el mal tequila.

La mujer quedó satisfecha y decidió amar y hon-
rar a los piojos para ostentarlos como la mejor señal
de que era una mujer saludable. Cinco minutos después
la otra mujer acudió al doctor solicitando una medicina
para mejorar su sangre, la que debía ser mala, ya que
no tenía piojos. Entonces Howard hizo lo que todos los
médicos suelen hacer: le recetó una medicina, y para
que la receta le diera mejor resultado, él mismo la
preparó haciendo una mezcla de zacate, hojas y raíces
cocidas, de cuya inocuidad estaba seguro. La mujer se

mostró tan agradecida que de haber tenido cien pesos se los habría ofrecido, pero Howard tuvo que contentarse con los diez centavos que le dió.

La base de todas las medicaciones de Howard era el agua caliente al interior y al exterior, en cantidades cuidadosamente prescriptas. Y su variedad era tal que le bastaba para curar cada enfermedad y a cada individuo de diferente manera.

Toda la gente de la región admiraba a Howard y a sus milagros y le habrían hecho presidente de la República de tener poder para ello.

Enfermos, hombres y mujeres, llegaban a él, diciéndole que sabían que la muerte los acechaba y que estaban seguros del sitio vulnerable por el que los atacaría. Howard, siempre lleno de discursos, jamás lamentaba su ineptitud para curar un mal. Inmediatamente ordenaba compresas calientes sobre la piel de la región dolorida. Y en el estómago, en las costillas, en la espalda, en el cuello, es decir, en todos los sitios en los que una compresa podía ser aplicada. Algunos enfermos sanaban en tres días, otros en varias semanas y otros morían. Howard explicaba las defunciones diciendo que el paciente lo había consultado cuando ya era demasiado tarde para expulsar a la muerte de su interior. Otras veces alegaba que el muerto tenía un alma demasiado noble para habitar este mundo cruel y que la Virgen Santísima había decidido llevarlo a su lado. Y si el paciente era un reconocido pícaro, explicaba su muerte como un deseo de Dios para salvarlo del infierno, antes de que sus pecados fueran tantos que no quedaran esperanzas de salvación para su alma.

Respecto al arreglo de huesos, Howard no era molestado, pues los indios creían firmemente que los viejos, hombres y mujeres, que habían hecho ese trabajo desde hacía cientos de años, no debían ser desplazados por un gringo capaz de hablar sobre los ferrocarriles que corren debajo de los ríos y las máquinas que cruzan los cielos con gran estruendo, concediendo, sin embargo, a tan gran médico el derecho de mentir por diversión.

Howard habría podido terminar allí su vida, alimentado, respetado y tratado como un gran sacerdote. Tenía todo a su disposición y era lo suficientemente inteligente para vivir valiéndose de la autorizada doctrina que dispone dejar a la gente que haga lo que desea y lo que quiere, sin tratar jamás de reformar a nadie o de cambiar las condiciones de su vida señalándole sus errores y poniendo de manifiesto y en contraste las cualidades propias.

Por ello era apreciado por todos y todos se complacían con su presencia. Pero habría dejado de ser norteamericano si no hubiera ambicionado un cambio para bien o para mal.

Todos los días pensaba en marchar. Le molestaba cierta sospecha que había empezado a abrigar respecto de sus dos socios. Podrían haber cogido su parte y desaparecido. Se consoló con la idea de que en cualquier cosa que hubiera ocurrido, él nada podía hacer, lo único que le quedaba era esperar y confiar.

Una hermosa mañana se encontraba meciéndose perezosamente en una hamaca, cuando un hombre venido de un pueblo lejano, cabalgando un potro, se detuvo y preguntó por el gran médico que allí vivía. Habló con el dueño de una casa, el que lo condujo al lugar en el que Howard descansaba, después de haber trabajado, devorando toda una gallina asada.

—Ahí tiene usted al gran médico.

—¿Qué tal, amigo? —dijo Howard, saludando al indio.

Antes de que éste hablara, el que lo había conducido, empezó a decir:

—Vea usted, señor doctor; este hombre viene desde un pueblo muy lejano que se halla en las montañas, para contarle algo que puede interesarle.

El indio se sentó próximo a la hamaca y comenzó su relato.

—Mi compadre Lázaro, que habita en el mismo pueblo que yo, fué al bosque a hacer carbón para venderlo más tarde a buen precio en Durango. Mi compadre es carbonero, y como todos ellos, empieza a trabajar muy de mañana, antes de que salga el sol. Se internó en el bosque y apenas había terminado de arreglar el horno, cuando vió que algo se arrastraba por el campo. Todavía estaba muy oscuro y no pudo distinguir qué era aquello.

"Primero pensó que podía ser un tigre, y se asustó muchísimo, corrió por su machete y al aproximarse pudo ver que aquel bulto era un hombre que se arrastraba por el campo como un animal y que el hombre aquel era un blanco bañado en sangre y totalmente agotado. Tenía muchas heridas de bala y podía haber muerto allí mismo.

"Lázaro, que es muy bueno, le dió agua y le quitó la sangre que cubría su rostro. Se desentendió del horno, montó al hombre blanco en su burro y lo llevó al pueblo, entró con él en su casa, y cuando lo hubo colocado sobre el petate se dió cuenta de que estaba muerto.

"Los vecinos acudieron para ver al extranjero y entre ellos nuestro curandero, el componedor de huesos, que es un viejo muy experimentado. Lo examinó cuidadosamente y dijo: "Este hombre no está muerto, está muy grave y muy débil debido a la pérdida de sangre y al esfuerzo que tuvo que hacer para arrastrarse por el bosque."

"Entonces me mandó llamar a mí, Filomeno, porque mi caballo es veloz, y me ordenó que viniera en busca del gran médico extranjero que habita en este pueblo, porque nuestro curandero piensa que usted debe saber mejor como curar a uno de su raza. He cabalgado como un demonio para pedir que vaya a ver a su hermano. Todos creemos que usted puede curarlo, porque no está muerto, solamente muy débil y usted debe conocer mejor que nosotros la naturaleza de los blancos. Quizás pueda salvarlo si viene en seguida conmigo."

—¿Cómo es ese hombre blanco, Filomeno? —preguntó Howard.

Filomeno hizo de él una descripción tan precisa que Howard supo en seguida que se trataba de Curtin y tuvo la seguridad de que, junto con Dobbs, había sido asaltado por algunos bandidos.

Ofrecieron a Howard el mejor caballo que su anfitrión poseía y acompañado de éste y de tres vecinos más se encaminaron al pueblecito. La distancia era larga y el camino, como todos los de la Sierra Madre, pesado.

Cuando Howard y sus amigos llegaron al pueblo, Curtin se encontraba ligeramente recobrado. La mujer de la casa en la que se hallaba, más práctica que los hombres, había lavado las heridas con agua caliente y mucho jabón, había puesto en ellas mezcal y después las había vendado tan bien como le fuera posible. Otra mujer mató un pollo, y con él y algunas yerbas había condimentado un caldo de efectos estimulantes para los heridos.

Cuando Curtin volvió en sí, relató a los vecinos lo que había ocurrido. Sólo que no mencionó a Dobbs y dijo que unos ladrones lo habían tratado de asesinar para robarle. No se refirió a aquél, pues no deseaba que lo persiguieran y descubrieran el contenido de la carga, que podría perderse de uno u otro modo. Sabía que con ayuda del viejo podría atrapar a aquel canalla con bastante rapidez y sin ayuda ajena.

Cuando relató a Howard la verdadera historia, le preguntó:

—¿Qué opinas del trato que me dió? ¿Imaginaste alguna vez que hubiera alguien capaz de hacer eso a un camarada? Me disparó a sangre fría sin tenerme ni la consideración que un perro merecía.

—¡Pero no comprendo por qué!

—Muy sencillo, no quise unirme a él para robarte y huir. Él representó la vieja comedia de que se veía obligado a matarme en defensa propia. Podía yo haber aparentado ir de acuerdo con él y en cuanto hubiéramos llegado al puerto hacerle ver que estaba equivocado, pero había algo que me impedía obrar en esa forma. Pensé que tal vez podrías reunirte a nosotros antes de lo que esperábamos y creer que yo intentaba traicionarte. Me hubiera sido difícil explicarte la verdad, y de todos modos me habría él matado para quedarse con todo.

—¡Vaya un camarada, un gran camarada!

—¡Dímelo a mí! Me dió un balazo en la parte izquierda del pecho y me abandonó en el bosque. Pero ahora me doy cuenta de una cosa: tengo una herida más que no me di cuenta cuando me la hizo; estoy por pensar que el muy bestia regresó a medianoche y me disparó nuevamente para asegurarse de mi muerte.

—¿Cómo escapaste?

—Durante la noche volví en mí y reflexionando en que él volvería por la mañana a donde yo estaba y podría descubrir que me quedaba un soplo de vida, decidí alejarme arrastrándome. Después de avanzar un poco, encontré mi pistola que había tirado cerca de mí, para hacer aparecer que habíamos luchado rectamente. Cuatro de los casquillos estaban vacíos, por lo que pienso que ese puerco intentó asesinarme con mi propia pistola.

—Bueno, ahora cálmate; ni te excites, porque ello puede dañarte los pulmones —le advirtió Howard.

—No te preocupes por mí; sanaré aunque sólo sea para coger a ese canalla. Para no hacer el cuento largo, te diré que arrastrándome en sentido opuesto al campamento, llegué por la mañana temprano al lugar en que se encontraba un carbonero. Cuando me vió, trató de atacarme con su machete. Luego intentó correr y me costó un gran esfuerzo, débil como me encontraba, explicarle que era inofensivo y que debía ayudarme y conducirme a su casa. Cuando se dió cuenta de mi situación, se portó admirablemente, con una delicadeza difícil de descubrir en gentes de nuestra raza. Sin su ayuda habría muerto más miserablemente que una rata.

—En resumen, nuestro buen amigo Dobbs se largó con todo, dejándonos en la calle.

—Así parece, viejo.

Howard meditó un rato, y dijo:

—Pensándolo bien, no hay que culparlo.

—¿Que no hay qué? —preguntó Curtin como si no comprendiera.

—Quiero decir que no es un ladrón y un asesino como los que suele haber. Verás, yo creo que en el fondo es tan honesto como tú y como yo. El mal estuvo en que vosotros dos os quedarais solos en el corazón de la Sierra, y con cincuenta mil relucientes dólares entre ambos. La tentación es infernal, créeme. El permanecer de día y de noche en caminos aislados sin ver una sola alma acaba por trastornar, hermano. Lo sé bien; tal vez tú lo hayas sentido, no lo niegues. Basta con olvidarse de algunos sentimientos familiares. Los parajes salvajes, las montañas desoladas, suelen gritar a todas horas en nuestros oídos: "Nosotros no hablamos, nadie lo sabrá jamás, hazlo, hazlo ahora mismo, en el próximo recodo del camino. He aquí la oportunidad de tu vida, no la pierdas. Lo único que necesitas es decidirte y nadie lo sabrá jamás. Toma lo que está en tus manos, no repares en una vida humana, el mundo está poblado de tipos como él." Yo quisiera saber donde está el hombre capaz de resistir esto sin volverse loco. De haber sido joven y de encontrarme solo contigo o con él, con toda franqueza, Curty, también me habría sentido tentado. Creo que si tú hurgas en tu mente cuidadosamente, encontrarás que semejantes ideas te asaltaron. Que no lo hayas hecho no quiere decir que la tentación no te haya acechado. Lo que ocurrió es que te dominaste en los instantes más peligrosos.

—Pero él carece de escrúpulos y de conciencia, eso lo sabía yo hace mucho tiempo.

—Tiene tanta conciencia como nosotros la hubiéramos tenido bajo las mismas circunstancias. Y recuerda que donde no hay fiscal no hay acusado. Ahora lo único que podemos hacer es encontrar a ese embustero y arrebatarle lo nuestro.

Howard quiso salir en seguida en persecución de Dobbs a fin de alcanzarlo en Durango, o por lo menos en el puerto, y evitar que cruzara la frontera. Curtin tenía que permanecer en el pueblo hasta que se recobrara totalmente, y después se reuniría con Howard.

Cuando el viejo dijo a los indios que tenía que ir a vigilar sus propiedades, ya que Curtin se encontraba enfermo, aquéllos estuvieron de acuerdo con su partida, aun cuando la lamentaron.

A la mañana siguiente, Howard se puso en camino, para lo cual le fué proporcionado un buen caballo. Sus amigos no le permitieron que partiera solo. Insistieron en acompañarlo para protegerlo de algún accidente semejante al de Curtin.

Habían dejado atrás un pueblo cuando en el camino se encontraron con don Joaquín, el alcalde, quien, acompañado de seis hombres, llevaba a Howard los burros para hacerle entrega de los animales y de sus cargas... Él, al reconocer la recua, preguntó al alcalde:

—Bueno, mi amigo ¿en dónde está el americano que la conducía? No lo veo. Se llamaba Dobbs.

—Unos bandidos lo asesinaron no lejos de Durango —repuso el alcalde—. Lo enterramos y rezamos por el descanso de su alma.

—¿Capturaron a los bandidos?

—Sí, señor doctor, los cogimos allá en el pueblo cuando trataban de vender los burros. Las tropas federales se los llevaron ayer y ya deben haberlos fusilado.

Howard se quedó mirando la carga y descubrió que los bultos eran menos voluminosos que como él los recordaba...

A toda prisa desmontó, se dirigió al más próximo y lo abrió con nerviosidad. Las pieles se encontraban allí, pero las bolsitas no. Abrió otro con manos temblorosas, tampoco en aquél estaban.

—Amigos —gritó—: debemos ir tras los bandidos. Hay algo que necesito preguntarles. Quiero que me digan qué hicieron con un buen número de bolsitas de trapo que se encontraban en los bultos. Contenían arena y polvo que deseábamos llevar a una gran ciudad para que hombres conocedores los probaran y nos dijeran qué clase de minerales contiene el suelo.

—Necesitaremos dos días para alcanzar a los soldados que marchan con los bandidos hacia el cuartel, en donde deben encontrarse a estas horas. Será necesario que tomemos un atajo y que viajemos rápidamente, porque en cuanto esos bandoleros lleguen tendrán dos horas solamente antes de la corte marcial y dos horas después para ser fusilados, y entonces será tarde para hacerles preguntas —explicó el alcalde.

Ordenó a los hombres que se llevaran la recua a la casa de su cuñado, en la que Howard vivía, y que dijeran que regresarían unos días más tarde, porque iban en busca de los soldados.

Cuando iniciaron la marcha, uno de los indios que acompañaba al alcalde se aproximó y preguntó:

—Oiga, señor doctor: ¿lo único que desea saber es el paradero de las bolsitas?

—Exactamente, amigo; nada más quiero saber qué hicieron con ellas.

—Tal vez yo se lo pueda decir, señor, y así no tendremos que ir tras los soldados.

—Ande, pues, diga —urgió Howard.

—Mire, señor doctor; yo fuí uno de los hombres a quienes el alcalde ordenó la custodia de los bandidos mientras él iba con el jefe de policía en busca del cuerpo de su compañero asesinado. Bueno, pues empezamos a conversar amistosamente, hasta jugamos a las cartas para matar el tiempo. Apostamos cigarrillos para divertirnos y, por supuesto, conversamos largamente. Los bandidos nos hablaron de su vida, de los lugares en que habían trabajado, de las cárceles que habían conocido, de cuántas veces habían escapado de ellas y de todas las fechorías que habían cometido, pues trataban de mostrarnos lo hábiles que eran.

Howard sabía por experiencia que no era conveniente apurar a esas gentes cuando relatan una historia, pues si se les interrumpe se confunden fácilmente. Se concretó a escuchar con ansiedad hasta los detalles ca-

rentes de interés. Sabía que el relator llegaría finalmente al punto. Lo mismo ocurría con sus pacientes,
quienes, para explicar su enfermedad, generalmente
empezaban contando cuántas ovejas había poseído su
abuelo.

—Ellos hablaron y yo escuché. Dijeron que en el
mundo había muchos ladrones y bandidos como ellos
y que algunos hasta parecían gentes honestas, hombres
decentes. Perdóneme, señor doctor, si le digo esto, pero
al referirse a aquello señalaban especialmente a usted
y al americano a quien cortaron la cabeza con el machete. Dijeron que ese hombre era un grandísimo ladrón
—vuelvo a pedirle perdón por expresarme así de su
amigo— sí, dijeron que el americano era tan ladrón
como ellos, y tal vez peor, pues había puesto entre las
pieles bolsitas llenas de tierra para engañar al pobre
comerciante que en Durango se las comprara, ya que,
como lo haría de noche, no podría ver bien lo que le
daban. Los lotes no serían abiertos y el comerciante
confiado los vería sólo por fuera. Dentro de las pieles
estaban las bolsitas de arena para aumentar el peso, ya
que por peso se las pagarían. Así, pues, cuando los
bandidos se internaron en el bosque, abrieron los bultos
para ver cuánto habían obtenido, y cuando se dieron
cuenta de que las bolsitas contenían sólo arena y polvo
para engañar al peletero de Durango, vaciaron su contenido y lo esparcieron por el campo. No sé en qué
lugar lo harían y aun así el viento debe haber hecho
volar la arena. Con ello lograron aminorar el peso de
la carga y hacer que los burros pudieran llegar pronto
a donde esperaban vender los animales, con mayor rapidez. Ahora ya sabe usted, señor doctor, lo que ocurrió con las bolsitas y tal vez no haya razón ya para
seguir a los soldados a fin de interrogar a los bandidos, ya que la arena no podrá ser encontrada, ni siquie-

ra el sitio en el que fueron vaciados los sacos, pues estaba oscuro y habían dejado el camino por temor a ser descubiertos.

—Gracias por tu relato, amigo —dijo Howard con gran pena—. No, ya no hay razón para seguirlos. ¿No llevaban ni uno solo de los saquitos cuando fueron arrestados?

—Ni uno solo —repuso el indio—. Nada más tenían las botas y los pantalones del hombre que habían muerto y unos cuantos centavos, no muchos. También tenían una navaja, todo lo demás está en los bultos, nada vendieron en el camino porque a nadie encontraron. Así, pues, se ha perdido muy poco, señor doctor. Todo se encuentra tal y como ustedes lo dejaron, lo único que falta es la arena.

—Sí, desde luego; la arena es lo único que falta.

Howard reflexionó unos instantes como si quisiera fijar en su mente todo aquello y después dejó escapar como en un rugido una carcajada homérica que hizo pensar a sus compañeros que se había vuelto loco.

—Amigos míos, no se preocupen por mi risa, es que lo ocurrido es lo más cómico que uno puede suponer. —Y volvió a reír hasta que el estómago le dolió. Los indios, pensando que gozaba con alguna idea cómica, le imitaron riendo tan cordialmente como él lo hacía, ignorantes de la verdad.

—Así es que hemos trabajado y sufrido como galeotes, sólo por placer —dijo Howard cuando terminó de relatar a Curtin la historia—. De cualquier manera creo que es una gran broma que tanto a nosotros como a los bandidos nos jugó el Señor, o el destino o la naturaleza, lo que prefieras, y quienquiera que lo haya hecho tiene un gran sentido del humor. El oro ha regresado al lugar de su procedencia; que descanse en paz.

Curtin no era un filósofo como Howard y se sentía mal ante el hecho de haber trabajado tanto y en medio de tan grandes privaciones por nada.

—Hubiéramos podido recuperar todo el producto de nuestra mina a cambio de unas cajetillas de cigarros, de haber encontrado a tiempo a los bandidos para preguntarles qué habían hecho con la arena —dijo Howard y volvió a estallar en risa.

—Tu risa tonta me vuelve loco —gritó Curtin enojado—. ¡No comprendo cómo una persona en sus cabales puede reír de semejante cosa!

—Si eso no te hace reír, no sé entonces que es lo que puede parecerte gracioso. Esta guasa sola vale por los diez meses de trabajo y dificultades. —Y volvió a reír hasta que las lágrimas rodaron por sus mejillas—. Fuí robado, pero en cambio me convertí en hacedor de milagros, en médico cuya fama vuela por toda la Sierra Madre. He tenido tal éxito en mis curaciones que me han acreditado más que al médico mejor pagado de los Ángeles. Tú has sido muerto dos veces, vives aún y vivirás por sesenta años más. Dobbs perdió la cabeza a tal extremo que no volverá a hacer uso de ella. Y todo esto por cierta cantidad de oro que nadie puede localizar y que hubiera podido ser adquirida por tres cajetillas de cigarrillos, con un valor de treinta centavos—. Howard no pudo evitarlo y rió una y otra vez.

Por fin Curtin pudo ver la parte cómica del asunto y empezó a reír. Cuando Howard se dió cuenta, corrió a taparle la boca, diciéndole:

—Oye, Curty; no trates de imitarme si no quieres que te estallen los pulmones. Más vale que los cuides, porque todavía no los tienes muy bien y los necesitamos para regresar al puerto, como lo hacen quienes han ganado y perdido una fortuna, unos por el petróleo, otros por el oro. Sabe que los que ganaron y perdieron oro puro y natural son de aristocracia más alta que los que ganaron y perdieron petróleo.

Curtin se puso pensativo.

—¿Qué haremos en el puerto? Necesitamos buscarnos la vida en cualquier forma.

—Desde que me enteré de que la arena había desaparecido no he pensado en otra cosa. Podría intentar quedarme aquí para ejercer la medicina. Nunca me faltarían clientes, eso puedo asegurarlo. Podríamos hacer juntos el negocio, te haría mi socio. En verdad que necesito de un ayudante. A menudo no sé a quien atender primero y no puedo estar en dos sitios al mismo tiempo.

La sociedad no se formó por la sencilla razón de que cuando Howard abrió uno de los bultos encontró aún unas bolsitas de arena. Tal vez los bandidos no las habían visto o les dió pereza abrir toda la carga.

Howard sopesó las bolsitas para calcular su valor.

—¿Cuánto crees que valgan? —preguntó Curtin—. ¿Crees que bastaría para que abriéramos un cine en el puerto?

—Creo que no; un cine nos costaría algo más. Pero podríamos abrir una tienda de abarrotes de las mejores.

—¿En dónde? ¿En el puerto?

—¿En qué otra parte crees? Con el auge petrolero, allí siempre se hace negocio.

—¡Auge petrolero! No me hagas reír. El auge ya no existe. —Curtin no aprobó el plan y explicó por qué—: Recuerdo que un mes antes de nuestra partida, cuatro de las mejores tiendas de abarrotes quebraron y fueron cerradas. ¿No recuerdas eso?

—Sí, admito que sería arriesgado. Tienes razón, el auge se acabó. Pero han transcurrido más de diez meses y en ese lapso pueden haber ocurrido muchas cosas capaces de cambiar la situación. Tal vez haya otra gran guerra en Europa; los europeos so nasí. ¿Por qué no probamos suerte?

—Después de todo, viejo, tu negocio como médico puede prosperar. Nos quedaremos dos meses más. Por lo menos aquí podemos comer bien tres veces al día y hasta cinco si así lo deseamos; tenemos un techo que nos cubra y frecuentemente un buen trago. Además, el sábado en la noche habrá baile y tal vez se nos presente una oportunidad de no sentirnos tan solos. Y me pregunto si convirtiéndonos en tenderos podríamos gozar de todo esto.

—Tú lo has dicho, Curty. Toma en consideración el hecho de que cualquier imbécil puede ser tendero, pero no todos los hombres serían capaces de ganar fama como grandes médicos entre los indígenas y ser más altamente respetados que el mismo presidente de la República. Y no creas que es muy fácil ser buen médico. Tú puedes hacer la carrera en una Universidad, pero los buenos médicos nacen, no se hacen, y yo soy médico de nacimiento, te lo aseguro. Nada más ve al pueblo en el que tengo mi cuartel general y hasta tú te descubrirás cuando veas el gran respeto que se me tiene. Antier, nada menos querían hacerme su legislador; yo no sé lo que eso significa, pero supongo que es el honor más alto que a un hombre pueden conceder.

En aquel momento su anfitrión entró al jacal.

—Señor doctor —dijo—: Siento mucho pedirle que abandone a su amigo enfermo, pero no se preocupe usted, él se recobrará con las buenas medicinas de usted. Nosotros lo atenderemos y curaremos lo mejor que nos sea posible; pero ahora es necesario que volvamos al pueblo, señor doctor. Un hombre acaba de llegar a caballo para avisarnos que hay mucha gente allá que ha llegado a consultarle, y como los vecinos no están

acostumbrados a ver tanta, se han alarmado. Así es que
le ruego que nos demos prisa para que los visitantes
consigan su medicina y se marchen en paz.

—Ya ves, viejo —dijo Howard a Curtin—, lo importante que soy; en adelante deberás guardarme el debido respeto.

—Así lo haré, señor doctor —dijo Curtin riendo y
estrechándole la mano.

—Y ahora procura recuperarte rápidamente, muchacho.

—Ya me siento bien. Estoy seguro de que dentro de
tres días estaré curado. Tan pronto como pueda cabalgar
iré al pueblo a ver como hace el gran doctor sus milagros.

Howard no tuvo tiempo de contestar, los nativos le
apuraron para que partiera y casi le obligaron a salir
y a montar. En cuanto lo vieron sobre el caballo, espo-
learon los suyos y regresaron con él al pueblo.

Esta edición, que consta de 3,000
ejemplares, se acabó de imprimir el
día 16 de noviembre de 1955, en la
IMPRENTA NUEVO MUNDO, S. A.,
Alemania 8 al 14. México 21, D. F.